다시 쓰는 역사,
그 지식의 즐거움

다시 쓰는 역사,
그 지식의 즐거움

이상현 지음

도서출판 삼화

《다시 쓰는 역사, 그 지식의 즐거움》에 대하여

어느 친구가 물었다. "요즘 역사 선생의 전성시대가 온 것 같아! 얼마나 좋겠어?" 요즘 TV에 줄이어 상연되는 사극들을 보거나, 동북공정이니 한일 역사 교과서 문제이니 하는 등 대중매체에서 시도 때도 없이 역사라는 말이 회자되고 있음을 보고, 농담반 진담반으로 하는 소린 것을 얼핏 짐작할 수 있다.

이처럼 대중 사이에 역사에 대한 관심이 높아지는 것을 역사학도의 한 사람으로 나쁘다 할 이유는 없다. 허나 돌이켜 생각해보면, 마음이 착잡해진다. 드라마 등 방송매체를 통해서 대중에게 다가가고 있는 이야기들을 과연 역사라고 해야 할지, 그리고 중국이나 일본과 현안으로 제기되고 있는 역사문제를 어떻게 이해하고 어떻게 해결해야 할지를 생각해보면 그렇게 쉽게 가늠할 일은 아니기 때문이다.

중·고등학교 교육을 받은 사람이라면 '역사'라는 말을 모르는 사람은 없다. 그리고 그들이 역사문제를 가지고 이러쿵저러쿵 말하는 것은 그들 나름의 자유일 수 있다. 그러나 문제는 그 말이 그렇게 쉽게 이해할 수 있는 말인가 하는 것이다.

모든 사람이 사람이면서도 막상 사람이 무엇이냐고 물으면 답하기 어렵고, 답을 하려면 여러 방면의 지식을 동원해서, 심지어는 관념적인 철학이나 구체적인 의학적 지식까지도 동원하지 않으면 안 된다. 그렇게 하고도 논쟁이 일면, 각각 관심과 이해관계에 따라 다른 주장들이 나오게 마련이다. 그런데 역사의 문제를 둘러싸고 심각한 논란에 직면해 있는 오늘, 한국의 지식인들은 과연 역사를 얼마나 정확하게 인식하고 이해하고 있는가?

역사를 정확하고 깊이 있게 이해하고 인식하기 위해서는 전문적인 연구가 필요하다. 필자는 "역사란 무엇인가?" "역사학이란 어떤 것인가?"라는 의문을 풀기 위해서 무려 40여 년간 연구와 강의를 해왔다. 일반인으로서는 이해하기 어려운 전문적인 저서도 몇 권 출간하였다.

그러고 나니, 막말로 본전 생각이 났다. 홀로 상아탑이라는 골방에 묻혀 연구해 놓은 것을 아무도 읽어주지 않으니 허탈하기도 하고, 혼자 좋고 혼자 즐거워 행한 일이라 자위를 하다 보니, 사회에 대해 미안하고 죄스러운 느낌도 들었다.

그래서 근래에는 이러한 연구 실적을 어떻게 하면 대중화시킬 수 있을까, 해서 그 길을 모색해 보았다. 그러나 학문의 대중화란 연구나 강의보다 훨씬 더 어려운 일이다. 그래도 용기를 내어 1993년《역사로의 입문》이라는 책을 출판하였다. 그러나 의욕은 앞섰으나, 짜임새나 내용에 있어서 많이 서툴고 부족하였다. 때문에 2002년에는 전폭적인 수정과 가필을 해서 출판사 일송미디어를 통하여《역사, 그 지식의 즐거움》으로 다시 출판하였다. 이것은 강의를 통하여 많은 수강생도 얻었고, 동시에 나름대로 독자도 확보하는 실적을 올렸다. 그리고 최근에는 절판이 되기에 이르렀다.

　여기에 힘을 얻은 필자는 역사의 대중화 작업의 일환으로 세종대학교 출판부에서 《역사 속 사랑 이야기》를 출간하였다. 제목이 좋았음인지, 상당한 인기를 얻었다. 이것이 인연이 되어 세종연구원에서 필자의 책을 냈으면 한다고 했다. 여기서 《다시 쓰는 역사, 그 지식의 즐거움》의 개정판이 그 빛을 보기에 이른 것이다.

　그 후에도 이 책은 꾸준히 독자들의 관심과 지지를 받아 왔다. 그러던 중, 세종 사이버대학교에서 교양과목으로 강의되기 시작하면서 많은 수강자들의 구독에 힘입어 개정판이 절판되는 행운을 맛보게 되었다.

　바로 이때에 도서출판 삼화에서는 저자의 저서 10여 권을 전자책으로 만드는 동시에 〔현곡문집〕이라는 이름을 붙여서 종이책으로도 출판하였는데, 이 책도 그 일환으로 재개정판으로 새롭게 출판되는 기회를 얻게 된 것이다.

　필자의 눈으로 보면, 책은 언제나 부족하고 불만스럽다. 그래서 이 책도 재판이 나오기까지 틈만 있으면 수정과 보완을 거듭하였다. 그러나 아직도 만족할 수는 없다. 그래서 앞으로도 판이 바뀌는 대로 더 보완하고 수정을 하고자 한다. 이를 위해 선후배 사학자들과 독자들의 질정이 있기를 바란다.

2017년 8월

북한산 밑, 현곡재(玄谷齋)에서

이상현 적음

머리말 _ 다시 쓰는 역사, 그 지식의 즐거움

제1부 역사란 무엇인가

제1부

역사란 무엇인가

1장
역사란 무엇인가

역사란 무엇인가

================

'역사'라는 말의 의미

학문이란 일반인들이 무심코 사용하는 말들을 음미하고, 그 의미를 정리하는 데서 출발한다. 예를 들어, 누구도 '사람'이라는 말을 모르는 사람은 없다. 그러나 누군가 "인간이란 무엇인가?"라고 묻는다면, 그것은 매우 어려운 문제가 된다. 인간의 신체적 조건에서 비롯되어 정신적 조건, 정치·경제·사회·문화·종교 등 인간의 삶에 관련한 수많은 문제들이 포함되어야 하기 때문이다. 이것은 과학이 될 수도 있고 문학이 될 수도 있으며 철학이 될 수도 있다.

마찬가지로 '역사'라고 하는 말은 누구나 쉽게 사용할 수 있는 말이다. 그러나 이를 문제로 삼아 논의하자면 한없이 복잡하고 어려운 말이 된다. 그래서 문학사, 과학사, 철학사 등 역사라는 말이 어미로 붙은 과목이 나오는가 하면, '문학으로서의 역사'라든가 '과학으로서의 역사' 또는 역사철학과 같은 말도 있는 것이다.

또 한편 같은 '역사'라는 말이라 하더라도 그 의미는 역사적으로 매 시대마다 달랐으며, 같은 시대일지라도 그것을 연구하는 사람들의 입

▶ 헤로도투스

장에 따라서 다양한 의미를 보여주고 있다. 그러므로 우리는 이 말의 진정한 의미를 이해하기 위하여 과거의 역사가들이 이 말을 어떻게 사용해 왔는지를 고찰해야 할 것이다.

헤로도토스의 역사

'역사'라는 말을 처음으로 사용한 사람은 그리스의 헤로도토스[1]다. 물론 그 이전에도 인간의 삶에 대한 기록이 없었던 것은 아니다. 그러나 그 기록의 수준이나 표현의 방법에 따라 사람들은 신화나 전설이라고도 하고, 서사시라고도 한다. 서양 문학사에서 최초의 서사 시인으로 알려진 사람은 호메로스[2]다. 그는 유명한 《일리아스(Iliad)와 오디세이아(Odyssey)》라는 서사시를 남겼다. 이것은 산문이 아닌 운문체

---

1 **헤로도토스(Herodotos, 기원전 484~425)**
그리스의 역사가로서 페르시아 전쟁사를 《역사》라는 이름으로 저술하여 역사학의 아버지로 불리게 되었다. 그는 이 책을 쓰기 위하여 육지는 발로 걷고 바다나 강은 배를 타고 조사 탐구 여행을 하였다. 그의 발길이 미친 곳은 동으로는 바빌론, 서로 이탈리아, 남으로 이집트의 엘레판티네와 아프리카의 키레네, 북으로 스키타이에 이르는 광대한 영역이다.

의 서사시이고, 많은 신화를 내용으로 포함하고 있기 때문에 얼마 전까지만 하더라도 역사책으로 생각하지 않았다.

그러나 독일의 고고학자 슐리이만[3]이 《일리아스》의 무대였던 트로이격전장을 발굴하여 그 이야기가 작가의 상상이나 허구가 아니라 실제로 있었던 사실이었음을 밝혀내었다. 뿐만이 아니라 그 작품 속에는 당시의 생활상이나 생각들이 표현되어 있다. 그 시대 그리스인들이 영위하던 화려한 궁정생활, 전쟁 상황, 전쟁 준비를 위하여 벌리는 회의 장면, 에게 해 주변의 여러 민족들의 일상생활 등등이 매우 상세하게 서술되어 있다.

호메로스하면, 함께 생각해야 하는 사람이 있다. 헤시오도스[4]가 그 사람이다. 그는 《신통기(神統記, Theogony)》라든가 《노동과 나날(Works and Days)》과 같은 저술을 남겼다. 제목이 암시하고 있듯이 이 작품들은 신의 이야기, 즉 신화를 주요 내용으로 하고 있다.

그러므로 호메로스의 경우와 마찬가지로 그 작품이 역사냐 아니냐는 논란의 여지가 많다. 허나 분명한 것은 신화를 만들어 놓은 것은

---

2 **호메로스(Homeros, 기원전 800?~750)**
기원전 9세기 또는 기원전 8세기경에 활동한 고대 그리스의 서사 시인.

3 **슐리이만(Schlieman, 1822~30)**
독일의 실업가로 1871년 호메로스의 《일리아스》의 무대였던 소아시아 트로이 유적을 발굴하는데 성공, 에게 해 문명을 이해하는 단서를 마련하였다.

4 **헤시오도스(Hesiodos, 기원전 700년경)**
그리스 중부의 보이오티아에서 태어나서 아버지의 뜻에 따라 목축업에 종사하다가 아버지가 죽자 외지로 나갔던 형들에게 재산을 빼앗기고 방랑생활을 하게 되었다. 여기서 그는 음유시인이 되어 두 개의 서사시를 남겼다.

신이 아니라 인간이며, 신들의 생각과 생활상을 그리고 있으나 그것은 결국 인간의 생각을 표현하고 있다는 것이다. 다만 신화를 어떻게 해석하여 당시 사람들의 생각을 읽어내는가 하는 것은 별개의 문제다. 그러므로 역사를 인간의 삶과 생각의 기록이라 한다면 이들을 역사에서 제외시켜야 될 이유는 없다.

그러나 이들은 아직 '역사'라는 말은 사용하지는 않았다. 역사라는 말을 처음으로 사용한 사람은 헤로도토스다. 그래서 지금 우리는 그를 '역사학의 아버지'라 부르는 것이다. 헤로도토스가 쓴 역사는 정확하게 페르시아 전쟁(기원전 492~448)[5]의 역사다. 다리우스 대제와 그의 아들 크세르크세스에 의해 수차례에 걸쳐 자행된 페르시아전쟁이 끝난 뒤, 헤로도토스는 전투가 전개된 각 지역들을, 물은 배를 타고, 육지는 발로 걸어 다니며, 사건 사실의 현장을 직접 답사하고 목격자들과의 대질심문을 해서 취재하여 기록하였다.

그래서 그가 처음으로 사용했다는 '역사'라는 말은 오늘날 우리가 생각하는 것과는 달리 조사탐구라는 의미를 지니고 있었다. 다시 말해서 헤로도토스의 '역사'는 사건현장에서 대질심문을 통한 조사탐구의 기록을 뜻한다. 이런 점에서 당시의 역사가란 오늘날의 기자들과

---

5 **페르시아 전쟁**
기원전 492~448년경 그리스와 페르시아 사이에 있었던 전쟁. 그리스의 식민시인 이오니아를 복속시키려는 페르시아와 이에 맞서서 이오니아의 저항을 도우려는 아테네의 갈등으로 시작되었다. 페르시아의 다리우스 1세의 1차 침략은 유명한 마라톤 전투를 통해서, 그 아들 크세르크세스에 의한 2차 침략은 살라미스 해전으로 페르시아가 패전하여 전쟁은 그리스의 승리로 막을 내렸다. 이 전쟁의 승리로 아테네는 델로스 동맹의 맹주가 되어 아티카 제국을 형성하고 번영하였다. 이에 반하여 스파르타는 펠로폰네소스 동맹을 맺어 대항하여 결국 펠로폰네소스 전쟁으로 연결된다.

유사한 직업을 가진 이들이며, 역사란 신문기사와 같은 성격을 지녔다고 할 것이다.

헤로도토스를 역사학의 아버지라 하는 데에 이의가 없는 것은 아니다. 그보다 1세기 앞선 기원전 6세기에 지리학(Geography)과 연대학(Chronology)을 발전시킨 밀레토스의 헤카테우스(Hecataeus of Miletus)를 역사학의 아버지라 하는 이도 있다. 헤카테우스가 생존했던 기원전 6세기의 밀레토스에서는 시적인 사고가 반성적 사고, 또는 철학적 사고로 전환되고, 운문체 대신 산문체의 문학이 발달하기 시작하였다. 헤카테우스를 역사학의 아버지라 하는 것은 역사학의 기본적인 문체가 산문이라는 점을 강조한 것이다.

또 다른 사람들은 헤로도토스의 2~30년 후배인 투키디데투스(Tuchydetus)를 내세우기도 한다. 그가 역사에서 과학적 법칙성을 찾아내었다는 점을 강조한 경우다.(이 부분은 다음 장에서 논하기로 한다) 그러나 대부분의 사학자들은 헤로도토스를 역사학의 아버지로 본다. 영국의 역사학자 컬링우드(R.G.Collingwood, 1880~1943)는 그 이유를 다음과 같이 말하였다.

첫째, 그는 역사학을 조사탐구라는 말과 동의어로 사용하여 과학으로서의 역사학을 시작한 사람이다.

둘째, 그는 역사학을 신화적이거나 신정사적(神政史的)인 것과는 달리 인문주의적인 것으로 취급한 최초의 사람이다.

셋째, 그는 인간에 관한 인간의 지식을 후세에 전하고자 역사를 쓴 사람이다.

▶ 투키디데스

투키디데스의 역사

투키디데스(Thucydides, 기원전 460~398?)는 헤로도토스보다 약 20여 년 늦게 태어난 후배역사가다. 그러나 그의 제자는 아니다. 컬링우드는 그리스 철학에는 소크라테스가 있었고 그를 계승한 플라톤이 있었음으로 해서 대단한 발전을 했지만, 역사학에 있어서는 헤로도토스는 있었어도 그를 계승한 사람이 없어서 발전하지 못했다고 안타까워하였다. 이에 대하여 "투키디데스가 있지 않은가"라고 반문할 사람도 있을 것이다.

투키디데스가 있었음은 사실이다. 그러나 그는 헤로도토스의 후계자는 아니다. 오늘날 역사학의 역사를 연구하는 거의 모든 사람들은 이 두 사람을 함께 언급하지만, 두 사람을 마주 세운다거나 나란히 세우지는 않는다. 그 두 사람을 조각으로 만든 사람도 서로 등을 댄 채 반대방향을 향해 서 있는 모습으로 세워놓았다. 그도 그럴 것이 두 사람은 함께 그리스 역사학을 대표하는 사람들이지만, 두 사람의 경향은 정반대이기 때문이다.

투키디데스는 헤로도토스보다 20여 년쯤 늦게 태어났지만 그에게서 배우지는 않았다. 오히려 역사학과는 거리가 먼 의학으로 이름을 높이고 있던 히포크라테스[6]를 사숙하였다. 그는 펠로폰네소스 전쟁(기원전 431~404)[7]의 역사를 썼지만, 그 목적은 헤로도토스와 달랐다.

헤로도토스는 그가 역사를 쓰는 목적은 "앞으로 있을지 모르는 전쟁이나 천재지변 등 비상사태로 소멸될지도 모르는 인류의 위대한 업적을 기억의 전당에 안치시켜 두는 데 있다"고 밝혔다. 투키디데스는 달랐다. 그는 원래 아테네의 장군으로, 펠로폰네소스 전쟁이 일어나자 암피폴리스 전투에 참전했다가 스파르타 군에게 참패하였다. 그리고 그 패배를 변명하기 위해 역사를 썼다.

그에 따르면, 아테네 군이 패배할 수밖에 없었던 것은 어느 장군의 실책이나 군대의 문제에 있는 것이 아니라, 아테네라는 사회 자체가 패배할 수밖에 없는 상황에 이르러 있었다는 것이다. 즉 아테네는 병이 들어 있었기 때문에 패배할 수밖에 없었다는 것이다.

---

6 **히포크라테스(Hippocrates, 기원전 460~370년경)**
'히포크라테스 학파'라고 알려진 의사 집단의 지도자로서 서양 의학의 아버지로 불리고 있다. 그는 코스(Cos) 섬에서 태어나 교육받고 내과의사가 되어 그리스 전역을 돌아다니며 생활하여 생전에 이미 높은 명성을 누렸다. 그는 "인생은 짧고 예술은 길다"는 말을 남긴 것으로도 유명한데, 이 말은 원래 "우리 의사들의 인생은 짧지만 의술은 계속된다"는 뜻이었다.

7 **펠로폰네소스 전쟁**
기원전 431~기원전 404년 아테네와 스파르타 사이에 벌어진 전쟁. 아테네가 중심이 되어 그리스 도시국가들이 가입한 델로스 동맹 진영과 스파르타가 이끄는 펠로폰네소스 동맹 진영의 대결이었다. 이 전쟁에서 아테네는 스파르타에 패배하였는데 그 원인은 기원전 429년 페리클레스가 죽은 후, 소피스트적인 선동정치가들의 임기응변적인 작전이었다. 승자인 스파르타도 전쟁으로 인하여 내부체제가 흔들림으로써 그리스 도시국가는 몰락하기 시작하였다. 결국 스파르타는 테베에 의해서 패배하게 되고 테베도 오래지 않아 무너지게 되어 그리스는 분열된 채 피폐해가다가 마케도니아의 필립 2세에 의하여 정복된다. 그리고 필립의 아들 알렉산더 대왕이 출현한다.

그러므로 아테네를 살리는 길은 국부적인 전투에서 승패를 가르는 일이 아니라, 그 나라에 들어 있는 근본적인 병을 발견하고, 그것을 치유할 수 있는 방법을 구하는 일이라 했다. 그 방법이 역사를 쓰는 일이다. 병이 들게 된 역사적인 원인을 캐어내고, 거기서 치료방법을 찾아내는 것이다.

어떻게 생각하면, 이것은 투키디데스가 자신의 패전 책임을 모면하려는 변명으로 들릴 것이다. 그렇기 때문에 투키디데스의 '역사'를 '변명'이라는 말과 동의어로 사용하는 이들도 있다. 오늘날에도 우리는 개인의 자서전이나 회고록에서 이러한 요소들을 보게 된다. 물론 그 변명이 얼마나 객관성을 지닌 것이고, 얼마나 높은 식견에 근거한, 얼마나 성실한 것이냐에 따라서 그 가치는 달리 평가될 수 있을 것이다.

투키디데스는 장군만은 아니었다. 그는 당시 '지혜 있는 사람'이라는 뜻의 소피스트[8]의 한 사람이었다. 탁월한 견해와 해박한 지식을 겸비한 사람이었다. 무엇보다 히포크라테스를 존경하는 자연과학적 사고력을 지닌 사람이었다. 그러므로 그의 변명은 단순한 변명이 아니

---

8 **소피스트**
그리스어로 '지혜, 지식 있는 사람'을 뜻한다. 그리스 철학은 대체로 3기로 구분된다. 1기는 밀레토스의 이오니아학파로 대표되는 자연철학이고, 2기는 아테네의 소피스트철학, 3기는 소크라테스·플라톤·아리스토텔레스로 대표되는 그리스 이상주의 철학이다. 그중 소피스트는 자연철학자들이 아르케[一者]를 사람마다 달리 말하는 것에 대하여 인간이 만물의 척도라고 말한 프로타고라스를 필두로 해서 상대주의적 철학을 주장하는 사람들이다. 이들은 후기로 가면서 수사학과 변론을 입신출세에 악용하는 사례가 생겨, 지식을 파는 궤변론자라는 악명을 듣게 되었다. 이들의 궤변을 공박하여 그들의 무지를 깨우치게 하며 절대적 진리로서의 이데아를 제시한 철학자가 소크라테스이며 그의 제자가 플라톤이고 다시 플라톤의 제자가 아리스토텔레스다.

라, 사물의 원인과 결과를 철저하게 규명해내는 논리에 근거한 것이었다.

아테네인들의 병

투키디데스가 규명해낸 아테네의 병은 무엇인가? 그는 그것을 아테네인들의 심리 현상에서 찾았다. 페르시아 전쟁에서 승리하고 델로스 동맹을 통하여 막대한 부를 획득하여 경제적으로, 정치적으로, 문화적으로 화려함의 극치를 이룩한 아테네 시민들의 심리상태는 나태하고 타락하지 않을 수 없었다. 이처럼 나태와 타락, 사치와 방종에 빠져 있는 시민들이 외적을 마지해서 싸울 때 패배할 수밖에 없다는 것은 동서고금을 통해 어느 때, 어디에서나 볼 수 있는 현상이 아니던가.

이러한 병은 2500년 전 아테나만이 앓았던 병은 아니다. 일제 36년간의 치욕과 6·25 동란의 참상을 경험한 지 50여 년이 채 지나지 않은 오늘, IMF를 경험하고 또 심각한 경제위기에 대한 위협 앞에 몸을 떨어야 하는 이유를 당시 아테네 인들의 병에서 찾을 수 있지 않을까?

역사에서는 결코 그러한 특정인이나 특정 사안으로 병이 발생하지는 않는다. 어느 정치가, 어느 특정 재벌, 그들 몇몇 사람들이 위대해서 나라가 발전하고 경제가 부흥하고 문화가 융성해지는 것이 아닌 것처럼, 나라가 위기에 처하고 경제가 침체되고 문화가 퇴폐적으로 흐르는 것도 어느 특정인에게 책임을 미룰 수는 없는 것이다. 과거를 잊어버리는 망각의 병, '역사'를 말로는 외치면서도 역사를 무시하는 병이 바로 이러한 중병을 앓게 하는 병원체인 것이다.

입[口]+사람[人]=역사

어찌했든 위의 두 사람은 역사라는 말을 문자기록이라는 말고 동의어로 사용하였다. 헤로도토스가 사건 사실을 조사 탐구하고, 그것을 기록으로 만들어 '역사'를 쓴 것은 물론, 투키디데스는 그의 작품의 이름 자체를 '기술(記述)'이라는 의미를 지닌 'Suggraphein' 또는 'Erga'라는 말을 사용하였다.

오늘날에도 우리가 일반적으로 역사라고 하면 영어로 'History'를 말하는데, 'History'라는 말은 이야기(tale, story)라는 뜻을 주로 해서 '과거에 있었던 일' 또는 '경력' '내력' '연혁' '유래'라는 뜻을 나타내고 있다. 그리고 독일어에서 역사를 의미하는 'Geschichte'는 'geschehen' 즉 '일어나고 있는 일' '일어난 일' 혹은 '일어난 일에 대한 지식이나 이야기'를 의미하고 있다.

이 같은 어의들을 따져보면, 역사란 확실히 인간의 말, 인간의 문자기록, 인간의 이야기에 그 뿌리를 두고 있음을 알 수 있다. 즉 인간에 의해서 발생되고 이루어진 일들을 말로 전하고 이를 다시 글로 기록해 두어 후세에 그것들을 기억하고 회상케 하는 책들을 의미한다. 여기서 교과 과목으로서의 역사, 학문으로서의 역사 등 우리가 쉽게 말하는 이름이 파생된 것이다. 한마디로 사(史)는 사람의 입[口]에 사람[人]이 합쳐진 것이 아닌가? 상상해 본다.

그런데 역사는 그 헤로도토스와 투키디데스에 이르기까지 표현의 문체나 양식에 따라 신화(Myth) 연대기(Chronicle)의 과정을 거쳐서 발전되어 왔다. 그 이후에도 시대별로 각각 특별한 의미를 지닌 역사가 있어 왔다. 이후의 역사학의 변천은 뒤에서 설명될 것이다.

역사와 역사학

본체로서의 역사

일반적으로 말하는 역사, 그것은 확실히 위에서 언급한 대로 사람의 삶과 생각에 대한 이야기를 문자로 기록해 놓는 데서 비롯되었다. 그러나 우리는 이것만을 역사라 하지는 않는다. 문자가 없었던 때는 역사도 없었다는 것인가? 하는 의문이 들기 때문이다. 이는 마치 성경을 들고 신의 존재를 설교하는 이에게 "성경이 만들어지기 이전에는 하느님도 없었는가? 그리고 만약 천재지변이 일어나서 지구상의 성서가 다 불타 없어진다면 하느님도 없어진다는 것인가?"라는 질문을 하는 경우와 같다.

기록이 있기 이전에도 인류의 역사는 있었다. 그리고 설사 온 세계의 역사책이 다 불타버린다 해도 역사는 계속 있을 것이다. 우리가 '유구한 역사와 전통을 지닌 민족'임을 자부할 때, 바로 그때의 '역사와 전통'이란 이런 역사를 의미한다.

그러나 얼마 전까지 우리는 역사라는 말을 문자기록이라는 말과 동의어로 사용해 온 것이 사실이다. 때문에 선사시대와 역사시대의 구분이 가능하였다. 선사시대라고 하면 역사가 있기 이전의 시대[선사(先史)라는 뜻이고, 역사시대라 하면 문자가 발명된 이후의 시대를 말한다. 이러한 구분은 잘못 된 것이다. E. 반스(Elmer Barnes)의 주장처럼 그 대신에 문자 이전 시대[선문(先文, Pre-literary)]와 문자 이후 시대[후문(後文, Post-literary)]로 해야 할 것이다. 문자 이전에도 분명히 역사는 있었기 때문이다.

이처럼 문자가 있었던 없었던 관계없이 있었고 있을 수밖에 없었던 역사를 '본체로서의 역사'라 하고 싶다. 그리고 궁극적으로 전자는 후자에 접근하기 위한 수단이요, 방법이라 생각하고 싶다. 물론 문헌으로서의 역사가 불필요하다는 것은 아니다. 그것도 그것 나름대로 가치가 있다. 과거의 이야기를 후세에 전달함으로써 많은 가치를 발휘하는 것이 사실이다. 문학적 가치, 교훈적 가치, 다른 학문들을 위한 자료 제공 등, 이루 다 헤아릴 수 없을 만큼 많은 값어치를 지닌다. 그러나 그것들만으로 역사 연구가 그 의무를 다했다고 말할 수는 없다.

'본체로서의 역사'는 문헌을 중심으로 연구하는 일반 역사가들의 연구 대상이 아니라, 역사 철학자들이 추구하는 대상이라고 할 수 있을지도 모른다. 그렇다고 그것은 철학자들의 일이니, 나 몰라라 하고 외면할 수는 없는 것이다. 일반 역사가들이라 하더라도 나름대로 그것을 가정하지 않고는 연구 자체가 뜬구름 잡는 것같이 황당해지기 때문이다.

그렇다면 '본체로서의 역사'란 어떤 것인가? 이런 질문에 간단히 답할 수 있는 사람은 없다. 이것은 마치 신의 모습이 어떻게 생겼느냐는 질문이나 마찬가지다. 그러므로 철학사에 있어서는 이 문제가 대단한 과제로 되어 왔고, 그러면서도 정답은 없다는 결론밖에는 내릴 수 없었다.

그럼에도 우리는 이것을 나름대로 정의하지 않을 수 없다. 그러나 우리가 여기서 내리는 정의를 객관적인 것이라 주장하고 싶지는 않다. 그것은 역사관의 문제이니 만치 나의 역사관에 입각한 것임을 밝혀둔다.

여기서 독자는 질문해야 한다. "이상현 교수가 생각하는 역사란 무엇인가?" 이에 대해서 나는 이렇게 대답한다, "태초에 인류가 지상에 태어난 이래 현재에 이르기까지 생활해온 과정 그 자체다."라고. 그렇다! 이것이 나의 역사관이다. 이것이 옳은 것이냐, 그른 것이냐는 이후 각자 나름대로 생각해볼 일이다.

역사와 역사학

이상에서 우리는 역사라는 이름에 대체로 두 가지의 의미가 함축되어 있음을 살펴보았다.

하나는 역사를 기록하는 일이요, 다른 하나는 역사 그 자체다. 이것은 분명히 다르다. 전자는 연구의 과정을 의미한다. 후자는 그 대상, 즉 학문을 통해서 접근해 가야 하는 대상을 의미한다. 그런데 이 두 가지를 같은 이름으로 부르고 있다.

정치를 대상으로 하는 학문을 정치학이라 하고, 경제를 대상으로 하는 학문을 경제학이라 하며, 신(神)의 문제를 연구하는 것을 신학이라 한다. 그런데 역사를 연구하고 배우는 일도 역사요, 그 연구와 배움의 대상이 되는 것도 역사라는 것은 잘못된 일이다. 여기서 우리는 역사와 역사학을 구별해 두어야 할 필요를 느낀다.

지금까지의 역사는 과거의 문헌을 정리하거나 해독하고, 그것을 통해 사건 사실들을 찾아내어 배열해서 이야기를 만들어내는 것이었다. 여기서는 연구와 그 대상의 구별이 없었다. 그러나 '본체로서의 역사'를 가정했을 때, 대상은 분명해진다. 사건 사실을 기록하여 문헌 사료를 만들고, 그것을 배열하는 일은 연구이고, 본체로서의 역사는 그 연구의 대상이다. 역으로 우리는 본체로서의 역사의 편린일 수 있는 사건 사실들을 밝히고 배열함으로써 역사의 모습과 의미를 찾아나서야 한다. 여기서 역사학이라는 용어는 의미를 갖는다. 그런데 이러한 학문이 가능할까.

이와 유사한 경우를 신학에서 찾아볼 수 있다. 인간의 감각으로 인식할 수 없는 신을 대상으로 하는 신학과 본체로서의 역사를 인식의 대상으로 하는 역사학은 유사성을 갖는다. 본체로서의 역사란 몇몇의 구체적인 사건 사실들을 가지고 쉽게 접근할 수 있는 대상이 아니다. 마치 신학자가 신을 만나듯이 만남을 통해서만 접근이 가능한 것이기 때문이다.

예를 들면, 우리는 본체로서의 역사의 시작을 태초라는 말로 표현할 수 있으나, 그 태초를 언제로 보아야 하는가는 짐작이 가지 않는다. 고고 인류학을 동원하여 200~300만 년 전을 말한다 해도, 그것은 상상이 되지 않는 시간이며, 신화적으로 하느님이 천지를 창조하고 최초의 인간인 아담과 하와를 만듦으로써 시작되었다 해도 그것은 신화일 뿐이다.

본체로서의 역사를 구성하고 있는 것이 인간 삶의 과정이라 하지만, 이 또한 막연한 것이다. 그 인간이 어떠한 부류의 인간을 말하는지, 또 그들 생활의 어떤 부분을 중심으로 말해야 할 것인가가 문제로 된다. 인간의 삶을 통해서 이루어진 일체의 업적, 아니 모든 흔적과 발자취를 역사학의 대상으로 삼아야 할 터인데, 그것을 역사가 혼자서 어떻게 다 할 수 있는가?

때문에 P. 라스레(P. Laslett)라는 학자는 '역사학(Historical Science)' '역사적 제 과학(the historical sciences)과 구별하였다. 후자, 즉 역사적 제 과학은 정치학·경제학·사회학·심리학·종교학 등등 제반 사회과학을 말하는 것이다. 즉 역사 속에 포함된 인간사 가운데, 정치·경제·사회·심리·종교 등등 제반 문제들을 부문별로 연구하는 학문들을 말하는 것이다. 이에 비하여 역사학은 이 모두를 포함한 역사 자체를 연구하여 역사 발전의 형태·목표·법칙, 그리고 그것을 움직이는 원동력 등의 문제를 취급하는 학문이라는 것이다.

총체적 인간과학으로서의 역사학

그러나 문제는 역사적 제 과학을 이해하지 않고 역사학이 가능하며, 역사학의 이해가 없이 역사적 제 과학이 올바르게 될 수 있겠는가 하는 것이다. 정치학이 경제학과 떨어질 수 없고, 경제문제가 사회의 제반 현상들과 무관하지 않으며, 종교가 이 모든 것과 연관되어 있다는 것을 부정하지 않는다면, 그리고 이 모든 과학들이 시간선상에서 역사적으로 전개되고 있는 현상들에 대한 학문이라고 한다면, 역사적 제 과학은 역사학과 함께 하지 않을 수 없다.

반대로 역사학은 역사적 제 과학, 나아가서는 자연과학까지도 통달해야만 도달할 수 있는 학문이다. 그것은 결국 총체적인 인간과학이기 때문이다. 한 인간이 아무리 위대한 역사학자라 하더라도 총체적인 인간의 완전한 모습을 그려내기는 불가능하다. 그렇거늘 하물며 그 총체적 인간의 삶이 태초에서 현재에까지 이르러 온 과정을 이해한다는 것이 가능한 일이겠는가?

물론 불가능하다 해서 좌절하고 앉아만 있을 수는 없다. 우리는 최선을 다하여 올바른 이해에 접근하도록 노력하는 것이다. 그러나 그렇게 해서 얻은 결론을 금과옥조로 고집할 일도 아니다. 다만 이는 관(觀, concept), 즉 역사관일 뿐이다. 이 역사관은 매 시대의 패러다임에 따라 변할 수밖에 없다. 그러나 그것은 우리의 삶을 살아가는 데 있어 중요한 것이다. 그러므로 그것이 매 시대마다 달리 나타나더라도 그것을 찾아야 할 것이며, 찾아진 것에 대해서 성실한 태도를 취할 때 비로소 성실한 삶은 가능하기 때문이다.

모든 역사는 자유의 역사다

인류 없이는 역사도 없다

앞에서 우리는 역사란 "태초에 인류가 지상에 태어난 이래 현재에 이르기까지 생활해온 과정"이라 정의하였다.

여기서 첫 번째로 문제가 되는 것은 태초란 무엇인가 하는 것이다. 사실 이 또한 어려운 문제다. '내'가 태어난 모태의 속도 기억할 수 없는데, 인류의 기원이 되는 태초의 세계를 말한다는 것은 쉬운 일이 아니다. 이렇게 어림하기 힘든 일일수록 사람들은 신화를 만들어 설명하고 있다. 그래서 성서는 태초에 하느님이 천지를 창조하고 최초의 인간, 아담과 하와를 만듦으로 비롯되었다 했다.

이에 대해, 고고 인류학자들은 진화론을 근거로 인류의 기원을 추적하여, 한때는 50여만 년 전이라 했다가, 이제는 남아프리카 타웅(Taung)에서 발견된 유인원 오스트랄로피테쿠스[9]의 두개골 화석 등을

9　**오스트랄로피테쿠스(Australopithecus)**
　　1924년 남아프리카 타웅(Taung)에서 발견된 화석인. 이는 초기 홍적세에 살았을 것으로 추정되는 유인원으로, 도구를 만든 최초의 직립원인으로 추정된다.

자료로 내세워, 인류의 시원(始原)을 지금부터 약 200~300만 년 전까지 소급하고 있다. 그러나 이 기간은 너무 긴 것이어서 추상의 대상일 뿐이다. 그래서 그냥 태초라는 말로 대신 한다 하더라도 별문제는 없을 것 같다.

문제는 인류다. 결국 태초라는 말은 인류가 처음으로 이 땅에 나타난 시기를 말한다. 그러면 인류가 있기 이전에는 역사가 없었는가? 이에 대한 답은 당연히 "그렇다"다. 인류 이전이라 하면 자연세계인데 거기에는 역사란 존재하지 않았다. 역사는 인류의 출현과 더불어 시작된 것이다.

성 아우구스티누스는 하느님이 천지를 창조하는 순간에 시간도 만들었기에 시간과 더불어 역사는 시작되었다고 말한다. 그러나 이는 하느님이 천지를 만들고 동시에 인간을 만들었다는 것을 전제하는 말이다. 그러나 오늘날 밝혀진 지구과학이나 인류학에 따르면 맞지 않는 말이다. 지구과학이나 인류학은 인류의 출현 훨씬 전에 지구는 있었으며 지구상 자연의 변화에 따라 시간을 흘러가고 있었기 때문이다. 아니 지구의 세계를 뛰어 넘어 천문학의 세계로 가면 문제는 더욱 달라진다.

역사의 본질은 변화

그러면 왜 인류가 있어야만 역사가 있는가. 물론 우리는 역사라는 말을 자연세계에도 적용하고 있다. 지각의 역사라든가, 식물의 역사라든가 등등. 그러나 이는 차용일 뿐 자연에는 역사가 없다. 적어도 우리가 역사학에서 말하는 역사는 인류만의 역사다.

왜냐하면 역사의 본질은 변화이기 때문이다. 그러면 자연세계에는 변화가 없는가? 있다. 그러나 변화라고 모두가 같은 변화는 아니라고 본다. 변화에는 자율적인 변화와 타율적인 변화가 있는데 자연의 변화는 타율적 변화다.

봄이 되면 꽃이 피고 여름이 되면 녹음이 우거지며 가을이 되면 단풍이 들고 낙엽이 지며 겨울이 되면 눈이 오는 변화를 우리는 본다. 그리고 그 속에서 동물들이 적응하기 위하여 변화를 시도한다. 이것은 변화임엔 틀림이 없지만 자율적 변화는 아니다. 자연의 변화는 태양 고도 변화에 따른 타율적 변화다. 그것은 태양 고도의 반복적 변화에 따라 반복적이고 순환적으로 일어나는 변화다. 이러한 변화는 거시적인 안목으로 볼 때 변화가 아니다.

2000년 전의 자연계와 현재의 자연계를 비교해 볼 때, 이것은 분명해진다. 금수의 왕으로 알려진 호랑이는 2000년 전의 것이나 현재의 것이나 그 삶에 있어 달라진 게 없다. 사람이 만들어 놓은 울안에서 살게 된 것을 제외하곤 달라진 게 없다. 그러나 인간의 삶은 다르다. 처음 숲 속에 살던 인간은 점차 촌락을 만들어 살고, 다시 도시를 만들어 살게 되었다. 타제석기를 가지고 살던 인간이 신석기를 만들어 농사를 짓게 되었고, 다시 청동기를 거쳐서 철기를 만들어 오늘의 문명을 창출하였다.

이와 같이 자연의 변화에 순응하면서도 자연과 달리, 긴 시간대 위에서 이루어지는 것을 자율적 변화라 할 수 있다. 이는 다른 말로 바꾸면 창조적 변화가 된다. 역사란 바로 이 인류의 자율적 변화, 즉 창조

 ▶ 헤겔

 ▶ 크로체

적 변화에 의해서 만들어진다. 그리고 이 같은 창조적 변화를 이룩하여 역사를 갖는 것은 인간뿐이다. 그래서 인간을 역사적 존재라 한다.

변화는 정신의 본질

그러면 어떻게 해서 인간만이 역사적 존재가 될 수 있었나? 이 문제에 대한 답은 일반적으로 두 가지의 사관으로 나타나고 있다. 인간의 정신이 그렇게 만들었다고 하는 정신사관이 그 하나요, 인간이 생존하기 위해서 필요한 재화(물질)와 그에 대한 욕구가 인간을 그렇게 만들었다고 하는 이른바 유물사관이 그 둘이다.

전자를 주장한 사상가 중에 가장 현저한 인물은 헤겔[10]이다. 헤겔은 역사를 '정신의 이성적이며 필연적인 행정'이라고 규정하였으며, '정신의 실체와 본질은 자유'라고 하였다. 그리고 여기에 그 사상적 연원을 두고 있는 크로체[11]는 "모든 역사는 사상사이며 자유의 이야기"라고 했다. 여기서 우리는 묻지 않을 수 없다. 정신이란 무엇인가? 어떻게 생긴 것인가? 정신은 볼 수도 없고 만질 수도 없으며 냄새를 맡을 수도 없다. 그러나 "있다" "없다"는 것을 구별할 수는 있다.

우리가 정신없이 서 있다고 할 때, 이 말은 무엇을 뜻하는가? 그렇다! 우리의 두뇌가 움직이지 않고 있는 상태, 즉 두뇌작용의 정지상태를 뜻한다. 반대로 "정신 차려!"라는 호령 밑에 정신이 들었을 때, 두뇌는 어떤 상태인가? 움직임이다. 머리와 마음이 움직이고 있거나 어떠한 상황에 떨어지더라도 곧바로 대처할 수 있는 상태에 있음을 뜻한다.

이처럼 정신의 속성은 움직임에 있다. 이러한 정신의 속성을 헤겔이나 크로체는 자유라는 말로 표현하고 있는 것이다. 그리하여 헤겔은 "물질의 실체가 중력이라면, 정신의 실체와 본질은 자유"라 했고, 크로체는 "언제나 현재에 만족하지 않고 새롭고 묘한 것(novelty)을 추구하는 정신의 속성을 자유"라고 정의하였다. 그리고 이들에 의하면

---

10 **헤겔(Hegel, Georg Willhelm Friedrich, 1770~1831)**
독일의 철학자. 《정신현상학(精神現象學)》, 《논리학》, 《법철학 강요》 등의 저서를 통하여 칸트철학을 계승한 독일 관념론의 완성자가 되었다. 그는 계몽주의 한계를 극복하여 인간의 이성이나 정신은 역사를 통해서만 파악할 수 있다고 하여 역사의 의미를 중요시하여 역사철학을 강의하였다. 그에 따르면 인간의 이성은 자연과학적 방법에 의해서가 아니라 역사적 과정을 통하여서만 실현할 수 있다. 그리고 역사는 정신의 역사인데 정신은 개인정신, 시대정신, 절대정신으로 구별되며 절대정신의 자기실현으로 역사는 전개되어 나가며 그것은 변증법적 과정에 따른다. 그리고 이 변증법적 과정의 전개를 가능케 하는 것은 개인정신의 본질인 자유다. 이 문제는 이 책의 제2부에서 구체적으로 설명된다.

11 **크로체(Croce, Benedetto, 1866~1952)**
이탈리아의 철학자 역사가. 평생 미학·철학·역사학 등 학문적 방랑을 통하여 《정신의 철학》(1902), 《역사의 이론과 역사》(1915) 등 많은 저서를 남겼다. 월간잡지 《비평(La Critica)》을 발행하며 정치에도 참여하여 파시즘 시대에는 반(反) 파시스트 지식인의 대변자 역할을 하며 자유의 기치를 들어 젊은 사람들에게 희망과 용기를 주었다. 그는 자신의 철학을 정신의 철학이라고 불렀고, 모든 역사는 현재사이며 철학과 동일하다는 명제를 내세워 역사학의 새로운 지평을 열었다.

인간은 이러한 정신을 지니고 있고, 또 자유의식을 발현함으로써 역사를 창조하는 동물이 될 수 있었다는 것이다.

생존을 위한 욕망이 변화의 뿌리

이상과 같은 정신사관에 반대하여 유물사관이 성립된다. 유물사관의 주창자는 마르크스[12]와 엥겔스[13]다. 이들의 주장에 의하면, 역사를 만들기 위해서는 인간은 생활하지 않으면 안 된다. 즉 마시고 먹고 입고 또 주거를 가져야 한다. 그들은 이 같은 조건을 인간의 제1차 욕망이라 하고, 이 제1차 욕망의 만족은 새로운 욕망을 낳고, 그것에 의해

---

12 **마르크스(Marx, Karl Heinrich, 1818~1883)**
독일 라인주(州) 트리어에서 유대인 부모 밑에서 7남매 중 셋째아들로 태어났다. 원래 유대교를 믿었으나 7살 때 부모가 기독교로 개종하면서 기독교인이 되었다. 1835년 본 대학에 입학하여 그리스와 로마의 신화 미술사 등 인문계 수업을 받으면서, 그는 예수의 교훈을 실천하기 위하여 빈민을 위한 봉사활동에 투신하였다. 1836년 베를린대학에 입학하여 법률·역사·철학을 공부하였는데, 이때에 젊은 신학(神學) 강사인 B. 바우어가 이끌던 헤겔 좌파인 청년 헤겔파에 소속되어 무신론적 급진(急進) 자유주의자가 되었다. 그는 예수는 로마의 하층계급을 구원하기 위해 나선 정치가였다는 확신을 갖고 스스로 예수가 되기 위하여 공산주의자가 되었다. 주요저서로는 《공산당선언(Communist Manifesto)》과 《자본론(Das Kapital, Kritik der politischen Oeconomie)》, 《독일 이데올로기(Deutsch Ideology)》 등이 있다.

13 **엥겔스(Engels, Friedrich, 1820~1895)**
독일의 사회주의자. 부유한 공장주의 장남으로 태어났으나 인문과학에 관심을 가져 평론시 등을 써서 신문 등에 발표하였다. 이를 계기로 '자유'라는 청년 헤겔주의자 모임에 가입하게 되어 철학·종교 논쟁에 대해 능력을 인정받았다. 1844년 마르크스 등과 만나 과학적 사회주의의 초기 해석과 자유주의 경제이론의 모순을 제시하였다. 이를 계기로 마르크스와 가까운 친구가 되었다. 그 후 마르크스와 공동으로 《독일 이데올로기》, 《공산당선언》, 《자본론》 등을 공동으로 집필하였다. 특히 중요한 것은 런던으로 망명하여 사업에 종사하며 마르크스를 경제적으로 지원하였다는 것이다.

 ▶ 마르크스

 ▶ 엥겔스

서 그들의 생산을 위한 여러 조건의 창조를 낳는다고 한다.

이 같은 생산의 여러 조건은 곧 하부구조(Unterbau: 경제적 구조)와 상
부구조(Aufbau: 법률 및 정치 등의 정신적 구조)의 변증법적 발전을 가져오
며, 이 발전의 원동력은 계급투쟁에 입각한 혁명이라는 것이다.

이를 쉽게 이야기하면 이렇게 말할 수 있을 것이다. 인간이 역사를
창조하려면 먼저 생존해야 한다. 인간이 생존하기 위해서는 우선 제
1차 욕망을 만족시킬 수 있는 경제적 구조, 즉 하부구조로서 빵이 있
어야 한다. 빵을 생산한다. 그리고 그것으로 제1차 욕망을 만족시킨
다. 그 다음 인간은 계속적으로 빵을 얻을 수 있는 제도나 법률, 사회
제도 등의 상부구조를 생각한다. 이 같은 상부구조로서의 제2차 욕망
이 충족되어 빵을 얻는 일에 어려움이 없게 되면, 인간은 다시 더 좋
은 음식이라든가, 더 좋은 옷이라든가, 더 좋은 주거를 욕망하게 된
다. 그리고 이러한 제2의 하부구조로서 제1차 욕망이 만족되면, 또 이
에 근거하는 상부구조로서의 제2차 욕망을 갖게 된다. 이처럼 "하부
구조가 상부구조의 본질을 규정한다."고 하는 것이 유물사관의 핵심
이다.

유물사관은 정신사관이다

유물사관은 그 가설의 설정에서부터 오류를 범하고 있다. 다시 말하면, 그 가설은 "인간의 어떤 요소가 역사를 창조할 수 있는 동물이 되게 했는가?"라는 질문에 대한 답을 이끌어내기 위한 가설이 아니다. 먼저 유물사관을 설정해 놓고, 이에 근거한 인간의 속성을 규정하여, 그 인간이 어떻게 물질문명의 발전을 이룩해 왔는가 하는 과정에 대한 설명을 하려 시도했다는 것이다.

문제는 다른 동물들은 생존조건으로서 제1차 욕망이 충족되면, 그것으로 그치고 마는데, 인간은 왜 그것으로 만족하지 않고 제2차 욕구를 느끼느냐 하는 것이다. 마르크스의 주장처럼 인간이 마시고 먹고 거주할 수 있는 것으로 만족하였다면 역사의 창조가 가능했겠는가? 그렇지 않고 제2차 욕구, 즉 정신적 욕구가 있음이 다른 동물과의 상이점이라면 결국 마르크스와 엥겔스의 변증법적 유물론은 실제로 정신변증법으로 환원되어야 한다.

또 이들은 변증법의 원동력이 계급투쟁에 입각한 혁명이라고 하지만, 세계사를 돌이켜볼 때, 과연 프롤레타리아가 혁명을 주도한 예가 어디에 있는가? 마르크스와 엥겔스 자신들도 프롤레타리아는 아니었으며, 레닌도 아니었다. 세계사에 나타난 모든 혁명가는 지식인이었으며, 정치 지향적인 성격의 소유자였다. 그렇다면 이들은 무엇을 위하여 혁명을 하였는가?

자유다! 지식인의 정신은 언제나 자기 앞에 펼쳐진 현재적 상황에 만족하지 않고, 언제나 새롭고 신기한 그 어떤 것을 지향하여 정신을 작동시키고 있는 것이다. 이러한 정신작동의 연속, 즉 자유의식의 지

속적인 발현으로 역사는 창조되는 것이다. 그러므로 모든 역사는 정
신의 역사이며 자유의 역사다.

역사를 움직이는 것은 무엇인가

역사는 문화의 누적

앞에서 "역사는 정신의 역사이며 자유의 역사다."라고 하였다. 그러면 정신 또는 자유만으로 역사 창조는 가능한가? 아무리 위대한 조각가라 하더라도 그에게 재료(돌이나 석고 또는 구리)가 없으면 조각을 할 수 없다. 마찬가지로 아무리 정신이 있다 하더라도 그것을 표현할 수 있는 대상으로서 자연이 없다면 역사의 창조는 불가능하다. 결국 역사의 창조란 정신이 자연에 작용하여, 자연! 그 자체대로 버려두면 인간에게 무용할 뿐만이 아니라 때로는 인간에 대한 위협적인 존재로 되는 그 자연을 변개(變改)시켜 인간에게 유익한 어떤 것으로, 또는 인간의 욕구를 충족시킬 수 있는 그 어떤 것으로 만드는 것을 의미한다.

예를 들어 생각해보자. 정신을 소유하고 있는 인간으로서 농부는 자연으로서 농토에 대하여 그의 정신력을 투입하여 수확물을 얻는다. 이것을 우리는 '경작한다'라고 한다. 이 말은 영어로 'cultivate'에서 'culture'가 나왔고, 독일어로는 'kultivieren'이라는 "경작하다"라는 동사에서 'Kultur' 즉 문화라는 의미를 지닌 명사가 나왔다. 즉 인간의 정신력이 자연에 투입되어 자연을 변개시킨 것 일체를 우리는 광의의 문화라고 할 수 있다.

이와 같은 정신의 문화창조는 시간의 경과와 더불어 계속된다. 태초에 인간이 지상에 처음으로 생겨났을 때, 그 당시 지상은 완전히 자연 그대로였다. 인간은 이 자연에 정신을 투입하여 문화를 창조하였다.

그러나 그에 의해서 창조된 문화 위에 태어난 다음 세대의 인간에게는 그 문화가 다시 자연으로 생각된다. 인간의 자유의식, 즉 현재의 상황에 만족하지 않는 인간정신의 속성이 그로 하여금 그렇게 생각하지 않으면 안 되게 한 것이다. 그러므로 그 제2차적 세대는 그의 선행 세대가 이룩해 놓은 문화를 부정하고 새로운 문화를 창조하기 위하여 정신력을 발휘한다.

그 결과 앞의 세대가 이룩한 문화를 포함하고 흡수한 새로운 문화의 층을 이룩하게 된다. 이 문화의 층 위에서 새로이 탄생한 새로운 세대에게도 이 문화의 층이 또 하나의 만족할 수 없는 하나의 자연으로 보이게 된다. 여기서 그의 자유의식은 그 현재적 상황에서 야기된 불만, 즉 해결해야 할 문제를 해결하기 위하여 그의 정신력을 발휘한다.

이상과 같은 정신의 변증법적 창조는 시간의 경과에 따라 문화의 계층을 이룩하게 되는데, 이 같은 계층을 '본체로서의 역사'라 할 수 있을 것이다. 그리고 이것을 역사라고 하면, 역사는 결국 정신의 자기실현과정이며 자유의식의 투쟁과정, 즉 자유의식 자체가 매 시대마다 스스로 문제를 제기하고 스스로 그 문제를 해결해 가는 과정이며, 또 모든 역사는 이 같은 자유의식의 작용 결과로 산출되는 문화의 누적 과정이라고 할 수 있다.

여기서 역사학은 매 시대, 즉 문화 누적의 매 단계의 문화를 연구함으로써 역사의 본체를 파악하고, 정신의 자기실현의 양태와 자유의식의 작용 자체를 인식하는 것이라는 결론이 나온다.

자유는 정신의 본질

이러한 정신 본질의 작동, 즉 자유의식의 작동을 설명해주는 그리스 신화가 있다.

그리스 신화에 따르면, 태초에 천공을 지배하기 시작한 신은 우라노스(Uranos)다. 우라노스는 대지의 여신인 가이아(Gaia)와 결혼을 하여 많은 자이언트(Giant)들을 낳았다. 그런데 자이언트들은 이름 그대로 거신(巨神)들이기 때문에 그 성장이 매우 빨랐다. 아버지인 우라노스가 보기에 무서울 정도로 무럭무럭 자랐다.

우라노스는 겁이 났다. 이들이 이런 속도로 자라다가 종당에는 자신보다 더 커지고 더 강해질 것이고, 그렇게 되면 이들은 결국 자기의 지배권을 빼앗게 될 것이라고 생각하게 되었기 때문이다. 여기서 우라노스는 자이언트들을 잡아 결박하여 지옥(Hellas)에 집어넣어 버리기로 결심한다. 이에 대해서 어머니인 가이아는 반대하였다. 그러나 그것은 소용없는 일이었다. 그 남편의 결심이 너무 굳고 그의 호령이 너무 엄중했기 때문에 계속 반대할 수는 없었다.

그로부터 가이아는 자이언트를 계속 낳고, 우라노스는 그들을 결박해 지옥에 집어넣는 일을 거듭하였다. 그러나 가이아가 더 이상 남편의 행동에 대해 참고 견딜 수가 없게 된 것이다. 드디어 가이아는 지옥에서 질곡을 당하고 있는 그의 자식들을 구해내기로 결심하였다.

가이아는 마지막으로 임신한 크로노스(Kronos)를 우라노스가 모르는 곳에 가서 낳았고, 비밀리에 길렀다. 크로노스가 강성해지자, 금강석으로 만든 도끼를 주면서 말했다. "이것으로 너의 아비를 치고 지옥 속에서 질곡에 신음하고 있는 너의 형제를 구하라!"

한창 힘이 넘쳐 주체할 수 없었던 크로노스는 어머니가 준 금강석 도끼를 휘두르며 낮잠을 자고 있던 우라노스에게 진격하여 그의 생식기를 자른다. 이에 우라노스는 놀라 깨었으나 이미 생식기는 잘라진 후였다. 이제 그로서는 크로노스에게 저항할 힘이 없었다. 그래서 도망을 쳤다. 이때 잘라진 생식기에서 피가 흘러 나왔고, 그것이 떨어진 자리에서 복수의 여신들이 태어났다.

우라노스의 처참한 말로를 본 가이아는 마음이 달라졌다. 그녀는 크로노스를 저주했다. "네가 네 아비를 치고 천공의 지배권을 빼앗았으니 네 자식 또한 너를 치고 너의 지배권을 빼앗으리라!" 그리고 남편의 뒤를 따라간다.

크로노스는 지옥으로 가서 그곳에서 질곡에 빠져있던 그의 형제들을 구출하였다. 그 공로로 크로노스는 우라노스를 대신하여 천공의 지배자가 되었다. 그러나 그 또한 장가를 가지 않을 수 없었다. 다른 대지의 여신 레아(Rea)와 결혼을 했다.

레아는 자식을 낳는다. 그리고 그 자식을 남편에게 가져다주며, "옛

▶ 자식을 잡아먹는 크로노스

소! 당신의 아들이요." 크로노스는 즐거운 마음에 아들을 덥석 안고 둥게둥게를 한다. 그 순간 그의 귓속에서는 어머니의 저주가 들린다. "네가 네 아비를 치고 천공의 지배권을 빼앗았으니 네 자식도 너를 치고 너의 지배권을 빼앗으리라!" 크로노스는 갑자기 겁이 난다. 자식이란 것이 결국은 자신을 쳐 죽일 적이 아닌가? 아버지 우라노스의 처참한 말로가 눈에 나타난다. 그는 레아가 낳는 자식들을 모조리 잡아 먹어버리겠다고 결심한다.

레아도 여자다. 그러기에 그도 처음에는 자기 남편이 이 세상의 유일한 남자라고 생각하여 온갖 사랑을 바쳤으나, 자식을 낳아 놓고 보니 이젠 그럴 수가 없는 것이다. 모성애를 느낀 것이다. 그래서 남편에게 자식들을 잡아먹지 말아 달라고 호소했다. 그러나 새로운 생명의 성장에 공포심을 느낀 크로노스에게 그 호소가 들릴 리 만무하다. 그런데 자식을 가진 여자의 모성애는 남편에 대한 애정보다 강하다.

레아는 드디어 결심한다. 그리고 그녀는 마지막으로 잉태했을 때 크로노스가 모르게 지중해에 있는 크레타 섬의 이수수라는 동굴로 가서 해산을 했다.

이때 태어난 신이 제우스(Zeus)다. 레아는 그곳에 거주하는 님프들에게 부탁해서 제우스를 기르게 하고 자기는 커다란 돌멩이를 강보에 싸서 크로노스에게 갖다 주면서 "옛소, 또 낳았으니 먹든지 말든지 하시오!"라고 말했다. 크로노스는 레아를 믿고 그 돌멩이를 삼켜버렸다.

제우스를 맡아 기르게 된 님프들은 그들의 일이 크로노스에게 발각되지 않도록 신경을 써야했다. 그런데 문제는 제우스의 울음소리였다. 님프들은 그 울음소리가 크로노스에게 들리지 않게 하기 위하여 아기가 울 때마다 창과 방패를 두들겼다. 이 때문에 제우스는 창과 방패에 둘러싸여 그것을 치는 소리를 들어가며 자라났다.

창과 방패! 그것은 동양식 사고로 말할 때 모순(矛盾)이다. 창과 방패! 그것은 곧 전쟁의 상징이다. 어쨌든 제우스는 모순과 전쟁 속에서 자라난 것이다. 그러한 제우스이기에 뇌성벽력을 마음대로 사용하는 강력한 힘을 지닌 전쟁의 화신으로 자라난 것이다. 드디어 그는 그의 아비를 공격하였다. 포로로 잡아 결박하고 약을 먹여서 뱃속에 갇혀 신음하고 있는 형제들을 구원하였다. 그중에 포세이돈과 아틀라스가 있었다. 이들은 다시 이러한 일이 반복되지 않게 하기 위해 제비를 뽑았다. 그 결과 제우스는 천공을, 아틀라스는 육지를, 포세이돈은 바다를 지배하게 되었다.

자유의 변증법

이상의 이야기는 헤시오도스의 《신통기》에 나오는 신화다. 문자 그대로 신화다. 그런데 신화는 인간의 사상을 상징화한 것이다. 우라노스는 지배자, 완성된 자, 기성인의 상징이다. 지배권을 획득한 지배자! 그는 그 다음에 무엇을 할 것인가? 완성! 그 다음에 있을 수 있는 것은 무엇인가? 기성인 그 이름 뒤에 붙을 수 있는 이름은 무엇인가? 지배권을 장악한다! 그는 그의 지배권을 계속 보유하기 위하여 보수세력이 되지 않을 수 없다. 보수라는 것은 숙명적으로 새로이 탄생하여 새로이 성장하는 자를 적대시하지 않을 수 없는 것이다.

완성의 다음은 붕괴다. 그리고 기성인이라는 명칭 뒤에 오는 명칭은 어쩔 수 없이 노인이다. 지배권자는 그가 아무리 자신의 지배권을 고수하기 위해 신세대를 억압한다 하더라도, 어쩔 수 없이 자기 자신은 붕괴되어 가는 운명을 막을 수 없고, 노인이라는 명칭을 피할 수 없다.

반대로 새로이 태어난 자! 그는 그에 대한 지배자의 억압이 아무리 심하고 그에 대한 박해가 제아무리 가혹하다 하더라도 성장을 계속한다. 피압박자, 그는 그 압박으로부터 해방하지 않으면 안 되고, 미완성! 그것은 현재적 상황을 박차고 완성을 향하여 매진하지 않으면 안 되며, 미성년자! 그것은 현재 자신의 약함을 극복하지 않으면 안 되는 것이다. 이것이 생명의 본질이기 때문이다.

이 같은 생명의 본질이 바로 자유의 의식이다. 그러므로 자유라는 것은 지배자의 것이 아니고, 완성된 자의 것이 아니며, 기성인의 것이 아니다. 자유는 언제나 피압박자가 그 압박으로부터 벗어나고자 하는 의식이고, 미완성자가 완성으로 향하고자 하는 의지이며, 미성년자가 어른이 되고자 하는 정신의 표현이다.

그러므로 애초에 피압박, 미완성, 미성년의 상태에 있던 자가 자유를 위한 투쟁의 결과로 지배권을 장악하게 되고 완성되어 기성인이 되면, 그 자유라는 구호는 그에게서 떠나고 다시 보수주의자로 탈바꿈하게 된다. 그리고 종래에는 자기 자신이 지배자로부터 당하던 그 압박을 새로 탄생한 새 생명에게 가하는 것이다. 즉 우라노스를 때려 부순 크로노스는 이제 그의 자식들을 잡아먹지 않으면 안 되는 것이다. 그리고 그는 다시 그의 어미가 한 저주에 따라 그의 아버지와 같은 운명을 맞이하게 되는 것이다.

이러한 운명의 반복 과정, 즉 신세대의 자유가 낡은 세대의 보수를 타도하고 스스로 낡은 세대의 보수가 되며, 다시 새로운 신세대의 자유에 의하여 스스로 타도되는 과정의 반복에 의하여 역사는 발전되어 가고 문화의 계층은 누적되어 가는 것이다.

2장
역사와 인간

앞에서 우리는 역사를 가지고 있는 것은 인간뿐이라 했다. 어찌해서 인간만이 역사를 만들고 또 역사 속에서의 삶을 영위하고 있는가? 그것이 인간이 다른 동물들과 다른 특징이라면, 문제는 인간이 다른 동물들과 어떤 점에서 다른가 하는 데 있다. 그 다른 점이야말로 일반 동물들이 지니지 못한 역사의 구성요소가 될 것이다. 그러면 인간은 다른 동물과 무엇이 다른가?

이 문제에 관하여 많은 철학자들과 사상가들이 나름대로 인간의 특징을 밝혀 인간을 정의하여 왔다. 이들은 대체로 인간의 본원, 즉 "인간은 '언제' '어떻게' 등장하게 되었는가?"라는 질문을 중심으로 그 특징을 발견하려 하였다.

영국의 동물학자 토마스 헉슬리[1]는 이 질문을 "모든 질문들 중의 질문, 인간에 대한 궁극적 질문"이라 하였다. 그렇다면 이러한 질문에 대한 답을 어떻게 구할 것인가? 인간은 자기가 나온 자궁 속도 기억 못 하고 있지 않은가? 인간이 인간이면서 어떻게 자신이 존재하기 이전의 일, 처음으로 이 지상에 태어나게 된 일을 알 수 있겠는가? 어쩌면 이 문제는 비코[2]의 말처럼 "신이 만든 것이니 신만이 알 수 있는 일" 일지도 모른다.

그러나 인간은 모르는 일일수록 알고자 노력한다. 설사 그들이 얻어낸 답이 곧 변해 버릴지라도 나름대로 답을 구하고자 하는 것이다. 때문에 이 또한 절대불변의 진리일 수는 없다. 나름대로 생각해낸 하

 ▶ 헉슬리

 ▶ 비코

나의 '관(觀, concept)'일 뿐이다.

따라서 우리는 이러한 관들을 중심으로 과거 우리의 조상들은 인간에 대해서 어떻게 생각해왔는가 하는 것을 살펴보고자 하는 것이다. 이는 곧 역사의 구성 요소들이 무엇인가를 아는 길이기도 하다.

---

1 **헉슬리(Huxley, Thomas Henry, 1825~1895)**
영국의 생물학자로 다윈이 진화론을 발표하자, 즉시 호응하여 다윈이 밝히지 않았던 인간의 기원에 대해서도 진화론을 적용하였다. 인간을 닮은 네안데르탈인의 화석연구를 기초로 인간이 원숭이의 진화과정에서 생긴 것임을 주장하였다.

2 **비코(Vico, Giambattista, 1688~1744)**
나폴리 출생. 1699년 이후 나폴리대학에서 수사학(修辭學) 교수로 있었고, 말년에는 나폴리 왕실 수사관(修史官)이 되었다. 그는 데카르트의 "나는 생각한다. 고로 존재한다"라는 명제에 반대하여 "진리는 발견되는 것이다"라는 명제를 세워 진리 인식에 새로운 지평을 열어 차후 상대주의 철학과 낭만주의철학의 기초를 만들었다. 이 항목에 관해서는 차후 여러 곳에서 상세히 언급될 것이다.

인간의 발생

창조론

"인간이란 무엇인가?"에 대한 담론에 있어 가장 진지하고 심각했던 것은 창조론과 진화론의 대결이다. 인간이 어떻게 지상에 출현하게 되었는가에 대한 논의가 인간의 특징을 가장 잘 설명해주기 때문이다.

그러면 먼저 창조론이란 어떤 것인가? 이 주장은 대체로《구약성서》〈창세기〉의 이야기를 근거로 한다. 세계의 창조에 대한 이야기를 전하는 신화나 전설은 많으나 인간의 시작을 구약의 창세기만큼 구체적으로 설명해주는 것은 없기 때문이다. 그 이야기는 다음과 같다.

야훼 하느님께서 땅과 하늘을 만드시던 때였다. 땅에는 아직 아무 나무도 없었고 풀도 돋아나지 않았다. 야훼 하느님께서 아직 땅에 비를 내리지 않으셨고 땅을 갈 사람도 아직 없었던 것이다. 마침 땅에서 물이 솟아 온 땅을 적시자 야훼 하느님께서 진흙으로 사람을 빚어 만드시고 코에 입김을 불어넣으시니, 사람이 되어 숨을 쉬었다.

야훼 하느님께서는 동쪽에 있는 에덴이라는 곳에 동산을 마련하시고 당신께서 빚어 만드신 사람을 그리로 데려다가 살게 하셨다. 야훼 하느님께서는 보기 좋고 맛있는 열매를 맺는 온갖 나무를 그 땅에서 돋아나게 하셨다. 또 그 동산 한가운데는 생명나무와 선과 악을 알게 하는 나무도 돋아나게 하셨다. [중략]

야훼 하느님께서 아담을 데려다가 에덴에 있는 이 동산을 돌보게 하시며 이렇게 이르셨다. "이 동산에 있는 나무 열매는 무엇이든지 마음대로 따서 먹어라. 그러나 선과 악을 알게 하는 나무 열매만은 따서 먹지 말라. 그것을 따서 먹는 날, 너는 반드시 죽는다." [중략]

야훼 하느님께서 만드신 들짐승 가운데 제일 간교한 것이 뱀이었다. 그 뱀이 여자에게 물었다. "하느님이 너희더러 이 동산에 있는 나무 열매는 하나도 따먹지 말라고 하셨다 하는데 그것이 정말이냐?" 여자가 뱀에게 대답하였다. "아니다. 하느님께서는 이 동산에 있는 나무 열매는 무엇이든지 마음대로 따서 먹되, 죽지 않으려거든 이 동산 한가운데 있는 나무 열매만은 따먹지도 말고 만지지도 말라고 하셨다." 그러자 뱀이 여자를 꾀었다. "절대로 죽지 않는다. 그 나무 열매를 따먹기만 하면 너희의 눈이 밝아져서 하느님처럼 선과 악을 알게 될 줄을 하느님이 아시고 그렇게 말하신 것이다." 여자가 그 나무를 쳐다보니 과연 먹음직하고 보기에 탐스러울뿐더러 사람을 영리하게 해줄 것 같아서, 그 열매를 따먹고 같이 사는 남편에게도 따 주었다. 남편도 받아먹었다. 그러자 두 사람은 눈이 밝아져 자기들이 알몸인 것을 알고

무화과나무 잎을 엮어 앞을 가리었다. [중략]

야훼 하느님께서는 "이제 이 사람이 우리들처럼 선과 악을 알게 되었으니, 손을 내밀어 생명나무 열매까지 따먹고 끝없이 살게 되어서는 안 되겠다"고 생각하시고 에덴동산에서 내쫓으시었다. 그리고 땅에서 나왔으므로 땅을 갈아 농사를 짓게 하셨다. 이렇게 아담을 쫓아내신 다음 하느님은 동쪽에 거룹을 세우시고 돌아가는 불 칼을 장치하여 생명나무에 이르는 길목을 지키게 하셨다.

이 이야기를 간단히 요약하면, 인류는 하느님이 진흙으로 그의 형상을 모방하여 빚어 만듦으로써 그 육신을 갖게 되었고 뱀의 유혹에 따라 선악과를 따먹음으로써 선악시비를 알게 되고, 그 때문에 낙원인 에덴에서 축출되어 고통의 삶을 시작하게 되었다는 것이다.

여기서 우리가 의문을 갖지 않을 수 없는 것은 "인간이란 무엇인가?"이다. 인간의 형상만을 놓고 인간이라 해야 하는가? 아니면 인간이 지니는 특성, 즉 다른 동물과 구별되는 특성을 놓고 인간이라 하는가? 만약 인간이 선악과를 따먹지 않아서 벌거벗고도 부끄러운 것을 모르고, 선악시비를 따지는 지혜를 갖지 않았더라면, 에덴동산에 살면서 농사도 짓지 않고도 살아갈 수 있었다면, 그것을 인간이라 할 수 있겠는가? 그렇다면 그는 원숭이와 무엇이 다른가?

진화론

진화론은 태초의 인간은 원숭이와 별로 다르지 않았다는 데서 출

▶ 프랭클린　　　　　▶ 러셀　　　　　▶ 다윈

발한다. 문제는 그 원숭이가 어떻게 인간의 특성을 지니게 되었는가
하는 것이다. 이에 대해서 프랭클린[3]은 "인간은 도구를 사용하는 동
물"이라고 하여 원숭이와 인간의 차이를 설명하고 있다. 그러면 인간
은 언제 어떻게 도구를 사용하기 시작하였나?

　이에 대하여 영국의 철학자 러셀[4]은 매우 탁월한 상상력을 발휘하
여 다음과 같은 이야기를 만들어내었다.[5]

　옛날, 아주 먼 옛날, 나중에 인간이라는 명칭을 얻게 될 일종의

3　**프랭클린(Franklin, Benjamin, 1706~1970)**
　미국의 정치가이며 과학자. 미국 독립혁명 당시 외교관으로서 프랑스 등 유럽 국가들로 하여
　금 미국을 지지하게 만들었으며, 미국 독립선언 5인의 기초위원 중 한 사람이었다. 과학자로
　서 피뢰침을 고안하여 처음으로 전기의 존재를 확인하여 현대 과학문명의 단초가 되었다.

4　영국의 수학자이며 철학자로 실천운동에도 가담한 사회사상가 주요 저서로서는《서양철학
　사》를 비롯하여《수학원리》,《철학의 제 문제》등이 있다.

5　이 이야기는 필자가 젊어서 어느 잡지에서 읽은 러셀(B. Russel)의 수필을 기억해서 재편한
　것이다.

원숭이 집단은 수상(樹上) 생활을 하고 있었다. 그중 이웃해 있는 나무숲에 살고 있던 A집단의 원숭이와 B집단의 원숭이는 싸움을 하게 되었다. 각각 자기네 나무숲에서 나무 열매를 따서 상대방을 향해 던지기 시작하였다. A집단의 원숭이는 부지런하고 열성적이며 호전적이었다. 그들은 혼신을 다해 열매를 던졌다. 이에 질세라 B집단의 원숭이들도 열매로 대응하였다.

그런데 A집단의 원숭이들에게 문제가 생겼다. 너무 열심히 던지다 보니, 열매가 다 떨어지고 없어진 것이다. 이를 눈치 챈 B집단의 원숭이들은 승리의 기회가 왔다고 여겨 집중적으로 공격을 감행하였다. 궁지에 몰린 A집단의 원숭이들은 나무를 버리고 땅으로 내려올 수밖에 없었다.(여기서 수상동물(樹上動物) 원숭이는 지상동물(地上動物) 원숭이로 된 것이다.) 그렇다고 B집단 원숭이들이라고 공격을 거기에서 멈출 수는 없는 것. 승전을 바로 눈앞에 둔 B집단 원숭이들은 지상으로 따라 내려와 추격전을 벌인다. 아주 신바람이 나서…….

그런데 A집단의 원숭이들 가운데는 장애 원숭이 한 마리가 있었다. 다른 원숭이들에 비하여 기형적인 몸매를 가지고 있어, 그의 머리통과 몸통은 비정상적으로 크고 앞발과 뒷다리는 짧았다. 이런 조건들은 적의 추격을 피해 달아나는 데 여간 불편한 것이 아니었다. 무거운 머리통과 몸통을 짧은 네다리로 옮겨가며 달아난다는 것이 여간 힘든 일이 아니었다.

다른 원숭이들은 멀찌감치 도망가 버렸는데, 혼자 남아서 적의 공격을 당하게 된 것이다. 마침내 B집단의 장군 원숭이가 바로 등 뒤로 따라붙었다. 그리고 큰 소리로 외쳤다. "이놈! 게 섰거라!"이 소리에 그 원숭이는 혼비백산하여 그만 콕 고꾸라지고 말았다. "이젠 죽었구나!"하며 삶을 포기하려 하였다.

그러나 궁즉통(窮則通)이요. 죽고자 하면 사는 길이 열리는 법. 순간적으로 큰 머리통 한편에서는 "죽긴 왜 죽어! 이왕 죽을 바에야!"하는 생각이 들었다. 동시에 앞발로 땅바닥을 긁었다. 그 앞발에는 열매 비슷하면서도 묵직한 것이 잡혔다. 그것을 적장 원숭이의 면상을 향해 힘껏 던졌다.

이게 웬일인가? 기세등등하던 적장 원숭이는 이마빼기에서 붉은 피를 흘리며 땅바닥에 쓸어져 다시는 일어나지 못하는 것이 아닌가? 그 순간 장애 원숭이의 큰 머리통에서는 중대한 작용이 일어났다. 방금 던진 그것, 바로 그 돌멩이가 크게 눈에 비치기 시작하면서 이것을 던지니 적을 단숨에 때려죽일 수가 있구나 하는 생각, 바로 그 생각이라는 것이 돌기 시작한 것이다. 그래서 그 원숭이는 앞서 도망가던 원숭이들을 향하여 외쳤다. "동지들! 도망가는 것만이 장땡은 아니다! 돌아서라! 돌멩이를 잡아라! 그것으로 적을 향하여 던져라!"

여기서 장애원숭이는 A집단 원숭이들의 수장이 되어, 이웃해 있던 적들을 돌멩이로 때려 부수고, 만 가지 짐승들의 지배자로 등장하게 되었다.

인간의 특징은 '생각'

위의 이야기는 인간의 다른 측면을 강조해서 만든 이야기들이다.

그리고 그 측면을 중심으로 하나는 종교적 또는 신화적인 것이라 하고, 다른 하나는 유물론적인 생각이라 구별한다. 구별 정도가 아니라 적대적 차별에까지 이른다.

그러나 조금만 더 생각해보면, 모두가 인간의 특징을 '생각'에 두고 있다는 점에 있어 다를 것이 없다. 아담과 하와도 선악과를 따먹지 않은 상태에서는 원숭이의 별종에 다름이 없다. 돌을 든 원숭이도 돌을 들어서 적을 침으로써 자신의 생존을 가능하게 할 수 있다는 것을 발견한 '생각'을 하는 순간에 비로소 사람이 될 수 있었음을 나타내는 것이다.

다른 동물들은 자연에 대해 수동적으로 순응만 하고 있으나 인간은 자연 또는 그를 창조한 신을 거역하고 자기가 자기이기를 주장하고, 스스로 자연을 능가해서 신(神)처럼 되어 보고자 하는 의지를 표현하고 있다는 점이다.

아무튼 인간은 생각하는 원숭이와 다를 것이 없다. 보통 원숭이는 자연에 순응해서 원숭이대로 살다가 죽는다. 그러나 인간은 선악시비를 따져서, 오늘의 것보다 선한 내일의 삶을 찾고, 너보다는 내가 옳다는 고집을 부리며 싸우는 동물이다. 그래서 종당에는 지고(至高)의 진(眞), 지고의 선(善), 지고의 미(美), 지고의 편리(便利), 지고의 쾌락(快樂)이라 스스로 설정해 놓은 신이라는 존재처럼 되기를 갈망하며 살아가고 있는 동물이다. 그 갈망으로 고통을 당해야 하고, 그래서 인생을 고해(苦海)요, 사바세계(娑婆世界)라 울부짖으면서도 갈망을 버리지 못하고 살아가고 있는 동물이다.

인간의 지혜

호모 사피엔스로서의 인간

인간이 생각하고, 그 생각을 통해서 생활조건을 향상시켜 가는 것은 곧 지혜다. 창세기에서는 아담과 하와가 선악과를 따먹음으로써 인간이 처음부터 선악시비를 따지고 구별하는 지혜를 갖게 되었다고 한다. 하지만 진화론에 근거를 둔 역사학은 역사적 상황의 변화와 인간의 신체·정신적 변이를 통해서 점진적으로 그 지혜를 발달시켜온 것으로 이해한다.

그러므로 인간과 유사한 외모를 갖추었다 해서 인간이라 하지 않는다. 고고 인류학은 이 점을 우리에게 여실하게 보여준다. 타웅에서 발견된 오스트랄로피테쿠스(Australophitecus)[6]는 비록 인간의 형태를 많이 닮았다 하더라도 인간이라 하지 않는다. 그로부터 150만 년이 지난 뒤에 지상에 나타나, 두 다리로 서서 걸으며, 구석기라는 도구를

---

6 1924년 다아트 교수에 의서 발견된 남방 유인원류 화석. 지질학상으로 홍적세 전기부터 중기에 걸친 것으로 두개골의 용량이 대단히 적어 원숭이인지 인간인지 구별하기가 어려운 화석이다.

▶ 인간의 변천

사용하면서 호모 에렉투스[7]라 하여 처음으로 인간을 의미하는 '호모'라는 말이 붙여지게 된 것이다. 이들은 구석기를 사용하여 수렵생활, 신체 장식 등을 할 줄 알아서 외형이나 생존하는 모습으로는 오늘날의 인류와 별로 다르지 않다.

그럼에도 이들에게는 "사피엔스"라는 말이 붙이지는 않는다. 인간의 본질은 외형이나 의식주를 중심으로 하는 생활에서만 볼 것이 아니라, 지혜가 있는가, 없는가를 기준으로 보아야 하기 때문이다. 호모 사피엔스[8]라 불리는 하이델베르크인과 네안데르탈인들은 시체를 매장하기 시작하였다. 내세를 생각할 수 있을 만큼 생각과 지혜가 발달하였다는 증거다. 그리고 현생인류를 호모 사피엔스 사피엔스[9]라 부르는데, 이에 속하는 크로마뇽인이나 그리말디인, 상동인들은 그들의 생각과 생활을 그림으로 그려 후세에 남길 만큼 지혜가 발달하였다.

이들이 어떻게 이처럼 진화했나? 자연환경에 적응하기 위한 유전인자들의 변이과정이 그것을 가능케 만들었다는 것이다. 즉 유전인자의 돌연변이가 진화를 만들어낸 것이다.

그러면 이들은 왜 한 곳에서 한 가지 자연환경 속에서 살며 유전인

자의 돌연변이를 겪지 않아도 될 터인데, 어찌해서 원숭이는 원숭이로 있는데, 인간은 돌연변이를 해야 했는가? 이에 대해 독일의 철학자 포이어바흐[10]는 "인간이 존재한다는 것은 인식하기 때문이며, 사랑하기 때문이며, 의욕하기 때문이다"고 하였다. 생각과 지혜를 추구함은 인간의 특권이자 본질이다. 인간은 스스로 생각하기 시작함으로써 비로소 인간이기를 시작한 것이다.

헬레니즘(휴머니즘)과 헤브라이즘(반휴머니즘)

인간의 생각은 단지 생존만을 위한 생각이 아니다. 창세기에서도 보이는 바와 같이 스스로 하느님처럼 되려는 의욕이 선악시비를 따

---

7 **호모 에렉투스(Home-erectus)**
직립원인을 말하는 데 이들은 약 50만 년 전에 출현했다가 약 15만 년 전에 소멸된 것으로 추정된다. 최초로 도구를 사용한 것으로 생각된다.

8 **호모 사피엔스(Home-sapiens)**
원인류(猿人類)가 점차 사고능력, 인간적인 감정 등을 발달시켜 죽음을 의식하고 시체를 매장할 줄 아는 단계의 인류를 말한다. 하이델베르크인과 네안데르탈인들은 그 대표다.

9 **호모 사피엔스 사피엔스(Homosapiens-sapiens)**
현생인류를 말한다. 이들은 그림을 그려 그들의 생각과 감정을 표현할 수 있는 단계에 이른 사람이다. 크로마뇽인(백인)이나 그리말디인(흑인), 상동인(황인)이 그 대표적 존재들이다. 이들은 지금부터 약 4만 년 전에 출현하였다.

10 **포이어바흐(Feuerbach Ludwig Andreas, 1804~1872)**
19세기 독일의 철학자로서 《종교의 본질(Das Wesen der Religion)》(1845), 《그리스도교의 본질(Das Wesen des Christentums)》(1841) 등을 써서 신이 인간을 창조한 것이 아니라 인간이 신을 만들었다는 주장을 펼쳐 크리스트교 및 관념적인 헤겔 철학에 대한 비판을 가하였다. 그의 철학은 후일, K. 마르크스와 F. 엥겔스에 의해 비판적으로 계승되었다.

질 수 있는 생각을 갖게 하였다. 인간이 도구를 만들고 불을 사용하게 된 것도 마찬가지다. 만약 그것이 생존만을 위해서 만들고 사용한 것이라면 오늘날의 침팬지(chimpanzee)와 달라질 것이 없었을 것이다. 그러나 인간은 현재에 사용하고 있는 도구에 만족하지 않고 계속해서 개량하고 개선하여 발전시켜왔다. 여기에서 역사, 예를 들어, 구석기·신석기·청동기·철기로 변천하는 도구의 역사는 가능해진 것이다.

이렇게 하느님처럼 되려는 인간의 욕구는 하느님에게는 원죄로 여겨지게 되었다. 이는 곧 이로 해서 인간이 무한한 고통을 받아야 된다는 것을 의미한다. 자연 속에 살고 있는 다른 동물들처럼, 만들어진 그대로 태어나서 먹고 마시고 생식하여 대를 이어주고 죽고 만다면 삶의 고통을 느끼지 않아도 된다. 그러나 인간은 선악과를 따먹고 얻은 지혜로 말미암아 삶이 고통스러운 것임을 알게 되고 그 원인이 신을 거역한 데 있다고 생각하게 된 것이다.

여기서 인간의 지혜는 두 가지 방향으로 갈린다. 인간의 고통을 감내하면서도 스스로 신에 근접하려는 의지를 실현하려는 생각과 신이나 초월자에게 귀의함으로써 고통으로부터 해방되고자 하는 생각이 생겨났다.

역사에서는 전자를 헬레니즘이라 부르고 후자를 헤브라이즘이라 부른다. 전자를 휴머니즘이라 하고 후자를 반(反)휴머니즘이라 하기도 한다. 그리고 이 두 가지의 경향이 쌍곡선을 이루며 흘러왔다고 서양사학자들은 말한다. 동양에서도 이름은 다르겠지만 이 두 경향은 있고, 또한 쌍곡선을 이루고 있는 것도 사실이다.

서양의 경우, 고대 오리엔트의 신권적 전제사회를 헤브라이즘의 시기였다면, 그로부터 탈피한 그리스·로마의 고전고대문화는 헬레니즘의 상징이고, 중세의 기독교문화가 헤브라이즘을 대표한다면, 그로부터 그리스·로마 문화의 부활을 주장하고 나선 르네상스 이후는 헬레니즘의 시대였다.

반드시 일치한다고 할 수는 없으나, 동양사회에 있어서도 인도에서 발생한 불교나 힌두교의 지배력이 강한 시대를 반(反)휴머니즘적이라 할 수 있다면, 중국에서 발생한 유교문화가 지배적이었던 시대는 휴머니즘적이었다 할 것이다.

프로메테우스의 고난

창세기의 이야기가 헤브라이즘을 대표하는 것이라면, 그리스의 프로메테우스(Prometheus) 이야기는 헬레니즘을 상징한다. 프로메테우스는 그의 아우 에피메테우스(Epimetheus)와 함께 제우스로부터 동물들에게 그들이 각자 살아가는 데 필요한 능력을 주라는 명령을 받았다.

그래서 아우는 도구를 나누어주는 일을 맡고, 형은 그 일을 감독하기로 하였다. 아우는 나누어주는 일을 시작하였다. 어떤 자에게는 날개를 주고 다른 자에게는 손톱이나 발톱을 주고, 또 다른 자에게는 몸을 덮는 껍질을 주는 등의 식으로 나누어주었다.

마지막 인간의 차례가 왔는데, 에피메테우스는 다른 동물들에게 너무 인심 좋게 나누어주다 보니 자원이 몽땅 탕진되어 줄 것이 없게 되었음을 알았다. 당황한 그는 프로메테우스에게 달려가 도움을 청하였다. 프로메테우스는 아테나이의 도움을 받아 하늘로 올라가서 그의 횃대에 태양의 이륜차에서 불을 옮겨 붙여 그것을 인간에게로 가지고 내려왔다. 이 선물 덕택으로 인간은 다른 동물보다 월등한 존재가 되었다.

이를 알게 된 제우스는 그 죄를 물어 프로메테우스를 코카서스 산정의 바위에 묶어놓고 낮에는 콘돌(커다란 독수리)이 와서 심장을 파먹고, 밤에는 그것이 다시 자라나게 하여 영원한 고통을 주었다.

프로메테우스는 먼저 생각하는 신, 즉 지혜의 신이었다. 그러므로 그는 그 고통에서 벗어날 수 있는 방안을 알고 있었다. 제우스와 한 여성의 부정한 관계를 헤라(제우스의 부인)에게 알린다고 한 마디만 하면, 그가 자신을 풀어주지 않을 수 없다는 것을 알고 있었다. 그러나 프로메테우스는 그런 수단을 쓰지 않았다. 자신의 고통에서 벗어나기 위해 지혜를 더럽히고 싶지 않았기 때문이다. 그는 부당한 수난에 대한 영웅적인 인내와 압제에 반항하는 의지력의 상징이 되었다.

프로메테우스로 해서 인간은 불을 사용하는 동물이 되었다. 그러나 그것은 프로메테우스의 고통을 수반하는 것이다. 마치 선악과를 따먹음으로써 지혜를 얻게 된 아담과 하와가 원죄를 짓고 그로 말미암아 인류는 고통을 짊어지고 살아야 하듯이 말이다. 아니 어쩌면 인간의 고통이 먼저 있었기에 그 뿌리로서 원죄의 개념을 만들어냈는지도 모른다. 그것은 고통을 극복하려는 지혜의 한 가지 발현이다.

고통과 지혜! 지혜와 고통! 그것은 인간의 삶에서 서로 떼어내려야 떼어낼 수 없는 것이다. 고통을 덜어보기 위해 발휘하는 지혜! 거기에서 인류의 역사는 창조된다. 적으로부터 다가오는 고통을 모면하기 위한 지혜의 발동이 무기를 만들고, 이를 위해 과학을 발달시켰다. 가난이나 궁핍으로 해서 다가오는 죽음의 공포를 이기기 위해서 경제를 발달시켰고, 정치적 갈등으로부터 탈피하기 위한 노력이 정치사의 발달을 가능케 하였다.

종교 또한 인간이 만들어낸 것이라고 할 때(이는 종교에 대한 휴머니즘적 입장이다), 인간은 초월자에게 귀의하여 고통을 해소하고자 만들어낸 것이다. 그리고 그들이 만들어 놓은 신을 찬양하고 예배하기 위한 주술(呪術)을 개발하여 음악과 문학을, 신과의 접근을 위해서 스스로 엑스터시(ecstasy)에 들어가는 춤을, 성전(聖殿)을 장식하고자 하는 마음의 표현으로 미술을 만들었다. 여기서 역사는 지성사 또는 문화사의 과정을 이루어 나아갔다.

인간과 정치

인간은 정치적 동물

지금까지 우리는 인간의 특징이 무엇인가를 생각하였다. 그 특징이 인간의 역사를 구성하는 주요 요소가 되고 있다. 그런데 그 특징 가운데는 아리스토텔레스가 인간을 "정치적 동물(Zoon Politikon)"이라 정의하였듯이 정치적 생활이 포함되어 있다. 그러므로 인간의 역사는 정치의 역사를 포함한다.

인간은 집단 또는 사회를 떠나서는 살 수 없는 동물이다. 그래서 인간을 사회적 동물이라고도 한다. 이 점에서 인간은 벌이나 개미, 아프리카의 얼룩말이나 만주지역에서 집단생활을 하는 오리들과 별로 다를 것이 없다. 보다 강한 맹수들에게 먹히지 않고 살아남기 위해서 무리를 짓고, 그 안에서 질서를 유지하기 위하여 사회를 이루고 산다는 점에서 이들 동물들과 특별히 구별을 지어야 할 이유는 없을 것이다. 개체보존의 의지와 종족번식의 의지를 실현하는 것은 모든 생명체에게 있어 공통된 사항이기 때문이다.

그러나 인간은 이러한 군서생활(群棲生活) 내지는 사회생활로 그치지 않는다. 벌이나 개미들의 사회생활은 그 자체가 자연적이다. 일벌이나 일개미는 수펄이나 수캐미의 삶이 더 편하고 즐거워 보인다고 하여 수펄이나 수캐미가 되려 하지 않는다. 수펄이나 수캐미는 여왕벌이나 여왕개미의 삶이 영광스럽고 호화스럽다 해서 그러한 지위를 차지하려 싸움을 시도하지 않는다.

인간은 다르다. 그가 속해 있는 사회를 떠나서는 단 하루도 살 수 없다고 앙탈하면서도, 일단 사회의 구성원이 되면, 즉시 자리다툼, 명예다툼에 온몸을 불사른다. 평사원은 주임 자리를 위하여, 주임이 된 사람은 과장 자리를 위하여, 과장 자리를 차지한 사람은 국장 자리를 위하여, 그리고 국장이 된 사람은 장관이 되기 위하여, 나아가서는 국회의원이 되기 위하여, 그리고 대통령이 되기 위하여……. 이러한 자리의 상승을 위해서 권모술수, 잔인한 살육, 아첨과 아부, 뇌물수수 등등. 온갖 수단과 방법을 다 짜낸다.

싸움에 가담하지 않아도 생존에 지장이 없는 경우도 마찬가지다. 그 싸움에 끼어듦으로 오히려 생존의 위협을 당하고, 생명을 단축시키는 것을 눈앞에 보면서도, 끼어들지 않고는 못 배기는 것이 인간의 삶이다.

이러한 삶을 살아야 하는 인간을 가리켜서 정치적 동물이라 한다. 단순한 사회적 동물이 아니라 사회를 만들어 그 구성원이 되어 놓고는 구성원들끼리 물어뜯고 싸워야 하는 동물, 바로 그것이 인간이라는 것이다.

▶ 쇼펜하우어

▶ 니체

권력을 향한 의지

　이렇게 인간이 정치적 동물이 되게 된 이유가 어디에 있는가? 답은 명백하다. 인간은 자연의 일원으로 존재하는 것으로 끝나는 것이 아니라는 것이다. 육체(이것이 곧 인간의 자연이다)의 자연적 생존으로 만족하는 것이 아니라, 스스로 자신이 속해 있는 자연을 거부하고 초자연적 존재에로 지향해 가고자 하는 의지를 지니고 있기 때문이다.

　다시 말하면, 인간은 에덴동산의 평화로운 삶에 만족하지 아니하고, 비록 그 길이 험한 고난의 길이라 하더라도 스스로 하느님이 되고자 하는 의지를 실현하려 하기 때문이다. 쇼펜하우어[11]는 인간행위의 원인을 개체보존의 의지와 종족번식의 의지에서 찾았다. 그러나 그것은 위에서 언급하였듯, 모든 생명체가 공유하고 있는 것이지 인간만의 특징은 아니다. 인간에게는 그런 자연성(自然性) 이외에 니체[12]가 말한 권력의 의지(Wille zur Macht)를 지니고 있다.

　권력의 의지란 무엇인가? 일반인들은 그 단어적 의미에 집착하여 정치적 권력을 잡으려는 정치가 내지는 정치 지향적 인간들의 욕구로 이해하는 경우가 있다. 그러나 그것은 아니다. 인간이 본래적으로 지니고 있는 향상에의 의지를 말하는 것, 크로체의 말로 바꾸면, 현재 주어진 현상에 만족하지 않고 언제나 보다 낫고 보다 선하고 보다 아름답고 보다 편리하고 …… 보다 새롭고 높은 것을 향하여 가고자 하는 인간 정신의 속성을 말하는 것이다.

다만 이러한 인간 정신의 속성이 정치라는 현상에서 표출될 때, 정치적 동물로서의 인간의 역사, 즉 정치사는 전개된다. 그리고 정치의 본질이 무엇인가 하는 것이 극명하게 나타난다.

---

11 **쇼펜하우어(Schopenhauer, Arthur, 1788~1860)**
독일의 철학자로 주저는 《의지의 표상(表象)으로서의 세계》(1819)다. 염세사상의 대표자로 불린다. 인도의 베다철학의 영향을 받아 염세사상을 갖게 되었다. 그의 주요한 주장은 "세계 전체는 우리들의 표상이며 세계의 존재는 주관에 의존한다. 세계의 내적 본질은 '의지'이며, 이것이 곧 물(物) 자체로서, 현상은 이 원적(原的) 의지가 시간·공간인 개체화의 원리(principium individuationis)에 의하여 한정되는 것"이라는 것이다. 또 세계의 원인인 의지는 맹목적인 '생에 대한 의지'일 수밖에 없다고 말한다. 또 삶은 끊임없는 욕구의 계속이며, 따라서 고통일 수밖에 없다. 따라서 이로부터 해탈(解脫)하는 데는 무욕의 상태, 즉 의지가 부정되고 형상세계가 무로 돌아가는 열반(涅槃)에 의해서만 가능하다고 하였다.

12 **니체(Nietzsche, Friedrich Wilhelm, 1844~1900)**
독일의 시인·철학자. 쇼펜하우어의 의지철학을 계승하는 '생의 철학'의 기수(旗手)이며, S. A. 키르케고르와 함께 실존주의의 선구자로 지칭된다. 쇼펜하우어의 《의지의 표상으로서의 세계》라는 책에서 깊은 감명과 영향을 받았다. 여기서 그의 대표작 《차라투스트라는 이렇게 말하였다(Also sprache Zarathustra)》가 탄생한다. 니체 사상의 기조를 이루는 것은 근대 문명에 대한 비판이며 그것의 극복이다. 그는 2000년 동안 그리스도교에 의해 자라온 유럽 문명의 몰락과 니힐리즘의 도래를 예민하게 느꼈다. 그래서 그는 종래에 지고(至高)의 가치요 목표였던 것들은 상실되어 버리고 사람들은 왜소화(矮小化)되어 노예화 되었다고 외쳤다. 이러한 근대의 극복을 위해 '신은 죽었다'고 선언하고, 권력에의 의지를 본질로 하는 생을 주장하였다.

▶ 마키아벨리

▶ 홉스

국가는 '거대한 강도 집단'

지금까지 사람들은 정치란 나라를 위해서 하는 것이라 생각해 왔다. 예를 들면, 마키아벨리[13]는 "군주는 무릇 나라의 통일과 그 유지를 위하여 정치에 임해야 한다."고 했다. 이것은 국가와 그 구성원인 인민들을 위한 신성한 목적을 지닌 것이니, 이 목적을 위해서는 모든 수단은 정당화될 수 있다고 하였다. 토마스 홉스[14]는 인간은 천부적으로 인권을 지니고 태어났으나 그것을 자연법 상태에 내버려두면 '만인에 대한 만인의 투쟁'이 일어나 결국에는 만인의 공멸로 이어질 것이므로 그 인권을 주권자에게 양도하여야 하고 주권자는 전체 인민들을 대신해서 공명정대하게 인민들의 인권을 행사해야 한다고 하였다. 이것이 정치라는 것이다.

그러나 실제 정치가들의 내면의 세계를 짚어보면, 그들이 주문처럼 외우는 공익성이라는 것은 헛된 구호일 뿐이다. 따지고 보면, 그들은 각자가 지니고 있는 개인적인 권력의지를 표출하고 있을 뿐이다. 사업가가 돈을 벌려고 하듯이, 학자가 진리를 탐구하듯이, 예술가가 작업을 하듯이, 자선사업가가 그의 사업을 하듯이, 부모가 자식을 사랑하듯이, 연인들이 사랑을 하듯이, 정치가들도 정치를 통해서 각자 개인의 권력의지를 표출하는 것이다.

그런데 정치라는 권력의지의 표출은 가장 고약하고 해로운 것이다. 왜냐하면, 다른 모든 행위는 타인에게 해를 주지 않거나 주더라도 비교적 크지 않다. 그러나 정치는 정치가라는 특정인들이 피치자라는 대상을 향하여 권력을 쓰는 행위이고, 그들의 의지는 상대적인 것이어서 피치자의 희생을 통해서만 표출될 수 있다. 때문에 그것이 자칫 그릇되게 이루어질 때엔 그 피해가 막중하다. 그래서 아우구스티누스는 신의 뜻, 즉 정의와 인민을 저버린 국가란 거대한 강도의 집단이라 하였다. 실제로 정의와 인민과는 관계없이 개인의 권력의 의지를 실현하기 위한 행위가 정치라고 할 때, 정치가란 결국 마피아 집단과 다

---

13 **마키아벨리(Machiavelli, Noccolo, 1469~1527)**
르네상스시대 이탈리아의 역사학자이며 정치이론가. 주요 저서로는 《군주론》(1532), 《로마사론》(1531), 《만드라골라》(1524). 1498년 약관의 나이로 외교관이 되어 피렌체의 제2서기관 장직(書記官長職)으로 내정과 군사를 담당하였으며, 대사로도 활약하였다. 1512년 메디치가(家) 피렌체로 복귀하게되자 실의 속에서 독서와 저술활동에 전념하여 《군주론 II(Principe)》(1532) 《로마사론(Discorsi sopra la prima deca di Tito Livio)》(1531) 《전술론(戰術論, Libro dell'arte della guerra)》(1521) 《피렌체사(Istorie Florentine)》(1532) 《만드라골라(Mandragola)》(1524) 등을 남겼다. 특히 《군주론》은 그의 대표작으로 마키아벨리즘이란 용어가 생기게 되었다. 그러나 그는 당시 프랑스 오스트리아 및 에스파냐 등 강대국에 둘러싸여서 곤욕을 치루고 있는 분열된 이탈리아의 통일과 그 유지를 위해 요구되는 군주의 상을 그리고 그의 전략을 설파하였다. 이 책은 정치는 도덕으로부터 구별되는 일종의 기술임을 주장하여 근대 정치학의 기원을 이룩하였다.

14 **홉스(Hobbes, Thomas, 1588~1679)**
영국의 철학자로 대표적으로 《리바이어던》(1651)을 남겼다. 그의 주장에 따르면. 인간은 천부적으로 인권을 타고 났다. 그러나 인간은 본래 이기적이어서 그들은 "자연상태"에서는 '만인(萬人)의 만인에 대한 투쟁'을 할 수밖에 없다. 그러므로 인간 각자의 이익을 위해서는 상호계약에 입각한 국가를 만들어 천부적인 자연권(自然權)을 주권자에게 양도하여 복종해야 한다.

를 것이 없다.

혹자는 말할 것이다. 그래도 정치가 있고, 그로 인한 국가사회가 있고, 그것이 정한 법질서가 있음으로 해서 사회는 안정이 되고, 그 안정 속에서 인민들은 평안을 향유하며 살다 죽을 수 있다고. 그러나 사회질서를 파괴하는 자가 누구인가? 바로 권력을 향한 의지가 아닌가?

정치는 전제와 무정부의 줄타기

그러므로 플라톤은 이러한 개인의 권력을 향한 의지를 지양한 이상국가(理想國家)를 상상하여 철인정치를 주장하였다. 위정자는 일체의 사사로움을 배제하고 국가의 이데아를 실현한다는 목적을 위해 봉사하는 사람이어야 한다는 것이다. 그러므로 철인이나 무인은 개인의 욕망이나 의지를 버리고 오로지 자신이 맡은 국가적·사회적 직무에 생애를 바칠 것을 요구하였다. 그래서 그들은 그 욕망과 의지의 원인이 되는 재산도 가정도 갖지 말라고 하였다. 결국 이것은 육체를 지닌 인간으로서의 삶을 포기하고 사회를 위한 봉사자로서만 살라는 것이다.

이에 대해서 개인의 행복권을 인정한 아리스토텔레스는 중용을 주장하였다. 지배자의 지나친 권력의지의 표출이라 할 전제를 막고 정부가 없음으로 해서 야기될 무정부상태를 방지하기 위한 중용이 그것이다. 마치 한쪽은 전제라는 사자가 입을 벌리고 있고, 다른 한쪽엔 무질서라는 대중이 아우성을 치고 있는 사이에서 줄타기를 하는 광대처럼 정치는 조심스럽게 발을 옮겨 딛으며 걸어야 한다는 말이다.

이러한 중용이 실제적으로 어떻게 가능한가? 그것은 통치자와 피치자간의 힘의 대결밖에는 없지 않은가. 여기서 통치자의 힘이 절대적으로 우위에 있게 되면 전제정치가 되는 것이고, 피치자의 힘이 절대 우위에 있게 되면 무정부상태가 되는 것이다.

정치사는 치자와 피치자의 대결의 과정

인간에게서 권력을 향한 의지가 없어지지 않는 한 정치는 없어질 수 없다. 때문에 정치는 치자와 피치자간에 벌어지는 대결과정이다. 실로 유럽의 정치사는 그런 것이었다.

그리스 초기의 정치형태는 왕정이었다. 그러나 그것은 귀족 세력의 성장과 더불어 귀족정치로 변하였다. 귀족정치는 그 체제 아래서 권력의 독점의 필요를 느낀 피시스트라투스[15]와 같은 강력한 권력을 향한 의지를 지닌 자에 의하여 파괴되고 이른바 참주정치(Tyranny)로 전환되었다. 참주정치는 다시 클라이스테네스[16]와 그를 따르는 이들에 의해서 민주정치로 변천되었다.

우리는 어느 형태의 정치형태가 좋다거나 어느 정치형태가 나쁘다거나 이야기한다. 그러나 생각해보라! 왕정이 그 위세를 떨치고 있던 시기에 민주주의가 좋은 것이니 그것을 실현해야 된다고 아무리 외친다 해서, 그것이 과연 가능한 것이겠는가? 어느 정치의 형태도 절대적으로 좋은 것은 없다. 왕정 단계에서 인간이 생각할 수 있는 새로운 정치 형태는 귀족정치일 뿐이다. 이 시기엔 일반 민중이 아직 자신들이 부당하게 지배와 착취를 당하고 있다는 것을 의식하지 못하였기 때문이다.

귀족정치체제 아래서는 새로운 정치라는 것은 오로지 참주정치일 수밖에 없다. 귀족들의 권력의지란 자신의 지위를 보전하고 그것을 향유해야 하는 것이기 때문에 그것을 충족시켜 줄 수 있는 자에게 귀속되게 마련이다. 그러나 그것은 언제나 가변적이다. 그들의 의지가 실현되지 않을 때는 언제나 태도를 변할 수 있다. 거기서 다시 생각해 낼 수 있는 것이 민주정치였다.

여기서 고전적인 정치형태는 나타난다. 이를 보고 아리스토텔레스나 폴리비우스[17]는 정치의 기본 형태를 정하여, 왕정·귀족정·민주정과 그것들의 부패한 모습인 폭군의 전제정치, 참주의 금권정치, 무질

---

15 **피시스트라투스(Pisistratus, 기원전 600?~527)**
고전 그리스, 아테네의 정치는 귀족정치에서 출발하였다. 그러나 상공시민의 세력이 커지면서 빈익빈 부익부의 현상이 일어났고, 이를 극복하기 위한 솔론의 개혁으로 금권정치가 실시되었다. 빈곤과 부채로 노예가 된 이들을 탕감해주고, 그 보상으로 재산을 지닌 시민에게 참정권을 주는 제도다. 여기서 전통귀족과 평민 사이에 권력 쟁투가 벌어졌는데, 이때 피시스트라투스는 평민의 지지를 얻어 참주정치를 자행하였다.

16 **클라이스테네스(Kleisthenes, 기원전 515~495)**
피시스트라투스의 참주정치에 대항하여 시민들이 도편추방(Ostracismos)으로 독재자를 추방하자 이를 제도화하고 500인 회의, 즉 민회(民會, Ekklesia)를 구성. 집권자의 권력남용을 견제케하는 민주주의 초석을 만들었다.

17 **폴리비오스(Polybios, 기원전 204~125?)**
고대 로마시대의 그리스인 역사가. 로마에 대항하여 독립투쟁을 하다가 기원전 168년 포로가 되어 로마로 압송되었다. 거기서 소(小)스키피오를 만나 친구 겸 선생이 되었다. 그는 어찌해서 로마가 짧은 시일에 세계를 지배하는 역사적 사업을 성공하였는가를 밝히려는 의도로 로마 역사를 《역사》라는 이름으로 40권을 저술하였다. 여기서 그는 로마 공화정의 시민들의 근검 절약하는 정신과 상무적 정신, 그리고 왕정—귀족정—공화정으로 순조롭게 이전한 로마의 국제(國制)가 우수하여 로마는 성공하였다고 결론지었다.

▶ 크로포트킨 　　　　 ▶ 바쿠닌 　　　　 ▶ 프루동

서의 중우정치를 제시하였다.

　로마에서는 왕정·귀족정·공화정·삼두정·제정 등을 거쳐서 몰락이라는 역사의 과정을 갔다, 그것은 다시 유럽사에서도 나타났다. 중세 기독교적 지배체제에 대항한 르네상스적 군주들의 등장, 그들의 절대군주화, 그리고 그 절대군주에 대항하는 부르주아 시민혁명을 유발시켰던 것이다.

　그리고 그 이후, 현대 세계에 진입하면서 많은 이상주의자들은 정부 자체가 없는 사회를 꿈꾸어 왔다. 공산주의 이론을 창도하였다는 마르크스가 그것을 역사발전의 최종 목표로 설정하였고, 크로포트킨[18], 바쿠닌[19], 프루동[20] 등은 처음부터 무정부를 주장하였다.

　실제로 현대에 이르러 인민에 대한 국가의 기능은 점차 약화되어 가고 있음을 우리는 직시한다. 서구 선진 여러 나라들이 공리주의에 입각한 작은 정부, 약한 정부를 지향하고 있으며, 심지어 NGO(Non Government Organization)의 활동이 눈부심을 본다.

　혹자는 이 중 어느 형태가 좋은 것이냐 나쁜 것이냐를 물으려 한다.

그러나 그것은 어리석은 질문이다. 역사에는 비약이란 있을 수 없다. 역사상에는 절대적으로 좋은 것, 절대적으로 나쁜 것이란 존재하지 않는다. 왜냐하면 인간에게 있어서 나쁜 것이란 현재에 당면해 있는 사람들의 의지(관심)에 배치되는 것들이며, 좋은 것이란 현재 생에 대한 관심에 부합되는 것이기 때문이다.

---

18 **크로포트킨(Kropotkin, Pyotr Alekseevich, 1842~1921)**
러시아 무정부주의 이론가 및 혁명가.1872sus 스위스에서 무정부주의자 바쿠닌파(派)를 만나 그들의 사상에 동감, 귀국 후 혁명단체에 가입하여 상트페테르부르크와 모스크바에서 노동자들을 상대로 선전활동을 하였다. 그로부터 수 차례에 걸쳐 체포, 구금되었다. 러시아혁명에서 A.F.케렌스키 임시정부를 지지하였고, 10월혁명 후에는 볼셰비키당의 독재에 반대하였다. 저서에 《빵의 정복(La Conqutedu pain)》(1892) 《어느 혁명가의 추억(Memoirs of a Revolutionist)》(2권, 1899) 《상호부조론(Mutual Aid, a Factor of Evolution)》(1902)등이 있다. 상호부조론에서 그는 헉슬리나 스펜서 등이 주장하는 사회적 다윈이즘의 약육강식론을 반대하고 상호부조론을 주장하였다.

19 **바쿠닌(Bakunin, Mikhail Aleksandrovich, 1814~1896)**
러시아의 혁명가, 급진적인 무정부주의자. 독일철학(특히 헤겔과 쇼펜하우어)을 공부하여 니힐리즘에 근거한 무정부주의를 주장하여 정부파괴를 위한 테러리즘을 실천하기 위해 투쟁하였다. 1848년 프라하의 봉기와 1849년 드레스덴의 봉기에 참가하였으나, 체포되어 러시아정부에 넘겨져, 1857년 시베리아에 유형되었다가 1861년 탈출. 1863년 폴란드의 무장봉기에 참가하였고, 1864~1868년 이탈리아의 혁명운동에도 관계하였다. 1868년 스위스로 가서 사회민주 동맹을 설립, 제1인터내셔널에서는 마르크스와 격렬하게 대립하였다. 그의 급진적인 무정부주의는 에스파냐·이탈리아·러시아의 혁명운동에 커다란 영향을 주었다. 저서로 《신과 국가》(1871), 《국가와 무정부》(1873) 등이 있다.

20 **프루동(Proudhon, Pierre-Joseph, 1809~1865)**
프랑스의 무정부주의 사상가·사회주의자. 주요저서로는 《재산이란 무엇인가?》(1840), 《경제적 모순 또는 빈곤의 철학》(2권, 1846), 《혁명가의 고백》등이 있다. 그는 "재산이란 도둑질한 물건이다"라고 단정하며 자본가적·사적 소유를 원칙적으로 부정하였다. 그리고 노동자가 생산수단을 소유하여 소생산자 개인의 자유의사에 기초를 둔 협동조합조직을 만들고, 이들 조직을 지역적으로 연합시켜 지방분권조직인 연합사회를 건설할 것을 주장하였다. 또, 모든 권력은 필연적으로 지배와 피지배의 관계를 수반하기 때문에 악이며, 소유는 모든 권력=착취=지배로 통하는 수단이라고 하여 부정하였다. 그리고 힘 대신 정의를 가치의 척도로 삼아 인내심을 가지고 자본가의 양심과 인도주의에 호소해야 한다고 강조하였다.

인간과 종교

인간은 죽음을 의식하고 사는 존재

독일의 철학자 포이어바흐[21]는 "종교는 인간과 야수의 본질적 차이에 그 기초를 갖는다."고 하였다. 이처럼 인간이 다른 동물들과 다른 점들 중, 중요한 것의 하나는 종교를 가지고 있다는 것이다. 인간은 사회를 떠나고 정치에 참여하지 않고는 살 수 없듯이 종교를 떠나서 살 수 없다. 그러므로 인간의 역사는 종교사를 포함한다.

그러면 종교란 무엇인가? 프랑스의 철학자이며 수학자인 파스칼[22]은 《팡세》에서 "인간은 생각하는 갈대"라고 규정하였다. 독일의 역사철학자이며 생(生)의 철학자인 딜타이[23]는 이 말이야말로 서양 근대철학의 단서라 전제하였는데, 그 이유는 이 말은 "인간이 갈대처럼 맥없이 죽어 가는 존재이지만 그러면서도 왜 사는지, 죽어서 어떻게 될 것인지를 생각하는 동물"임을 의미하기 때문이라 하였다.

이를 풀어서 말하면, 인간은 갈대처럼 한숨의 공기에 의해서도, 한 방울의 물에 의해서도 쉽게 죽을 수 있는 허약한 존재다. 그러나 생각하는 존재라는 점에서 갈대와는 다르다. 갈대는 죽어가면서도 왜 죽

 ▶ 포이에르바하

 ▶ 파스칼

 ▶ 딜타이

21 **포이에르바하(Feuerbach, Ludwig Andreas)**

19세기 독일의 철학자. 하이델베르크대학교·베를린대학교에서 수학, 헤겔철학의 영향을 받았다. 대표저서로는 《크리스트교의 본질(Das Wesen des Christentums)》(1841), 《종교의 본질(Das Wesen der Religion)》(1845) 등이 있다. 그는 크리스트교 및 헤겔의 관념론에 비판을 가하여 유물론적인 인간중심의 철학을 세웠다. 특히 그의 :지금까지 신이 인가능ㄹ 창조하였다고 믿어 왔으나, 실은 인간이 신을 창조해 왔다."는 명제는 인간 중심사상의 진면목을 보여주는 것이다. K. 마르트스와 F. 엥겔스는 이를 비판적으로 계승하여 변증법적 유물론의 기초로 삼았다.

22 **파스칼(Pascal, Blaise, 1623~1662)**

프랑스의 수학자·물리학자·철학자·종교사상가. 서양근대의 최고의 천재로 일컬어지는 인물. 그는 평생을 두고 물리학과 수학연구에 몰두하여 "파스칼의 원리" 등 수많은 업적을 내었다. 후년에는 특히 철학과 신학에 깊은 관심을 가져 《죄인의 회개에 대하여》, 《초기의 기독교 신자와 오늘의 기독교 신자의 비교》, 《예수 그리스도 약전》 등을 썼다. 만년에 《그리스도교의 변증론(辨證論)》을 집필하기 위하여, 단편적(斷片的)인 초고를 쓰기 시작하였으나 병고로 인하여 완성하지 못한 채, 39세로 생애를 마쳤다. 사망 후 그의 근친과 친우들이 그 초고를 정리·간행하였는데, 이것이 《팡세(Penses)》의 초판본(1670)이다.

23 **딜타이(Dilthey, Wilhelm, 1833~1911)**

독일의 철학자로서 "생의 철학"을 창시하였다. 칸트의 비판정신의 영향을 받아, 헤겔의 이성주의·주지주의에 반대해서 역사적 이성의 비판을 제창하고, 역사적 생의 구조를 내재적으로 파악할 것을 주장하였다. 한편 역사적 생과 생의 역사적 의미에 대한 이해를 중심으로 하는 해석학의 방법론을 확립하기도 하였다. 저서로 전집 12권(1914~1936)을 남겼다.

는지, 죽을 것을 왜 살았는지를 생각지 않고 죽는 존재이지만, 인간은 그것을 생각할 수 있는 존재다. 한마디로 인간은 죽음을 의식하고 사는 존재다.

그러므로 네안델타르인은 시체의 매장법(埋葬法)을 생각해 냄으로써 최초로 지혜를 갖게 된 호모사피엔스가 된 것이다. 이처럼 인간은 종교를 갖기 시작하면서 비로소 인간이 된 것이다. 그리고 인간이 됨으로써 인류의 역사는 시작된 것이다.

종교의 뿌리

그러면 인간은 어떻게 해서 종교를 갖게 되었는가? 종교학자들은 인간의 경외심(驚畏心)이 인간으로 하여금 종교를 갖게 만들었다고 말한다. 이 말을 근거로 종교의 기원을 상상하는 다음과 같은 이야기가 가능하지 않을까?

어느 날, 넓은 들판에는 인간이라는 이름의 원숭이들이 음식물을 채취하고 있었다. 나물도 캐고, 사과나 배도 따고, 칡뿌리도 캐고……. 그런데 갑자기 서녘 하늘에 까만 점이 나타났다. 그것은 다가오면서 점점 커지더니 드디어는 하늘을 뒤덮는다. 번쩍번쩍 번개를 치고, 우르르 쾅쾅 천둥을 울리고, 와장창창 벼락을 내려치더니, 주먹만한 우박덩어리로 온통 대지를 후려쳤다. 식물 채취에 여념이 없던 동물들은 놀라 피신처로 도망을 쳤다. 인간이라는 이름의 원숭이도 마찬가지였다. 두려움으로 가득 찬 가슴을 안고 어느 동굴 속으로 몸을 피하고 부들부들 몸을 떨고 있었다.

그중 한 마리가 물었다. "왜 하늘이 껌껌해졌고, 번개는 왜 그리 무섭게 내려쳤으며 천둥은 무엇 때문에 으르렁거렸나?"

다른 한 마리가 세상 일 모두를 다 아는 척 말했다. "그것도 몰라? 우리들 중 어느 놈이 내가 따 놓은 사과를 몰래 훔쳐 먹었으니, 하늘이 노하지 않겠어?" 그 소리를 들은 또 다른 녀석의 오금이 저렸다. 자신의 일을 돌이켜보니 과연 하늘이 노할 만도 했다. 사과를 따다가 옆의 친구의 것이 좋아 보여서 슬쩍 집어 자기 광주리에 넣었던 일, 남보다 먼저 더 많은 것을 취하려고 연약한 자기 동료를 때려잡던 일 등등이 마음에 걸렸기 때문이다. 순간의 천둥소리는 바로 그 잘못을 꾸짖는 하늘의 고함소리로 생각되었다. 그래서 두 손을 모아 싹싹 빌었다.

잠시 후, 검은 구름은 사라지고 언제 우박이 내렸느냐는 듯, 하늘은 맑아지고 태양은 밝게 빛을 내었다. 갖가지 색의 꽃들은 춤을 추고 공중에 새들은 노래를 불렀다. 뭇 동물들은 다시 뛰어나와 먹이를 찾고 사랑을 나누기에 바쁘다. 손을 모아 빌던 원숭이는 손을 멈추고 하늘을 향하여 창조주의 위대함을 찬양하는 노래를 불렀다.

자연현상에 대한 경외심 외에도 인간은 종교를 가질 수밖에 없는 이유들을 갖고 있다. 죽음에 대한 공포, 사랑하던 이들과의 이별로 느끼는 허탈감, 또 한가로울 때 찾아드는 근원에 대한 회의……. 이런 것들은 인간으로 하여금 자기외적(自己外的) 자기초월적(自己超越的)인

강력하고 존엄스럽고 신성한 존재를 상정하지 않을 수 없게 만든다. 그리고 자신의 행위에 대한 반성적 사고는 선과 악, 죄와 벌을 생각하게 된다. 여기서 우리는 포이어바흐의 종교의 본질에 대한 견해에 귀를 기울여야 할 필요를 느낀다.

인간의 고유한 성격과 일치되는 종교, 그것은 그러므로 자기의식(Self-consciousness)—인간이 자기의 본성에 대해서 지니고 있는 의식과 일치된다. 그러나 일반적으로 표현되고 있는 종교, 그것은 무한자에 대한 의식이다. 이처럼 종교라는 것은 인간이 자기 자신에 대해서 갖는 의식 이상도 아니며 이상일 수도 없다.

종교사와 신학의 차이

이와 같이 종교를 가짐으로써 인간은 다른 동물과 구별될 수 있었다. 고로 인간이 무엇인가를 주제로 하는 역사학은 종교문제를 떠날 수 없다. 그러나 역사학은 신학과는 같을 수 없다. 신학에서는 신이 먼저 존재해 있어서 천지를 창조하고 그곳에 인간을 창조해 놓았다는 것을 전제로 하지만, 역사학에서는 인간이 먼저 존재하여 신을 창조하였다는 것을 전제로 한다.

신학에서는 신 그 자체를 연구의 대상으로 삼는다. 그러나 역사학에서는 인간이 매 시대에 신을 어떻게 창조하여 왔는가 하는 것, 다시 말해서 인간이 신을 어떻게 인식하여 왔는가 하는 것을 중심으로 논의한다. 태초의 인간은 어떤 신을 믿었으며, 그 형상을 어떻게 표현하였나, 그리고 어떤 예배 형식을 취했나 하는 것 등이 중심과제가 된다. 그리고 종교와 관련하여 발생하는 사회제도, 윤리와 도덕과 규범 등이 연구의 대상으로 된다. 특히 이들이 시간의 경과와 더불어 어떻게 변천되어 왔으며 지역에 따라 어떤 차이가 있는가 하는 것 등에 대한 문제가 역사학의 주요 관심이 될 것이다.

종교의 역사

다시 말해서 역사학에서는 매 시대마다 신의 개념이나 신의 형상·명령·신탁과 같은 것들이 달리 나타나는데, 그것들은 결국 신 자체의 표현이라기보다는 인간들의 생각의 표현이다. 다른 말로 하면, 종교의 역사란 신에 대한 인간의 사상사라는 것이다.

실제로 종교의 역사는 인간이 신이라는 존재를 어떻게 생각했는가에 따라서 변천되어 왔다. 가장 자연에 대한 공포심이 많았던 구석기시대에는 애니미즘이, 그 다음 정착생활이 가능했던 신석기시대에는 토템이즘이, 그리고 권력이 형성된 청동기시대에는 샤먼이즘이, 고대국가 시대에는 고등종교가 발전하였다.

고등종교는 그것이 처음으로 성립된 이후 오늘에 이르기까지 많은 자체 개혁운동과 파생의 과정을 거쳐 왔다. 이 과정을 통하여 종교는 사회를 변질시켜왔고, 사회의 변천에 따라 종교는 변형을 이루어 왔다.

인도에서 발생한 브라만(Brahman)교는 우파니샤드의 출현으로 개혁을 이루어 자이나교로, 자이나교는 다시 불교로, 불교발달에 자극된 브라만교는 자체 혁신을 도모하여 힌두교로 발전되어 오늘날에 이르렀다. 헤브루에서 시작된 유태교는 기독교와 이슬람교를 낳고, 기독교는 그리스정교와 가톨릭으로 갈리고, 가톨릭은 종교개혁을 통해서 프로테스탄트를 탄생시켰다.

역사와 휴머니타스

다리는 땅으로 머리는 하늘로

　우리는 역사를 갖고 있는 인간의 특수성이 무엇인가를 논의하였다. 얻어진 결론은 인간은 다른 동물들처럼 자연세계에 존재하고 있음에 만족치 않고 스스로 신의 위치에로 가려는 인간의 유지향상(維持向上)의 의지를 지니고 있다는 것이다. 다시 말하면, 인간이 동물로만 산다면 역사는 없으며, 반대로 신이나 천사가 되었다 하더라도 역사는 없다. 역사는 동물의 형상을 한 인간이 신으로 되려 함에서 이룩되는 것이다.

　인간이 육체를 가지고 있어서 땅에서 나는 음식물을 먹고 생명을 유지하고, 생식행위를 하여 종족을 번식하며 살아간다는 점에서 다른 동물들과 다를 것이 없다. 하지만 다른 동물들은 땅에 배를 대고 기거나 네 다리로 달리지만, 인간은 비록 두 다리로 대지를 딛고 있음에도 머리는 하늘로 향하고 있다. 이것이야말로 인간이 다른 동물과 다르게 역사를 만들게 한 요소라는 것이다. 헤겔의 말을 원용하면, 인간의 육체는 지구의 구심점을 향하여 작용하는 중력으로 매달려 있지만(프로메테우스의 육체가 코카서스산정에 매달려 있듯이) 인간의 정신에는 하늘로 떠오르려는 자유의식이 있다.

이것을 가리켜, 인간의 특성 즉 휴머니타스(Humanitas)[24]라 할 것이다. 그러므로 역사는 휴머니타스의 표상과정이다. 그것이 설혹 신성(神性) 즉 디비니타스(Divinitas)를 내세운 종교의 역사라 하더라도 실제에 있어서는 휴머니타스의 표상양식일 뿐이다. 인간의 상상력이 신을 만들었고, 그러므로 상상력을 규정하는 역사적 상황(시간·공간적 상황)이 변천함에 따라 신의 모습과 성격이 달라져 왔다는 것을 인정한다면 그렇게 생각할 수 있을 것이다.

그러면 휴머니타스는 어떻게 표상되어 왔는가? 앞에서 논의한 대로, 이것은 도구의 발달, 사회·정치의 발달, 종교의 발달, 경제의 발달, 문화의 발달 등등의 인간생활을 통해서 표상되어 왔다. 그런데 여기서는 '누구'의 문제를 도외시할 수 없다.

역사가 보다 자연에 가까운 인간의 삶으로부터 보다 신에게로 가까이 가는 과정이라고 할 때, '누가' 어느 시기에 보다 더 신에게로 가까이 가는가 하는 것이다. 이를 헤겔은 자유의 발전과정으로 표현했다. 즉 그는 역사를 자유의 발전과정으로 이해하여 오리엔트 세계의 일인의 자유에서 비롯하여 그리스·로마의 소수인의 자유, 게르만세계의 만인의 자유로 발전되어온 과정이라 하였는데, 이 논리는 휴머

---

24 라틴어인 Humanitas는 신성(神性) 즉 Divinitas에 대칭되는 인간성, 인간의 특성, 인간의 인간다움, 인간의 권위 등을 의미한다. 이를 영어의 Humanity로 번역하여 쓸 수도 있으나, 서양의 중세시대 총체적인 가치기준이었던 신성에 대칭되는 상징적인 용어이고, 또 근대 르네상스 이후에 인류가 지향한 최고의 가치였다는 점에서 Humanitas라는 용어를 그대로 사용해보기로 하였음을 독자들은 이해해 주기 바란다.

니타스의 실현과정에서도 유사하게 적용될 수 있다.

역사가 휴머니타스의 실현과정이라 하고, 휴머니타스가 인간의 특성, 즉 동물로서의 속성과 신적 요소를 마음껏 구가하는 것이라 할 때, 여기서 제기되는 문제는 휴먼, 즉 인간이 누구를 의미하는가 하는 것이 되기 때문이다.

인간은 누구를 막론하고 휴머니타스를 지니고 태어났다. 그러나 어떤 이는 그것을 깨닫고 있지만, 어떤 이는 아직 그것을 깨닫지 못하고 있다. 스스로 인간이라고 인간답게 살아야 되겠다고 외치고 있지만 진정으로 인간다운 것이 무엇인지를 아는 자는 그리 많지가 않다. 또 알았다 하더라도 인간답게 살기는 쉽지 않다. 그것은 쟁취의 대상이기 때문이다.

르네상스 이래 서양의 근대사는 휴머니타스의 실현과정이었으며 그 쟁취를 위한 투쟁의 과정이었다. 그래서 르네상스 자체를 휴머니즘의 실현이라 한다. 하지만 그것은 완성된 것이 아니다. 단지 시작에 불과했다. 그러면 르네상스의 휴머니즘은 무엇인가? 먼저 휴먼(Human)이 무엇인가를 답해야 한다.

휴먼은 인간을 의미하는 말이다. 이 말은 중세에서도 사용된 말이다. 즉 중세의 기독교는 인간의 구원을 목적으로 한 종교다. 그러나 이때의 인간은 디비니타스라는 추상적이고 보편적인 개념에 대응하는 추상적인 보편개념으로서 인간을 의미하는 것이었다. 중세적 관념 하에서는 인간이라는 보편자를 위하여 개인은 희생되어도 되었다. 개인 예수가 십자가에 매달려 죽음으로써 보편자로서 인류를 구원하듯이 개인은 무시되고 보편적 인류만이 중요하였다.

그러나 르네상스에서 말하는 휴먼은 개인을 의미한다. 개인 한 사람 한사람이 소중한 가치를 지닌 존재다. 전체라는 이름으로 죽어서도, 희생되어서도 안 되는 존재다. 따라서 근대의 휴머니즘은 개인주의와 통한다. 다시 말해서 르네상스에서 실현되어야 하는 휴머니타스는 개인으로서 '내'가 신처럼 무소불능의 존재로 인정되어야 하며, 동시에 동물처럼 욕망의 충족을 즐길 수 있어야 하는 것이다.(레오나르도 다빈치는 전자의 상징이고, 보카치오는 후자의 상징이다.)

문제는 이러한 휴머니타스를 누가 향유하느냐 하는 것이다. 여기서 갈등과 혼란으로 얼룩진 역사의 과정은 전개된다. 다시 말하면 자신의 휴머니타스를 자각하고 그것을 실현하기 위하여 투쟁하는 자가 누군가에 따라서 각 시대사의 색깔과 무늬는 달라지게 된다.

처음 르네상스를 통해서 휴머니즘이 등장했을 때, 그때에 휴머니타스를 깨닫고 그것을 실현하려 한 사람들은 중세 봉건체제와 가톨릭주의(Catholicism)에 도전장을 내었던 군주와 그를 둘러싼 귀족들과 몇몇의 천재들이었다. 그들은 디비니타스에 의해서 포장되어 있는 사회의식을 깨고 그 속에서 휴머니타스를 찾아내어 세상에서 빛을 발하게 하였다.

그 결과 군주는 절대군주정을 펴서 중세에 신의 대명자(代命者)로 행세하던 로마 교황을 억누르고 그 위에 군림하는 존재가 되었다. 왕권신수설이라는 정치사상이 그것이다. 뿐만 아니라 군주는 무소불능의 능력으로 재화를 모으고, 교황청이나 교회보다 더 큰 궁전을 만들고 그 안에서 사치와 향락, 음란이라고밖에 표현할 수 없는 성생활을 즐기며 살았다. 이를 위해 중상주의 또는 중금주의라는 경제사상이 등장하게 되었고 '17~8세기 문화'라 하는 귀족문화가 꽃피게 되었다.

인간이면 누구나 인간이기를 바라는 법이다. 중세 농노의 신분으로 무지몽매한 삶을 살다가 상공업으로 직업을 바꾼 이들도 처음엔 돈을 버는 일만이 중요하였다. 그러나 역사가 진행되어감에 따라 점차 자신의 휴머니타스를 자각하기 시작하였다. 이들이 이른바 부르주아다. 이들의 첫 과제는 어떻게 하면 중세적 농노의 상태에서 해방하는가 하는 것이었다. 그래서 그들은 중세 영주들의 적일 수밖에 없었던 군주를 도와서 근대국가를 형성함에 있어서 자금조달자(담세자)로서 역할을 충실히 하였다.

그리하여 그들은 자유를 얻었고, 그로써 자신의 휴머니타스를 깨닫게 되었다. 그들은 그들만의 무소불능의 능력을 발휘하여 돈을 벌었고 사업을 확장하여 대자본가로서 위세를 떨치게 되었다. 그들의 생활이 호화로워지고 그들의 욕구충족이 극도에 이른 것은 말할 나위도 없다. 여기서 탄생한 것이 자본주의다. 그러나 이것은 헐벗고 굶어죽는 자와 부른 배를 붙잡고 어쩌지 못하여 비만으로 죽어가는 자들의 사회적 불평등을 초래하였다.

이 문제를 해결하기 위하여 사람들은 고민해 왔다. 그래서 공산주의, 사회주의, 무정부주위, 공리주의 등을 생각해 내었다. 그러나 이 같은 휴머니타스의 실현을 위한 역사의 도정은 아직 끝나지 않았다.

그리고 이제는 휴머니타스 자체에 대한 반성이 요구되는 시대에 이르렀다. 모든 인간들이 각자 나름대로의 휴머니타스를 실현하기 위해 광분하고 있는 사이에 지구는 파괴되어 오히려 인간의 생명은 위협을 받고 있다. 인간이 무소불능의 능력을 발휘하여 만들어 놓은 과학의 결실들이 오히려 인간의 생명을 위협하며 옥죄어 오고 있는 것이다. 스스로 만들어 놓은 비행기가 고층빌딩을 들이받아 인간을 죽이는가 하면, 머지않아 로봇이 인간의 주인이 되어 인간을 노예로 부릴 날이 오지 않을까 염려해야 하는 지경에 이르렀다. 마치 프랑켄슈타인[25]이 그의 창조자인 남작의 목을 죄어 오고 있는 것처럼.

이제 르네상스적 휴머니타스는 한계에 이르지 않았는가? 기왕에 인간은 스스로 신을 만들어왔다. 고대와 중세에는 에덴동산을 거니는 신을 만들어 스스로 그로부터 자기소외를 당하여 그에 의한 지배와 질곡으로 자유를 상실하고 살아 왔다. 그리고 근대의 서양인들은 과학과 자본이라는 새로운 신을 만들어 이제 그로부터 자기소외를 경험하고 있다. 그러면서 역사는 오늘에 이른 것이다.

그러면 이제 인간이 자신의 휴머니타스를 실현하는 새로운 방향은 어디인가? 세계의 지성인들은 과학과 물질, 자본과 권력으로부터 눈을 돌려 무한한 세계로 줄을 대고 있는 동양의 철학과 종교를 보고 있는 것이다.

인간이 자기의 속성인 휴머니타스를 찾고 그것을 향유하겠다고 광분하다가 실제로 잃어버린 자아를 되찾으려 눈을 돌리는 것이 아닌가? 여기서 우리는 참 '나'가 무엇인가를 찾아야 할 것이다.

---

25 **프랑켄슈타인(Frankenstein)**
영국의 여류작가 M.W.셸리가 1818년에 발표한 괴기소설. 1960년대에 "프랑켄슈타인의 역습"이라는 제목으로 영화화되어 우리나라에서도 방영되었다. 남작은 이상적인 인간을 창조하겠다는 생각으로 살인강도의 몸과 예술가의 손, 미남의 얼굴 등을 수집하여 프랑켄슈타인이라는 인간을 만드는 데 성공한다. 그런데 프랑켄슈타인은 철학자를 죽이고 그의 뇌를 이식하는 과정에서 범한 실수로 정신이상이 된다. 그래서 그의 무서운 육체적인 힘으로 난동을 부리고, 결국에는 그를 만든 남작의 목을 졸라 죽이려 한다.

3장
역사는 왜 쓰고 배우나(1)

인간은 역사를 기록하는 동물

인간은 왜 역사를 기록하는가? 그리고 그것을 무엇 때문에 배워야 하는가? 이는 "인간은 왜 문자를 만들었는가?" "그리고 왜 글을 읽는가?"라는 질문이나 다를 것이 없다. 그리고 그에 대한 간략한 답은 "인간이기 때문에"일 것이다.

인간은 다른 동물들과 달리 자신의 삶과 생각을 후세에 남겨두고 싶어 하는 본능적 욕구를 가지고 있다. 그래서 일기를 쓰고 기행문을 쓴다. 뿐만 아니라 사람들은 자신의 뿌리를 찾으려는 욕망을 갖고 있다. 그래서 족보를 만들고, 자기가 살고 있는 촌의 유래를 알려 하고, 지역의 역사를 남기려 한다. 종교집단은 교회사를 쓰고, 민족은 민족사를 쓰며, 오늘날에는 세계사를 펴낸다. 이러한 의미에서 인간은 역사를 창조하는 동물이면서, 동시에 역사를 기록하는 동물이다.

그런데 일반인들과는 달리 역사가들은 보다 구체적이고 특별한 목적을 밝히고 목적에 따른 다른 방법을 사용하였다. 이에 따라 헤겔은 그의 《역사철학 강의》에서 ①원천적 역사학, ②반성적 역사학, ③철학적 역사학 등으로 역사학을 단계별로 구분하였다. ①은 사건 사실에 대한 정보를 수집하여 기록으로 만드는 단계이고, ②는 원천적 역사기록을 수집하여 정리 배열 편집하는 단계이고, ③은 보편사, 또는 이 글 모두에서 언급한 '본체로서의 역사'를 이해하는 단계이다.

이들 중 ①의 경우는 단순히 기록이나 기억을 위한 역사학이고, ②는 사건 사실을 통해서 교훈이나 통치를 위한 자료를 얻고자 하는 목적을 수반하며, ③은 전체적 역사의 흐름을 파악하여 종교나 철학의 의미를 찾아보려는 것이다.

원천적 역사

사건 사실에 대한 정보수집

서양세계에서 최초의 역사가라 하는 헤로도토스는 그가《페르시아 전쟁사》를 쓴 목적을 "인간계에서 일어난 사건들이 시간의 경과와 더불어 망각되어버리거나, 그리스인이나 이방인에 의해서 이룩된 위대하고 경탄할만한 사건들이 어떤 원인으로 해서 교전(交戰)에 들어가 파괴되어 세상 사람들에게 알려지지 않을 것을 염려하여 이들을 기억의 전당에 안치해 두기 위해서"라고 하였다. 이처럼 그가 역사를 쓴 목적은 단순히 과거의 사실들을 후세인에게 남겨 기억할 수 있게 하기 위함이었다.

이러한 역사를 헤겔은 원천적 역사(Original History)라 하였다. 이는 사건 사실에 대한 지식(information)을 수집하는 제1단계의 역사학이다. 사건 사실들을 직접 접하여 보고들은 것[견문(見聞)]을 기록하는 단계다. 이에 해당되는 것으로는 헤로도토스 이외에 투키디데스의《펠로폰네소스 전쟁사》, 로마의 장군이며 정치가인 카이사르가 쓴《갈리아 전기(戰記)》등이 있다.

우리나라에서도 고려 이래로 조정(朝廷)에 사관(史官)이라는 벼슬을 두어 왕의 언행과 명령 등 정치행사를 직접 목격하고 청취하여 기록해서 사초(史草)를 만들고 실록(實錄)을 편찬하였다. 사초는 사실성을 고수하기 위하여 아무리 권력이 센 왕이라 하더라도 당대에는 볼 수 없도록 하였다. 그리고 사건 사실에 해당되는 왕이 죽은 뒤에 이를 정리하여 실록으로 편찬하였다. 이것이 고려실록과 조선실록이다. 이것은 세계 어디에서도 찾아보기 어려운 원천적 역사학의 실례다.

이러한 역사의 생명은 사실성에 있다. 발생한 그대로의 사건 사실을 써야 하는 것이다. 쓰는 이의 의도와 사상과 목적을 배제하고, 있었던 대로 기록해 두는 것이다. 그래야만 그 기록은 기록으로서 가치를 지니게 된다. 동양에는 춘추필법(春秋筆法)이라는 말이 있다. 공자가 노(魯)나라의 연대기를 새로이 편집하면서 사실과 다른 부분들을 바로잡았는데, 이처럼 역사는 어떠한 외부의 압력이나 위협에도 사실대로 써야 하는 것이다.

이에 대해 헤겔은 이런 말을 남겼다. "역사 서술의 목표는 독자들이 인민이나 나라나 세계의 역사를 전체적으로 조망할 수 있게 하는 것이다. 여기서 역사자료를 만들어내는 일은 가장 중요한 일이다." 만약 그 자료들이 거짓된 것이라면 역사의 전체적 조망은 일그러지고 말 것이기 때문이다.

사실성에 목숨을 걸다

그러나 참된 역사자료를 만드는 일은 쉬운 일이 아니다. 권력을 가진 자들은 역사적으로 좋은 평가를 받고자 원한다. 때문에 그들은 역사기록에 신경을 쓴다. 오랜 과거에도 그랬고 지금도 그렇다. 그들은 권력을 동원해서 윤색·첨가해서라도 자신의 업적이나 행위를 좋은 것으로 만들려고, 날조나 삭제를 해서라도 나쁜 것을 없애거나 좋은 것으로 만들고자 한다. 이에 대항하여 역사를 쓰는 이는 목숨을 걸어야 한다.

중국 춘추시대 제(齊)나라에의 최저(崔杼)라는 권력자가 있었다. 그는 주군인 장공(莊公)을 죽였다. 그리고 당시 태사(사관)인 백(伯)에게 장공이 학질로 죽었다고 실록에 쓰라고 명령하였다. 그러나 백은 최저가 그 임금 광(光: 장공의 이름)을 죽였다고 썼다. 이에 최저는 노발대발하여 태사 백을 죽이고, 그의 아우인 태사 중(仲)에게 다시 쓰라 하였다. 태사 중도 "최저, 임금을 죽이다."라고 썼다. 최저는 태사 중을 죽였다. 그러자 그의 아우인 태사 숙(叔)도 "최저, 임금을 죽이다."라고 기록하였다. 최저는 그도 죽였다.

그리고 마지막 태사인 계(季)에게 쓰라며, 설득하였다. "너의 형 셋이 다 죽었는데, 너도 생명이 아깝지 않느냐? 내가 시키는 대로 쓰면 너는 살려주마." 이에 태사 계가 대답하였다. "사실을 바른 대로 쓰는 것이 역사를 맡은 사람의 직분입니다. 자기 직분을 잃고 사느니 차라리 죽는 편이 낫습니다."

이렇게 되자 최저는 더 이상 태사를 죽일 수가 없었다. 이 소식을 전해들은 다른 지역의 태사들은 죽임을 면하려고 거짓으로 기록했던 사초들을 부랴부랴 고쳐서 "최저, 임금을 죽이다."라고 고쳤다.[1]

사건 사실의 왜곡

그럼에도 역사는 왜곡될 수밖에 없었다. 특히 권력자 자신이 역사를 쓰는 경우나 역사가 자신이 해당 사건 사실과 관련이 있는 경우는 어쩔 수 없는 것이다. 그들은 그들의 현실적인 목적을 위해 역사기록을 남겼기 때문이다.

그리스의 경우 그 대표적인 예가 소피스트들에 의한 변질이다. 소피스트란 원래 지혜 있는 사람이란 뜻을 가지고 있다. 이들은 철학적으로 자연철학을 인간철학으로 전환시키고 상대주의를 창도함으로써 나름대로 공헌을 하였다.

그러나 후기에는 상대주의라는 것이 남용됨으로써 지식을 팔아먹는 장사치로 변질되었다. 그들은 수사학과 웅변술에 능한 이들이었다. 확인된 바는 아니나, 이들의 수사와 웅변에는 역사적 사건 사실에 대한 지식이 활용되었을 것이다, 마치 오늘날 국회의원들이나 신문사의 논설위원들이 자신의 주의주장을 위해서 과거의 사실들을 마음대로 왜곡하여 사례로 활용하는 것과 마찬가지로.

소피스트 중에서 역사가로 이름을 남긴 이가 투키디데스다. 앞에서도 언급하였듯이, 투키디데스는 기록을 남기기 위해 역사를 쓴 사람이 아니라, 그의 패전을 변명하기 위해서 쓴 사람이다.

이상은 역사가가 사건 사실을 직접 접해서 원천적 기록을 만드는 경우다. 역사는 사건 사실을 정확하게 하나의 점, 하나의 획이라도 거짓이 없이 기록되어야 된다고 생각한다.

---

1 《동주 열국지》제6권 참조.

그러나 그것은 이상(理想)일 뿐이다. 사람은 자신이 처하여 있는 시간·공간적 입장이 있고, 이에 영향을 받는 필연적 한계성과 자신의 의도와 목적과 사상에 입각한 왜곡과 첨삭, 누락, 각색 등이 따르게 마련이다. 여기서 객관과 주관의 문제, 역사가 과학이냐 문학이냐 하는 문제를 따지는 논쟁이 따르게 된다. 헤로도토스를 과학적 역사학자라 하고 투키디데스를 교훈적 역사학자, 또는 심리학적 역사학자라 하여 구별하는 것은 여기서 비롯되는 것이다.

교훈적 역사학

역사학의 실용성

헤겔은 역사학의 제2단계를 반성적 역사학(Reflective History)라 하고 그중에서도 두 번째 경우로 역사의 실용성(Pragmatical)을 언급하고 있다. 한마디로 사건 사실에 대한 기록을 기록 자체대로 버려둔다면 아무 소용이 없다. 무엇인가 실용적인 목적을 위하여 활용되어야 한다.

서양 사학사에서 이러한 경향은 앞서 말한바, 변명을 위해 역사를 쓴 투키디데스에게서 시작된다. 그리고 알렉산더 대왕에 의해서 그리스 세계가 해체되고 이른바 헬레니즘의 코즈모폴리턴이즘(사해동포주의)의 세계가 펼쳐지면서 더욱 뚜렷해져 간다.

세계가 넓어지면서 개인의 견문을 기록한 것만으로 이루어진 지식 정보는 지식에 대한 수요를 충족시킬 수 없게 되었다. 수많은 개인들이 수많은 경우에 당면해서 만들어 놓은 수많은 지식 정보들을 모아 일목요연하게 만드는 것이 요구되었다. 컬링우드는 이 단계의 역사학을 '가위와 풀의 역사학'이라 했다. 가위로 잘라내고, 풀로 붙여서 지

식 정보를 편집한다는 뜻이다. 이를 달리 말하면 편집으로서 역사학
이라 해야 할 것이다.

코즈모폴리턴이즘

이러한 편집을 위해서는 많고 많은 문헌(서책, 공문서, 서류 등) 중에서
필요한 지식과 정보를 선택해야 한다. 선택엔 기준이 선행되어야 한
다. 이 시대의 기준은 실용성이었다. 그렇지 않아도 이 시대의 중심을
장악한 로마는 현실주의와 실용주의를 앞세운 나라였다. 넓은 세계를
정복하고 그것을 다스리는 일은 그러한 주의를 요구하였다.

이 시대의 사상적 특징은 코즈모폴리턴이즘(Cosmopolitanism)과 이
속에서 발생할 수밖에 없었던 스토이시즘[2]과 에피쿠로스 철학[3]이었
다. 다음은 이 시대의 지적 환경을 설명해 주는 글이다.

---

2 **스토이시즘(Stoicism)**
알렉산더 대왕의 동방 원정에서 비롯되어 로마의 마르크스 아우렐리우스에 이르는 기간, 즉
헬레니즘 시대를 주도한 철학사상. 고대 그리스 철학자 제논이 아테네 광장에 있던 공회당 주
랑(柱廊)에서 제자들을 가르쳤다 해서 '스토아파(주랑의 사람들)'라는 명칭이 붙었다. 이는 한
시대를 주도한 사상 일반이기 때문에 그것을 체계화한 대표적인 철학자는 없다. 다만 이 사
상에 입각해서 글을 남긴 이들로 네로 황제의 스승인 세네카, 노예신분의 에픽테토스, 로마
의 7 현제중 마지막 황제인 마르쿠스 아우렐리우스 등이 대표적 인물들이다. 이는 금욕주의
의 사해동포주의를 특징으로 하기 때문에 그 후 기독교의 윤리사상 형성에 큰 영향을 끼쳤
다.

3 **에피쿠로스**
고대 그리스의 철학자(기원전 342?~270?). 스토이시즘이 헤라클레토스의 불의 철학에 뿌리
를 두고 있는 데 대해서, 이는 데모크리토스의 원자론을 토대로 한다. 그에 따르면 인간의 불
행은 욕망이나 격정에서 생기는 불안과 두려움에서 생기는 것이므로, 이로부터 인간을 해방
시켜야 된다고 했다. 철학은 이를 위한 것인데 그 방법은 마음의 평안을 얻는 것이라 했다.

새로운 정치 상황은 철학에 있어 그 반응이 없을 수 없었다. 플라톤과 아리스토텔레스는 그리스라고 하는 도시국가의 사람들이었다. 그들에게 있어서는 도시국가와 도시국가의 삶을 떠나서는 개인의 삶은 생각조차 할 수 없는 것이었다. 즉 개인이 그의 목표에 도달하고 훌륭한 삶을 산다는 것은 오로지 도시국가 안에서만 가능한 일이었다.

그러나 자유로운 도시국가가 거대한 코즈모폴리턴의 전체 속에 통합되면서 세계 시민의 이상인 코즈모폴리턴이즘(스토아주의에서 보이는)은 물론 개인주의가 등장하게 되는 것은 매우 당연한 일이다. 실제로 코즈모폴리턴이즘과 개인주의의 두 가지 요소는 서로 밀접하게 연관되어 있는 것이다. 플라톤이나 아리스토텔레스가 생각했던 것과 같이, 밀착되고 모든 것을 포괄하는 도시국가 안에서의 삶은 해체되었고, 시민들은 커다란 전체 속으로 통합되어 들어갔다. 여기서 개인은 어쩔 수 없이 닻 떨어진 배처럼 정박지를 모르고 헤매게 되었다. 여기서 기대를 걸 수 있는 것은, 개인에게 관심을 집중시키는 코즈모폴리턴적인 사회철학, 즉 스토아주의와 에피쿠로스주의였다.[4]

이처럼 방대한 자료를 수집해서 역사책을 쓴다는 것은 개인으로서는 쉬운 일이 아니다. 그러므로 역사가들은 권력자와 밀접한 연결을 갖던지 아니면 스스로 권력을 지닌 이들이어야 했다. 폴리비오스(Polybios, 기원전 203?~기원전 120)와 리비우스(Livius, Titus, 기원전 59~기원

---

4 Frederick Copleston
   A History of Philosophy, The Newman Press, 1960, vol.1, pp.379~380

후 17)는 권력자의 비호를 받은 경우이고 카이사르(Caesar, Gaius, Julius, 기원전 100~기원전 44)나 타키투스(Tacitus, Cornelius, 기원후 55~기원후 117)는 스스로가 권력자인 경우다.

폴리비오스의 세계사

서양 사학사에서 제2단계의 역사학을 대표하는 역사가는 폴리비오스다. 그는 이미 로마가 전 지중해 세계를 석권하게 된 시대에 태어났다. 폴리비오스는 코즈모폴리턴이즘의 특징을 입증하듯이, 멸망한 그리스인으로서 정복자인 로마인에게 봉사하여 세계사를 썼다.

폴리비오스의 아버지는 그리스가 로마의 지배를 받게 되자 이에 대항하여 독립전쟁을 일으켰다. 여기서 패전하자 폴리비오스는 전쟁 포로, 즉 노예의 신분으로 로마로 끌려갔다. 거기에서 그는 소(小)스키피오와 친분을 갖게 되었다. 그래서 소 스키피오는 장군으로서 폴리비오스의 지식을 빌리고, 폴리비오스는 소 스키피오의 도움을 받아 위대한 역사가가 될 수 있었다.

그는 소 스키피오의 도움으로 전 세계를 여행할 수 있었음은 물론, 세계 구석구석에서 채취한 문헌정보를 수합할 수 있었다. 그리고 이를 근거로 하여 세계사를 썼다. 여기서 역사가는 문헌정보 자료를 수집하는 기능을 담당하게 된 것이다. 오늘날 문헌정보학의 뿌리는 여기에 있다 할 것이다. 그러나 폴리비오스가 이런 일을 하는 것으로 끝나고 말았다면, 역사가라는 이름은 얻지 못했을 것이다. 그는 뚜렷한 목적의식을 가지고 있었다.

첫 번째 그의 목적은 소 스키피오가 국가를 경영하는 데 필요한 정보자료를 제공하는 것이었다. 그에 따르면, 어떤 정책(政策)이나 조정(調整)이 실패한 경우, 또는 성공한 경우, 그 이유를 묻고 그것에 대한 답을 구함으로써 "성공한 경우에는 또다시 그러한 정책이나 조정의 방법을 사용할 것이고, 실패한 경우는 새로운 정책이나 조정의 방법을 강구하기 위해서 역사를 연구하고 배워야 한다."는 것이다.

두 번째 그의 목적은 그리스에 대한 애국심에서 나왔다. 그는 욱일승천(旭日昇天)하는 로마에 살면서 몰락한 그리스에 대한 애국심을 버릴 수 없었다. 그러므로 그를 늘 사로잡고 있었던 의문은 그리스는 몰락했는데, 로마는 어찌해서 짧은 기간에 그처럼 강력한 나라로 발전할 수 있었는가 하는 것이었다.

그 답을 그는 초기 로마공화정에서 찾았다. 그때에 로마인들은 넘쳐흐르는 애국심을 가지고 있었고, 강건하며 소박한 삶을 살았다. 이에 비하여 고도로 발달한 문화 환경 속에 살고 있던 그리스인들은 기질적으로 유약해져 있었고 도덕적으로 타락하여 있었다.

여기서 폴리비오스는 역사를 통해서 인간이 어떻게 살아야 할 것인가를 배워야 한다는 것을 생각하였다. 즉 어떠한 삶의 자세를 지니고 산 사람은 후세에 존경을 받고, 어떤 삶을 살다간 사람은 누대에 걸쳐 악인의 오명을 쓰는지를 배워야 한다는 것이다.

역사는 정치를 위한 귀감(龜鑑)이 되기도 하지만 개인적인 입장에서 보면 그의 행위의 지표를 제시함으로 윤리·도덕적인 교훈을 제시하기도 한다. 그러므로 "역사는 인생의 교사다"라는 오래된 격언은 진리이다. 폴리비오스는 역사를 국가적으로는 통치의 학문으로, 개인적으로는 윤리·도덕을 위한 귀감으로 생각하였다.

특히 역사는 개인적인 삶의 지혜를 준다는 점을 그는 다음과 같이 말하고 있다.

> 역사에서 얻은 진정한 지식은 우리들로 하여금 실제 생활에 대한 가장 좋은 교육이라는 점을 알게 한다. 왜냐하면, 역사란 우리들을 위험한 처지에 빠지지 않도록 하며 또한 어떠한 위험한 사태에 처했더라도 우리의 판단을 정확하게 이끌어내어 우리들로 하여금 바른 견해를 갖게 해준다.

리비우스와 타키투스

그 후 로마에서는 실용적 역사서술이 지속적으로 이루어졌다. 카이사르가 죽은 뒤 권력을 잡은 옥타비아누스는 전 세계를 통일하고 로마의 대 평화(Pax Romana)를 이룩하였다. 이 시대의 역사가인 리비우스의 눈에는 로마가 위험에 처해져 있는 것으로 보였다. 평화를 맞이하여 정치·경제는 안정되고 고도로 문화는 발달하였으나, 이에 비례해서 초기 공화정시대의 건전성은 퇴색되고, 국민정신은 점차적으로 사치와 방종, 나태와 타락의 길로 접어들고 있음을 느꼈기 때문이다.

그래서 그는 이 우려를 극복하기 위하여 《로마사》를 썼다. 여기서 그는 초창기 로마인들의 소박하고 강건함을 되살리고 애국심과 도덕심을 갖게 하기 위하여 노력하였다.

그 뒤 로마가 전성기를 거쳐 쇠퇴기로 접어들면서 타키투스라는 역사가는《게르마니아사》를 썼다. 이때는 이미 북방의 게르만족이 문명의 맛을 알게 되어 야만상태를 청산하고 로마로 이동해 올 차비를 갖추고 있었다.

몸소 게르만지역을 원정해서 게르만족의 실상을 경험한 타키투스는 장차 게르만이 로마로 진군해 올 것을 염려하여 이 책을 썼다. 타키투스의 눈에 비친 게르만족의 모습은 초기 로마인들의 그것과 같았다. 이에 비하여 당시 로마인들은 로마인에 의해서 정복당한 그리스인의 모습을 보이고 있었다. 여기서 그는 로마인들을 경계하고 그들에게 애국심과 도덕심을 고취하였다. 타락, 비겁함, 사악함 등은 망국의 길로 가는 징표라는 점을 강조하였다.

여하튼 로마의 역사가들은 한결같이 단순, 소박, 강건함, 용기, 정직 등 건전한 시민정신은 나라를 흥하게 하고 안일과 나태는 나라를 망하게 한다는 것을 지적하였다.

역사학은 통치의 거울

서양에서 망국의 이유를 문화가 발달하고 사회가 호사스러워짐에 따라 백성들의 성품이 사치와 방종과 유약함으로 치닫는 데서 찾았는데 비하여, 동양에서는 임금이 경국지색에 홀려서 방탕하고 실덕(失德)하여 나라가 망하는 것으로 보았다. 그리고 이를 경계하기 위한 역사를 썼다. 이를 감계주의(鑑戒主義)라 한다. 온고이지신(溫故而知新)을 앞세우고, 역사책에 거울 '감(鑑)'자를 쓴다. 사마광(司馬光)의《자치

통감(資治通鑑)》, 주희(朱熹)의 《통감강목(通鑑綱目)》, 원추(袁樞)의 《통감기사본말(通鑑記事本末)》 등이 그렇고, 우리나라의 서거정(徐居正) 등이 쓴 《동국통감(東國通鑑)》이 또한 그렇다. 역사학은 과거를 거울삼아 오늘의 삶의 올바른 길을 찾는다는 데 그 목적을 둔다는 것이다. 올바른 삶의 길이란 개인적인 것도 없지는 않지만, 국가의 흥망성쇠가 더욱 큰 문제였다. 역사는 통치를 위한 거울이다.

그 대표적인 거울은 중국 고대사의 요순(堯舜)과 걸주(桀紂)에 기준을 두는 경우가 많다. 나라가 잘 다스려진 요순시대에 대해서는 차후로 미루고 나라를 망하게 한 왕들에 대한 이야기를 하는 것으로 그 실례를 대신한다.

하(夏)나라의 마지막 왕인 걸(桀)은 원래 탐학(貪虐)하고, 힘은 능히 철구색(鐵鉤索: 쇠사슬)을 늘릴 수 있었다. 그는 유시씨(有施氏)를 정벌하여 그로부터 말희(末喜)라는 여인을 취하였다. 그녀를 총애하여 그녀가 말하는 바는 모든 것을 따랐다. 그리하여 경궁과 요대를 만들고 백성의 재물을 빼앗아서 고기로 산을 만들고 육포로 수풀을 만들었으며 주지에 배를 띄우고 즐겼다. 그 뚝은 십리나 되는데 거기에 늘어선 장정 3,000명이 북을 한번 울리면 마치 소처럼 엎드려 술을 마셨다. 말희는 이를 즐거워했다.

이에 나라가 크게 붕괴되니, 탕(湯)왕이 하(夏)나라를 정벌하였다. 걸(桀)왕은 명조(鳴條)로 도망하여 죽으니 하(夏)나라는 건립된 지 17세 458년 만에 망하였다. 하(夏)나라의 뒤를 이은 은(殷)나라도 끝에 가서는 마찬가지로 망한다.

주(紂)왕은 유소씨(有蘇氏)를 정벌하고 유소씨의 딸 달기(妲己)를 부인으로 삼고 총애하여 그녀가 말하는 것은 모두 따랐다. 세금을 많이 거두어 녹대(鹿臺)에 재물을 채우고 거교(鉅橋)에 곡식이 넘쳐 사구(沙丘)와 원대(苑臺)를 넓히고 술로써 못을 만들고 고기를 매달아 숲을 만들고 긴 밤을 새워가며 술을 마셨다.

제후 중 이에 반대하는 자가 있으면 주왕(紂王)은 이내 중형을 과하였으니 구리기둥을 만들고 그것에 기름을 바른 뒤 숯불위에 놓고 죄인으로 하여금 거기에 매달리게 하였다. 발이 미끄러져 불 속으로 떨어져 죽으면 달기와 더불어 그것을 보고 크게 즐겼다. 이를 이름해서 포락지형(炮烙之刑)이라 한다. 비간(比干)이라는 충신이 이를 간하자, 주왕은 노하여 "내 듣기로 성인의 마음엔 일곱 개의 구멍이 있다 하더라!" 하고 그 마음을 본다면서 충신의 가슴을 갈랐다.

우리나라에도 이와 비슷한 이야기는 있다. 《삼국사기》에 실린 백제의 의자왕이 그것이다. 의자왕은 무왕의 원자로 용맹스럽고 담이 크고 결단성이 있었다. 왕은 무왕 재위 33년에 태자로 삼았는데 어버이를 효도로써 섬기고 형제와 우애로써 지내므로 그때 사람들이 해동증자(海東曾子)라고 불렀다. 그리하여 재위 16년이 되기 전까지 신라를 공략하니 신라는 김춘추를 당에 보내어 당의 구원을 요청하기에 이르렀다. 그런데 재위 16년 이후 궁인들과 더불어 음란하고 탐락(貪樂)하며 술 마시고 노는 것을 그치지 않으므로 좌평(佐平) 성충(成忠)이 극간(極諫)하니 왕은 노하여 성충을 옥에 가뒀다. 이로 인하여 감히 간하는 사람이 없어졌다.

교훈적 역사 서술의 한계

역사의 교훈이 실제로 실용적 가치가 있는지 없는지는 의문의 여지가 많다. 실용성이 실제로 있다면 폴리비오스가 의도했던 대로 그리스가 소생했어야 했고 리비우스나 타키투스가 바랐던 것처럼 로마는 부패도 않고 멸망하지도 않았어야 했다. 사마천이 생각했던 것처럼 폭군이 다시 나오지 말았어야 했다.

왜 실용성이 발휘되지 못했는지는 또 생각해 볼 일이다. 실제로 역사적 교훈이란 것이 맞지 않는 것인지, 교훈성이 있으나 실제로 읽어야 될 사람들이 역사책을 읽지를 않았기 때문인지, 읽었어도 곧 잊어버려서인지…… 아무튼 이유가 많은 것이다.

그러나 분명한 것은 이들 교훈적 역사가들은 역사를 통해서 자신들의 의도와 목적과 사상을 실현하고 싶어 했다는 것이다. 그래서 사실을 목적에 따라 수집했고 수집된 사실에 윤색과 왜곡을 했다는 점이다. 그래서 인민들은 마땅히 애국심을 가지고 검약하고 소박한 삶을 살아야 된다. 탕왕(湯王)이나 무왕(武王)이 혁명을 한 것은 자신의 권력욕에서가 아니라 폭군을 몰아내고 백성을 도탄에서 구하기 위함이었다. 백제가 망한 것은 신라가 당나라의 힘을 빌어 무력으로 쳤기 때문이 아니라 의자왕이 통치를 잘못해서였다…… 하는 등등의 이유를 붙여서 정권의 정통성을 세운다거나 혁명의 명분을 찾아 피지배자들의 복종을 유도하는 데 활용되었다는 것이다. 한마디로 실용적 역사란 과학이기에 앞서 의도와 목적과 사상을 표현한 문학이었다 할 것이다.

기독교의 역사학 활용

기독교와 역사학

어떠한 사상체계든 역사학과 연관되어 있지 않은 것은 없다. 그러나 이들 중에서 기독교만큼 역사를 중히 여기는 것은 흔치 않다. 기독교의 교본이라 할 수 있는 성서는 일종의 역사책이다. 특히 구약은 모세 5경을 비롯해서 39권의 책 중 12권[5]이 역사서이다. 나머지 문학서나 예언서도 역사학적 목적으로 쓰이어진 것은 아닐지라도 많은 역사적 지식을 포함하고 있다. 그래서 신약은 신학서이고, 구약은 역사서라 한다.

반대로 역사학의 발전에 있어서도 기독교의 역할은 크다. 헤로도토스가 인간사를 기억의 전당에 안치시키기 위해서 역사기록을 시작했고 폴리비오스가 사료의 수집·배열·편집으로서의 역사학을 발전시켰다면, 기독교는 그러한 사건 사실들을 세포로 함유하는 일종의

---

5   여호수아(Joshua), 판관기(Judges) 룻기, 사무엘, 상하권 열왕기(kings), 상하권 역대기(Chronicles), 상하권 에즈라(Ezra), 느헤미아(Nehemiah), 에스델 등 12권.

유기체로서의 역사, 이를테면 '본체로서의 역사'를 처음으로 제시하였다. 알파에서 비롯되어 오메가로 향하여 진전되어 가는 하나의 거대한 과정으로 역사를 창출하였다는 것이다. 이를 통해서 기독교는 생명력을 강화시킬 수 있었다.

기독교의 뿌리가 유대교에 있음은 자명한 사실로 받아들여지고 있다. 기독교의 역사를 유대교에 접목시키고 있기 때문이다. 유대교에 대하여 배타적인 입장을 취하여 예수를 십자가에 매달아 죽게 한 원수로까지 생각하면서도 그 뿌리를 거기에서 찾고 있는 것이다.

실제적인 면에서 보면, 기독교의 본산은 그리스와 로마다. 초기 기독교 신도들의 대부분은 그리스인과 로마인이었다. 기독교 사상을 구성하고 있는 요소들을 분석해 보아도 역사를 유대교에 접목시켰다는 것 이외에는 당시 세계 각지로부터 로마라는 문화·사상적 호수에 밀려들어와 담겨져 있던 것들이다.

신의 존재를 입증하는 철학은 그리스 철학[6], 특히 신플라톤주의(Neoplatonism)[7]이고, 제례양식의 많은 부분은 미트라이즘(Mithraism)[8]에서 연유하는 것이다. 기독교 신학에서 가장 중요한 이원론은 페르시아 사상, 그중에서도 마니교(Manicheism)[9]에서 받아들인 것이다. 그럼에도 불구하고 역사를 유대교에 접목시켰기 때문에 기독교는 유대교의 후신인 것처럼 인식되게 된 것이다.

기독교의 유대교와의 접목

이처럼 기독교에 있어서 역사는 중요한 위치를 점하고 있다. 이렇게 중요한 역사를 기독교는 왜 유대역사에다 접목을 해야 했는가? 원시기독교는 로마제국 안에서 핍박받는 사람들을 중심으로 조직되었다. 로마는 지배 귀족계급과 피지배 평민계급이 극한적으로 대립하여 갈등을 일으키고 있었는데, 그중 피지배 평민계급을 구제하기 위한 종교로 기독교는 등장하였다.

현세에서 권력과 부를 향유하고 있어 더 이상 소망할 것이 없는 귀족계층에 대항해서, 그들 지배계급에 의한 착취와 압박으로 현생에서 절망한 상태(desperate condition)에 놓여 있는 피지배 대중은 현세의 빛

---

6 예수를 만민의 구세주로 생각하게 하여 종래의 종족주의를 타파한 것은 코즈모폴리턴이즘에 의한 것이고 인간은 마땅히 전지전능한 신의 의지에 인종하여야 된다는 신앙의 태도는 스토아철학의 원리이며 인간은 무한적 존재와 진실에 접근할 수 있다고 하는 것을 믿게 한 것은 신플라톤주의다.

7 헬레니즘 시대에 유행한 그리스 철학의 알파. 플라톤 철학의 맥락을 기독교에 연결시켜주는 역할을 하였다. 대표적 철학자로는 플로티노스(Plotinos, 기원 203 또는 204~269 또는 270)가 있다. 그는 "일자(一者)는 모든 사물의 원천이다. 그것은 스스로 충일(充溢)되어 그 외의 사물들을 창출한다"고 했다. 이 말은 "신은 모든 사물의 근원이다. 그는 스스로 자존하면서 모든 사물을 창조해내었다."고 하는 기독교의 신에 대한 생각과 일치한다. 이 생각은 그 후 교부철학자 오리게네스, 그레고리우스 등에 의해 발전되고 수용되어 기독교 사상에 중대한 영향을 끼쳤다.

8 예수의 탄생일로 믿어지고 있는 크리스마스는 페르시아 인들의 태양신(Sun-god)의 세력이 회복되는 것을 기념하는 미트라의 대제(the great mithraic feast)의 날이다. 또 일요일도 유태교의 안식일(Sabbath)에서 온 것이라 하지만 실은 미트라이즘에서 나온 것으로 미트라이즘에서는 이 날을 일(work)에 대한 금기일로 생각하였다.

9 페르시아의 이원론은 다음과 같다. 신이 우주를 창조하였는데, 그 우주는 선과 악의 원리가 결정적인 싸움을 할 수 있게 만들어 놓는 싸움터이다. 여기서 선이 악에 대하여 승리하게 된다는 것을 입증하게 된다. 그리고 오르므즈(Ormuzd) 신에 의해서 대표되고 있는 선의 원리를 믿을 수 있을 만큼 현명한 사람들은 내세에 영원히 행복하게 살 수 있는 포상을 받을 것이며, 악신인 아아리만(Ahriman)에 의해 지배되고 있는 악의 세력에 그들의 희망을 걸고 있을 만큼 어리석은 사람들은 내세에 불구덩이와 유황구덩이 속으로 떨어질 것이라는 것이다.

보다 더 밝은 내세의 삶을 희구하고 거기에 소망을 걸 수밖에 없었다. 그러기에 내세에 대한 소망은 곧 믿음으로 이어지고, 같은 믿음을 지닌 이들은 공산사회를 이루고 의지하며 살아야 할 동지들이었다. 여기서 중요한 것은 사랑이었다.

기독교는 현생에 대한 부정과 내세에 대한 소망의 원리를 지니게 되었고, 현생에서 부귀영화를 누리는 자는 악의 상징인 카인의 후예가 된 것이고, 현생에서 핍박을 받는 자는 선의 상징인 아벨의 후손이 된 것이다. 그리고 전자에 속한 자들의 미래는 비극적인 형벌로 끝날 것이고, 후자에 속한 자들의 미래는 선택받은 자의 낙원으로 이어질 것이다.

이렇다 보니 기독교는 과거사를 핍박받은 자의 역사—무한한 핍박을 받으면서도 굴하지 않고 메시아의 출현을 기대하며 살아온 역사를 그들의 역사에 접목시켜야 했다. 더욱이 유대인은 '책의 민족'으로 고대 오리엔트 세계에 널려져 있던 모든 사상과 문학, 전설과 신화를 소장한 구약을 지니고 있었으며, 그것을 이룩해 오는 과정으로서의 역사를 체험해 온 민족이었다. 바로 이 점은 기독교에게는 안성맞춤이 아닐 수 없었다.

역사는 기독교의 드라마

기독교는 이러한 유대교의 역사를 활용해서 하나의 거대한 대하(大河) 드라마로서의 '본체로서의 역사'를 구상하였다.[10] 드라마란 무대라는 공간 위에서 시간의 경과에 따라 변천되어 가는 인간사의 과정을 통해 어떤 메시지를 나타내는 일이라 할 수 있을 것이다.

당시의 공간 개념은 아직 지구를 벗어나지 못하였으니 지상일 수밖에 없다. 문제는 시간이다. 시간이란 무엇인가? 시간을 본 적이 있는가? 본적이 없다면 무엇으로 시간을 측정하는가? 아우구스티누스는 자연의 변화에서 시간을 읽었다. 그러므로 하느님이 천지를 창조하여 만물을 만듦과 동시에 시간도 만들었다고 하였다. 자연 속에 인간이 등장하여 선악과를 따서 먹어 선과 악이 생기고 그들이 대립하여 갈등하고 투쟁하는 변화과정 속에서 인간사의 시간은 흘러, 역사는 전개된다. 그것을 통해서 하느님의 뜻, 즉 섭리는 실현되어 가는 것이라 하였다.

"땡" 하는 징 소리가 울리면서 역사의 막은 오르고, 지구라는 무대 위에 아담과 하와, 카인과 아벨로 비롯되는 배우들은 첫 출연자로 등장한다. 뒤이어 등장하는 배우들은 제 나름대로 연기를 하고 무대 뒤로 사라진다.

이 드라마의 작가 겸 연출자 겸 감독은 하느님이고, 주연배우는 아담, 아브라함, 모세, 삼손과 데리다, 세례자 요한, 예수 등이다. 나머지 인류는 조연이나 엑스트라다. 수퍼스타 예수의 출연(Incarnation)으로 드라마는 절정에 이른다. 예수는 하느님 자신이 배우로 분장하고 나선 것이다. 그는 제자들과 추종자들을 이끌고 다니면서 가르침을 전한다. 그러나 가르침만으로는 부족하여 스스로를 죽이는 비극을 연출

---

10 기독교에서 말하는 본체로서의 역사란 어떤 것인가? 이것은 매우 크고 중한 문제다. 때문에 앞으로 역사 발전론을 언급할 때 구체적으로 생각하기로 한다.

함으로써 감동을 주고, 그의 사랑이 어떤 것인가를 마지막으로 가르친다.

예수가 십자가에서 흘린 피는 그의 인류에 대한 사랑의 징표이며, 동시에 아담과 하와로 말미암은 인류의 원죄를 대속(代贖)하였음을 나타내는 표징이기도 하다. 한마디로 이 비극을 통해서 인간은 누구든지 원죄로부터 자유스러워졌다. 문제는 자유스러워졌으면서도 자유스러워졌다는 사실을 알지 못하는 이들이 있다는 데 있다.

그 이유가 어디에 있는가? 예수가 십자가에서 흘린 피의 의미를 알지 못하기 때문이다. 예수의 사랑을 받아들이지 않기 때문이다. 그러므로 이제 남은 일은 그 '의미'를 알지 못하는 자들과 예수의 사랑을 받아들이지 않는 자들에게 이를 알게 하고 받아들이게 하는 것이다. 모든 사람들이 예수의 사랑의 품안으로 들어올 때까지 널리 널리 예수를 전파해야 하는 것이다.

이렇게 해서 예수 이후 기독교의 역사는 이 일을 시행해 가는 과정이다. 개인의 존재이유도, 사회의 성립 목적도 이를 위해 있는 것이다. 이 과정의 흐름은 드라마의 종결을 향하여 간다. 종결을 이루는 하나의 절정은 최후의 심판으로 구성된다. 예수는 부활하여 심판자가 되어 예수를 믿음으로써 은총을 받아 구속된 자와 그렇지 못한 자를 구별하여 판결한다. 여기서 대 드라마의 막은 내린다.

드라마의 메시지

이 드라마의 과정은 압박자와 피압박자의 대결구도로 진행된다.

성 아우구스티누스에 의하면, 세계는 신의 도시와 지상도시로 구분된다. 신의 도시는 하느님을 사랑하고 선하므로 현실세계에서는 카인에 의하여 핍박을 받아 힘없이 죽어간 아벨이 사는 곳이다. 지상도시는 아벨을 죽이고 현세적인 권력과 부를 향유하는 카인의 도시다.

역사상에 출연하는 많은 사람들 중 어떤 사람은 자신과 자신의 육신보다 하느님과 영혼의 세계를 더 사랑하기 때문에 현실이 고통스러워도 신의 도시를 선택해서 산다. 다른 어떤 사람은 자신과 자신의 육체를 너무 사랑하기 때문에 신이나 영혼의 존재조차 모르고 지상도시에서 권력과 부를 탐하면서 생활한다.

현실적으로 전자는 후자에 의해서 핍박을 받고 고통스러운 삶을 살지만, 역사는 후자가 아니라 전자에 의해서 발전되어 간다. 이를테면 역사는 카인에 의해서 발전되지 않고 아벨에 의해서 발전된다. 권력자인 파라오에 의해서가 아니라, 그로부터 추방당한 모세에 의해서, 늙은 골리앗에 의해서가 아니라 나이 어린 다윗에 의해서, 영광스러운 왕좌에 앉은 헤롯 왕에 의해서가 아니라 말구유에서 태어나 십자가에 못 박혀 죽은 예수에 의해서…… 역사는 발전한다.

이러한 발전과정은 드라마의 마지막 막이 내릴 때까지 지속된다. 최후의 심판으로 신의 도시에 속한 자가 택함을 받아 최후의 승리자로 하느님 편에 서게 되고, 끝까지 지상도시를 고수한 자는 버림을 받아 '쭉정이' 취급을 당하게 된다.

기독교는 이 드라마를 통해서 "모든 인류는 예수를 믿지 않으면 안 된다"는 메시지를 철저하게 홍보하고 있다. 그리고 그들의 당파성을 심화하여 동지애를 뜨겁게 하며 적에 대한 연민과 적개심을 강화하는 데 성공적이었다.

그 결과 로마제국의 억압을 극복할 수 있었고 이교도나 이단을 철저하게 분쇄하여 로마 말기에는 로마 유일의 국교로 설 수 있었고, 드디어는 세계를 정복하는 단계에까지 이르렀다.

민족주의적 역사학

민족사관의 본질

르네상스와 종교개혁이 일어나면서 중세적 기독교사상은 점차 퇴색되기 시작하였다. 이 두 개의 사건과 더불어 세속군주의 세력이 강화되고, 국가와 민족의 개념이 서서히 힘을 받아가게 된다. 이에 따라 역사학의 목적도 국가주의 또는 민족주의적 성향을 띠게 된다. 르네상스 시대에는 마키아벨리와 같은 이가 새로운 역사학을 발전시켰고, 종교개혁 시대에는 신·구교가 각각 자기들의 종파의 정당성을 주장하기 위하여 역사를 활용하였다. 계몽주의시대에 이르러서는 이성(理性)을 앞세운 역사학의 연구와 서술들이 유행하였다.

그러나 근대 역사학의 뚜렷한 발전을 이루게 된 것은 19세기 낭만주의가 태동하면서부터다. 그래서 이 세기를 '역사학의 세기'라고도 한다. 군주국가는 점차 국민국가로 발전하게 되고 이에 따라 국가와 민족의 중요성이 높아지면서 민족주의에 입각한 역사학이 발달하게 된 것이다.

민족주의는 원칙적으로 자기 민족이 다른 민족에 비하여 우월하다는 생각에서 출발한다. 그러므로 민족주의자들은 여러 측면에서 자기 민족의 우수성을 입증하려 노력한다. 자기 민족의 신체적 정신적 우월성이나 조상이 이룩한 문화와 역사의 우수성을 강조한다. 이를 위해 그들은 역사를 미화시키고 확대·과장하려 한다. 그렇게 해서 타민족에 대한 정치·경제·문화적 지배를 합리화하려 한다. 여기서 이른바 민족사관이 성립되게 된다.

이러한 민족사관은 식민사관을 등에 지고 있다. 즉 자기민족과 자기민족의 역사는 우수하고 찬란하며 그들의 세계사에 대한 공헌도가 높다고 주장하는 반면, 그들에 의해 지배당하고 있는 민족은 열등민족이라는 주장을 펴려한다. 이를 위해 그들의 약점과 열등함을 역사속에서 들추어내든가 작은 것을 발견하여 과장·확대하려 한다. 피지배민족은 피지배민족일 수밖에 없다는 논리를 입증하기 위해서다.

민족주의는 정치 이데올로기

이러한 경향이 두드러지게 나타난 것은 독일에서다. 서유럽 국가들 중 통일이 늦어서 후진적으로 근세사에 진입해야 했던 독일로서는 국가통일의 선결조건으로 독일민족의식의 통일을 내세워야 했기 때문이다. 여기서 독일은 가장 먼저 가장 전형적인 민족주의를 창도하였으며 이를 위해서 민족주의 역사학을 발전시켰다.

독일사학자들은 자유(여기서 자유란 민족적인 자유)의 근원이 어디에 있으며, 그것이 어떻게 발전하여 왔나를 역사 속에서 밝혀내려 하였다. 이를 위해 중세 게르만 민족에 관련된 문헌들을 수집하고, 그 속에서 민족정신(Volksgeist)이라는 낭만적 상념들(notions)을 찾아내려 정열을 바쳤다. 그렇게 해서 독일인의 정신(German spirit)을 확립하려 하였다.[11]

민족주의는 상대적일 수밖에 없다. 독일에서 민족주의가 발흥하게 되면 이웃해 있는 경쟁국들이 가만히 있을 수 없는 것이다. 그래서 프랑스의 역사학자들은 독일에 뒤질세라 중세사를 연구하여 그들의 자유의 발자취와 제3신분[12]의 성장과정을 밝히려 하였다. 민족주의와는 약간의 거리가 있는 영국인들도 앵글로색슨의 활동 등을 추적하기 위하여 중세사에 관심을 갖기 시작하였다.

독일의 민족사관

민족주의는 일종의 정치적 이데올로기다. 그러므로 민족주의적 역사가들은 정치사에 관심을 갖는다. 뿐만 아니라 역사가들 중에는 직접적으로 정치에 간여하거나 간접적으로 정치에 참여하는 이들이 생겨났다. 통치자의 카운슬러가 되거나, 마치 중세에 신학자들이 신도들에게 신에 대해서 강론하듯 역사가들은 시민들에게 민족정신

---

11 **Ernst Breisach**
　　Historiography, The University of Chicago Press, 1983, PP.261~264 참조.

12 **제3신분**
　　프랑스의 삼부회의를 구성하고 있던 신분. 제1신분은 승려, 제2신분은 귀족, 제3신분은 시민이다. 프랑스 혁명은 이중 제3신분이 중심이 되어 제1, 제2신분에 대항하여 일어났다. 따라서 당시 프랑스 지식인들은 제3신분의 뿌리를 찾고 그들의 자유의 당위성을 확보하기 위해 노력하였다.

▶ 랑케

(Volksgeist)을 강론하였다.

실례를 들면, 객관적 역사학을 강조한 것으로 유명한 랑케[13]는 1830년 《역사 정치 잡지(Historische Politische Zeitschrift)》를 편집하였는데, 거기서 단일 독일의 민족정신(unique German Volksgeist)의 근거와 온건보수주의의 필요성을 역설함으로써 비스마르크의 제국건설에 공헌하였으며, 직접 프러시아의 프리드리히 빌헬름(Friedrich Wilhelm)과 바바라의 막시밀리안 2세(Maximilian of Bavara)의 자문역할을 하기도 하였다.

그밖에도 달만[14] 게르비누스[15] 트라이치케[16]와 같은 이들은 프러시아 학파(Prussian school of historiography)를 구성하여 독일의 자유주의와 민족주의의 재건을 위하여 역사연구를 행한 대표적인 역사가들이다.

그중 게르비누스는 그의 《독일민족문학사》서문에서 "우리는 마침내 민족에게 지금의 그들의 가치를 깨닫게 해주고, 그들의 자신을 되살려주고, 먼 과거에 대한 자랑과 함께 현재 이 순간에 대한 희열과 미래에 대한 굳센 용기를 불러일으킬 때를 맞이한 것 같다."라고 했다.

이 같은 게르비누스의 주장을 따르면, 역사가가 역사를 쓰는 목적
은 민족의 역사를 과거로부터 최근의 시대의 현상까지 펼쳐 보이고,
이를 다른 민족의 것과 비교함으로써 민족의 자각심을 깨우치고, 민
족으로 하여금 긍지를 갖게 하는데 있다는 것이다.

특히 트라이치케는 이러한 민족의식을 더욱 강조한 역사가로서

---

13 랑케(Ranke, Leopold von, 1795~1886)
　　독일의 역사가. 세미나라는 교수법과 연구방법을 통하여 많은 제자들을 키워내어 근대 역사
　　학의 원조가 되었다. 특히 그는 역사가는 마땅히 "과거에 있었던 대로를 묘사해야 한다(wie
　　es eigentlich gewesen)"는 주장으로 객관적 역사서술의 중요성을 강조하였다. 그리하여 역
　　사학의 독립을 부르짖어 역사주의의 확립에 큰 역할을 하였다. 처녀작 《라틴 및 게르만 제
　　(諸)민족의 역사 1494~1514》(1824)는 대표작이 되었다. 그밖에 주요저서로는 《종교개혁 시
　　대의 독일사(1845~1847)》, 《프로이센사(1847~1848)》, 《16~17세기 프랑스사(1852~1861)》
　　《16~17세기 영국사(1869)》 등이 있다. 이에 대해서는 차후에 상세하게 논의하기로 한다.

14 달만(Dahlmann, Friedrich Christoph, 1785~1860)
　　독일의 역사가·정치가. 괴팅겐대학과 본대학 교수로 있으면서 자유주의적 정치가로 1848년
　　혁명당시 프랑크푸르트 국민의회에서 소(小)독일주의의 헌법초안을 작성하기도 하였다. 프로
　　이센 상원의원으로 활약 한 뒤 정계에서 은퇴하여 저술에 전념 독일 지식계층에 커다란 영향
　　을 끼쳤다. 역사가로서 《덴마크사》(1840~1843) 이외에 《영국 혁명사》(1844) 《프랑스 혁명사》
　　(1845)등을 남겼다.

15 게르비누스(Gervinus, Georg Gottfried, 1805~1871)
　　독일의 역사가·정치가. 1848년 3월 혁명 당시 자유주의사상의 대표자였다. 괴팅겐대학교
　　의 역사학 교수로 달만과 함께 '괴팅겐 7교수사건'으로 교수직에서 쫓겨났다가 하이델베르크
　　대학의 명예교수가 되었다. 대표적 저서로《독일시사(獨逸詩史) Geschichte der deutschen
　　Dichtung》(1871~1874)가 있다.

16 트라이치케(Treitschke, Heinrich von, 1834~1896)
　　독일의 역사가, 정치평론가. 라이프치히대학교 강사(1858)를 거쳐 프라이부르크대학교(1863)
　　·킬 대학교(1866)·하이델베르크대학교(1867)·베를린대학교(1874)의 교수를 역임하였다.
　　1864년 이후 비스마르크의 협력자가 되어 군국주의·애국주의를 제창하였으며, 대외적으로
　　는 강경외교를 주장하였다. 저서《19세기 독일역사》(5권, 1874~1894)는 명저로 알려져 있다.

"역사가라고 하기보다 차라리 애국 설교자(patriotic sermon)"였으며, 그가 쓴 독일사는 "독일통일을 위한 전투장(戰鬪狀)" 같다는 평을 들어야 하는 것들이었다. 이러한 민족주의 사관에 입각해서 독일인들은 유대인을 적으로 간주하여 매도하였고 드디어는 유태인 학살로 유명한 아우시비치의 비극을 연출하는 데까지 이르렀다.

민족사관의 이면은 식민사관

민족주의 사관의 이면에는 필연적으로 식민사관이 서 있게 마련이다. 일찍이 시민혁명과 산업혁명을 성공시켜 독일이나 이탈리아처럼 민족주의를 내세우지 않아도 되었던 영국인들은 그들의 제국주의를 합리화하기 위하여 식민사관을 내세웠다. 그래서 인도인들의 역사와 현실을 영국인들이 아니면 그들의 생존 자체가 어려운 것이라고 하였다. 영국의 제국주의를 본뜬 일본은 한국에 대한 식민정책을 강행하고 그 일환으로 식민사관을 고집하였다.

일본의 식민사관은 한반도의 반도성과 사대주의적 특성 등을 내세워 한국인은 독자적으로 역사의 주체가 될 수 없음을 선전하였고, 한민족의 당파성 등을 들어 한민족의 자치능력의 부재함을 역사를 통해서 입증하려 하였다. 이를 위하여 그들은 역사를 날조·해석하는 만행까지 서슴없이 행하였다. 그들의 주장을 따르면, 한국인은 일본인과 같은 조상, 같은 역사의 맥을 지닌 민족이라는 것이다.

그 대표적 실례가 세이류난메이(靑柳南冥)의 《조선사천년사(朝鮮四千年史)》다. 한일합방이 있은 후 경성신문사 사장이며 조선연구회 주간이었던 저자는 그 서문에서 다음과 같이 전형적인 식민사관을 피력하고 있다.

첫째, "일본과 조선의 병합은 일본과 조선의 정치적 복고이니, 그 역사는 즉 대일본제국의 일부가 된다. 그런즉 일본인과 조선인은 누구라도 우선 기왕에 일관한 조선사를 이해하지 않으면 안 된다는 필요에 이르렀다"라고 하여 한일합병을 한·일간의 정치적 복고라 하고 그의 《조선사천년사》를 쓰는 목적은 조선사가 일본사의 일부임을 밝히기 위해서라는 입장을 거침없이 밝히고 있다.

둘째, 그의 주장을 구체화하여 "일본인과 조선인은 같은 민족, 같은 뿌리라는 사실을 밝히고 한편으로는 신라가 일본인에 의해 건설된 왕국이며 임나 금관국의 김수로왕은 일본의 황족이었다는 것을 논하겠다."고 하였다. 그리고 그는 이러한 것을 서술하는 것이야말로 그 시대가 역사가에게 요구하는 바라고 생각하여 다음과 같이 주장하였다.

> 조선사의 편찬은 방금 시대의 요구이다. 그러므로 일본과 한국의 관계의 역사적 사실을 밝혀서 양 민족의 정신적 융합을 달성하는 것은 우리 학계의 일대 임무요…….

이러한 일제의 식민사관에 대항하여 한국의 민족사학자들은 일제의 사상적 침략정책에 대항하여 한민족의 민족의식을 공고히 하고, 민족의식의 고취를 위하여 역사를 연구하고 서술하였다.

신채호[17]는 《조선상고사》를 써서 한민족의 상무적 투쟁정신을 고양

▶ 신채호   ▶ 박은식   ▶ 정인보

하려 하였다. 이를 위해 그는 한민족이 만주의 주인이었음을 강조하고 양만춘과 같은 장군은 당나라 세력에 대항해서 안시성 싸움을 승전으로 이끌었다는 주장을 입증하기 위하여 평생을 바치는 노고를 아끼지 않았다.

　박은식[18]은《한국통사(韓國痛史)》를 써서 일제의 침략과 그 야수성, 그리고 그로 인해 당한 한민족의 비참한 참상을 폭로하려 하였고, 정인보[19]는 한민족의 고유정신인 '얼'을 높여서 한민족의 주체의식을 확고히 하려 하였다.

민족주의적 역사학의 문제점

　이상과 같은 민족주의적 역사학은 나름대로 그 실용적 역할이 컸다. 독일은 이를 통해서 독일 통일의 사상적 기초를 마련하였고, 일본은 한국침략과 지배의 논리를 만들어 한국인을 지배하려 하였다. 그리고 한국의 민족 사학자들의 업적은 나름대로 반일감정을 고취하여 민족의 자존심을 고양시키는 데 일익을 담당하였다. 그래서 역사적으로 민족주의시대, 나아가서는 제국주의시대라는 한 시대의 특징을 대표하는 것으로 되었다. 그러나 여기에는 몇 가지 문제가 안겨져 있다.

첫째는 이러한 역사학이 역사학이냐 정치학이냐 하는 문제다. 민족주의 운동은 국가의 통일과 그 발전이라는 목적을 지닌 일종의 정치운동이다. 이러한 운동을 위한 이론을 정립하는 것은 정치학이다. 그

---

17 **신채호(申采浩, 1880~1936)**
항일독립운동가·사학자·언론인. 을사조약이 체결되자 《황성신문(皇城新聞)》에 논설을 쓰기 시작하여 이듬해 《대한매일신보(大韓每日申報)》 주필로 활약하며 국내외의 민족영웅전과 역사 논문을 발표하여 민족의식 앙양에 힘썼다. 한일합방 이후에는 중국에 망명, 상하이 임시정부 수립에 참가, 무정부주의자로서 민중의 폭력혁명에 의한 독립의 쟁취를 주장하기도 하였다. "독립이란 주어지는 것이 아니라 쟁취하는 것이다"라는 소신을 가지고 역사연구에 몰두하여 고조선(古朝鮮)과 묘청(妙淸)의 난(亂) 등에 새로운 해석을 시도했고 '역사라는 것은 아(我)와 비아(非我)의 투쟁이다'라는 명제를 내걸어 민족사관을 수립, 한국 근대사학(近代史學)의 기초를 확립했다. 저서로 《조선상고사(朝鮮上古史)》, 《조선상고문화사(朝鮮上古文化史)》, 《조선사연구초(朝鮮史研究艸)》, 《조선사론(朝鮮史論)》, 《이탈리아 건국삼걸전(建國三傑傳)》, 《을지문덕전(乙支文德傳)》, 《이순신전(李舜臣傳)》, 《동국거걸(東國巨傑)》, 《최도통전(崔都統傳)》 등이 있다.

18 **박은식(朴殷植, 1859~1926)**
한말의 민족사학자·독립운동가. 한말 주자학자로서의 두각을 나타내었으나 외세의 침탈이 자행되자 민중계몽운동에 가담하여 《황성신문》의 주필, 만민공동회, 독립협회에도 가담하는 등 국민교육과 정치활동을 하였으며 한일합방 후에는 중국에 망명하여 상하이임시정부에서 발간한 독립신문의 주필과 임시 대통령을 역임하면서 독립운동에 참가하였다. 이러한 독립운동의 근거를 역사에서 찾기 위해 역사연구에 몰두하여 《동명성왕실기(東明聖王實記)》, 《발해태조건국지(渤海太祖建國誌)》 등을 집필하였고, 일제에 항거하여 《안중근전》과 《한국통사(韓國痛史)》를 지었다.

19 **정인보(鄭寅普, 1892~?)**
한학자·역사학자. 1913년에는 중국으로 건너가 박은식·신규식·신채호·문일평 등과 함께 동제사(同濟社)를 결성하여 활동하였다. 1923년부터 연희전문의 전임이 되어 한문학과 조선문학을 강의하였으며, 《동아일보》·《시대일보》의 논설위원으로 활동하였다. 이때 《조선고전해설》(1931), 《오천년간 조선의 얼》(1935) 등을 《동아일보》에 연재하여 한국사에 대한 관심과 자긍심을 환기시키고 주체적인 민족의식을 고취시키는 데 주력하였다.

러므로 역사학이 이를 위해 봉사하였다고 한다면 역사학은 정치학의 시녀이거나 그 자체가 정치학으로 되어야 한다. 역사학이 순수과학으로써 역사적 진리를 추구하는 것이라면 민족주의적 역사학은 그 본령과 거리가 멀어진다.

둘째는 민족주의 자체의 문제다. 그것은 한 시대를 풍미하고 물거품처럼 꺼져 가는 역사 전개과정에 나타나는 한 현상에 불과하다. 만약 독일에서 지금 어느 누가 게르비누스나 트라이치케가 외치던 민족주의를 주장하는 자가 있다면 나치스의 망령에 사로잡힌 정신병자로 취급될 것이다. 우리나라의 경우에 있어서도 신채호나 박은식도 한국사학사에서 중요한 인물이 되겠으나, 디지털시대에 산다고 자부하는 오늘의 일반 지식인들에게 있어 그들의 존재는 무의미하게까지 여겨지고 있지 않은가?

셋째는 실용성 자체의 문제다. 독일의 경우 민족주의적 역사학이 있음으로써 독일통일이 이루어졌는가, 아니면 독일통일의 기운이 먼저 이루어졌기 때문에 민족사학이 나올 수 있었는가 하는 것이다. 원인과 결과의 문제다. 만약 민족주의적 역사학의 출현이 결과적인 것이라고 한다면 역사학의 실용성은 미미할 수밖에 없는 것이다. 실제로 우리나라의 경우 한국의 해방은 신채호나 박은식의 영향력으로 이루어진 것이 아니다. 물론 역할이 전혀 없었다고 할 수야 없겠지만 그것은 기껏 정훈(政訓) 교재를 제공했다는 역할 이상은 아닐 것이다.

넷째는 그 민족사학을 누가 활용하는가 하는 문제다. 이데올로기는 하나의 무기다. 무기는 만드는 자의 것이 아니라 사용하는 자의 것이다. 민족사관이라는 것이 일종의 이데올로기인 이상 위험성은 마찬가지로 존재한다.

　최근에도 민족사관을 주장하는 이들 중에는 일본의 천황이 백제 유민의 혈통을 받은 사람이라는 둥, 중국의 산동반도가 백제의 지배 영역이었다는 둥, 나아가서는 공자가 동이족(東夷族)으로 우리 민족 의 조상이라는 둥, 한자를 만든 것이 우리 민족이라는 둥…… 하여 한 민족의 우수성과 과거의 지배 영토가 광대하였음을 주장하는 이들이 있다.

　물론 이러한 생각이 자라나나는 어린이들에게 민족적 자부심을 높 여 준다는 긍정적 측면도 있다. 그러나 이를 역으로 생각하면, 일제 가 주장하던 내선일체(內鮮一體)를 확인해주는 결과를 가져오게도 되 고, 중국이 되었든 일본이 되었든, 현실적으로 강한 나라가 한반도를 포함한 동아시아의 통일을 해야 된다는 제국주의와 패권주의 논리에 근거를 제공할 수도 있는 위험한 발상이 아닐 수 없다.

4장
역사는 왜 쓰고 배우나(2)

역사는 왜 쓰고 배우나

⎯⎯⎯⎯

　지금까지 교훈과 종교, 그리고 정치적 목적에 따른 역사학을 생각하였다. 이들은 한결같이 역사를 역사 외적인 목적을 위해서 활용하려는 것이었다. 물론 이러한 시도는 이들만의 것은 아니었다.

　영국의 볼링불로크(Bolingbrocke)는 "역사는 실례로서 가르치는 철학이다."라고 하여 역사를 철학을 위해 연구하는 것으로 생각하기도 하였고, 계몽주의시대의 볼테르[1]는 골동품학자들을 "유식한 나무토막"라고 매도하며 역사에 대한 지식은 그 자체가 목적이 아니라 어떤

⎯⎯⎯⎯⎯⎯⎯⎯⎯⎯

1　**볼테르(Voltaire, 1694~1778)**
　대표적 계몽사상가. '자연신교(Deism)'을 만들 정도로 이성을 강조하였다. "파렴치한을 타도하라!"는 구호를 내세워 가톨릭과 전제군주체제를 공격하였다. 때문에 지속적인 투옥과 망명생활을 하여 세계적인 유명인사가 되었다. 그는 당시 명예혁명에 성공하여 자유로운 영국을 좋아하였다. 영국을 여행하며 비판정신을 길렀다. 이러한 비판정신을 근거로 서사시 《앙리아드(Henriade)》(1728), 《철학서간(Lettres philosophiques ou Lettres sur les anglais)》(1734), 희곡 《마호메트(Mahomet)》(1741), 《메로프(Mrope)》(1743), 철학시 「인간론」(1738) 등 문학작품을 썼다. 그리고 역사학자로서는 《루이 14세 시대사(Le Sicle de Louis XIV)》(1751)를 남겼다. 그밖에도 《관용론(寬容論, Trait sur la tolrance)》(1763)과 세계문명사인 《풍속시론(風俗試論)》(1756), 철학소설 《디드(Candide)》(1759), 《학사전(Dictionnaire philosophique portatif)》(1764) 등이 있다.

▶ 볼테르

▶ 콩트

목적을 위한 수단이라고 주장하기도 하였다. 그리고 헤겔은 역사를
통해서 세계사정신 또는 절대정신이 자신을 어떻게 실현하고 있는가
를 감지해야 한다고 하였으니, 이들은 철학적 역사학자들이라 해야
할 것이다.

이밖에도 사회학을 창시한 콩트[2]는 역사학을 사회학에 자료를 제
공해주기 위해 필요한 것으로 여기기도 하였으니, 이는 사회학적 역
사학이라 해야 할 것이다.

물론 이들이 역사 속에서 필요로 하는 자료를 취하려는 것을 나무
랄 필요는 없다. 그들이 역사라는 인류 생활의 흔적을 자료로 활용하
지 않고는 어떤 일도 할 수 없다는 사실을 인정할 때 이러한 자세는

---

2 **콩트(Comte, August, 1798~1857)**
프랑스의 철학자·사회학의 창시자. 생시몽에게서 사상적인 영향을 받아, 과학적·수학적 방
법으로 사회와 역사문제를 설명하려 하였다. 지식의 발전단계를 신학적·형이상학적·실증적
인 단계 등 3단계로 구분하고, 최후의 실증적 단계가 참다운 과학적 지식의 단계라고 주장하
였다. 대표적 저서로는《실증철학 강의(Cours de philosophie positive)》(6권, 1830~1842)
와《실증정치학체계(Systme de politique positive, ou trait de sociologie, instituant la
religion de l'humanit)》(4권, 1851~1854) 등이 있다.

▶ 리케르트

장려되어야 할 것이다.

그러나 과거의 사건 사실들을 활용하는 일 그 자체를 역사학이라고 생각하는 데는 문제가 있다. 그 '―적' '―적'이 붙은 역사관이라는 이유로 역사 그 자체가 왜곡되거나 오류를 자아내어서는 과학으로서 역사학을 생각할 수 없기 때문이다. 과학을 통해서 얻어진 결실이 실용적으로 활용되어 인간의 삶을 위해 편리를 제공할 수는 있으나 목적을 앞세운 선입견에 따라 날조되고 윤색된 역사는 진실한 역사일 수 없다. 마찬가지로 실용적인 역사학에서는 그 실용성에 의하여 역사적 진리가 흐려지고 왜곡·날조되는 경우가 생기게 된다.

엄연히 실재하였던 사건 사실임에도 불구하고 실용적 목적을 위해 삭제해버리고, 희미하고 미미한 사건일지라도 필요에 따라 침소봉대(針小棒大)하는 사례가 얼마든지 있었기에 말이다.

이러한 예속과 오염으로부터 역사학을 독립시키고자 한 운동이 역사주의다. 이 운동은 역사학을 가장 철학적으로 이용한 사람이라 할 수 있는 헤겔과 마르크스 등에 대항해서 "과거에 있었던 대로(Wie es eigentlich gewesen)"를 외치고 나선 랑케에 의해서 시작되었다.

그러나 역사주의는 그렇게 간단한 개념이 아니다. 넓게는 역사에 관심을 가졌던 괴테와 헤겔로부터 그 연원을 찾는 사람들도 있기 때문이다. 이를 무시한다 하더라도 역사주의는 대체로 랑케에서 비롯하여 마이케네[3], 리케르트[4] 등으로 이어지는 한 계열과 랑케를 비판하고 나선 크로체, 딜타이(Dilthey), 컬링우드 등과 미국 신사학파로 대별된다. 전자를 실증주의적 역사학파, 후자를 반실증주의적 역사학파라 한다. 전자가 헤겔에 반대해서 나선 이들이라고 한다면, 후자는 다시 헤겔의 입장으로 돌아가는 경향을 나타내는 이들이다.

---

3 **마이네케(Meinecke, Friedrich, 1862~1954)**
독일의 역사가. 슈트라스부르크(1901~1906) · 프라이부르크(1906~1914) · 베를린(1914~1928)의 각 대학 교수를 역임하였고, 제2차 세계대전 후 베를린 자유대학의 초대 총장이 되었다. 역사가로서는 사실의 추이(推移)보다는 역사 속에서 작용하는 이념을 추구하였으며, 딜타이·트뢸치와 함께 정신사(精神史) 또는 이념사(理念史)의 방법을 확립함으로써 역사학회에 많은 영향을 끼쳤다. 주요저서에《세계시민주의와 국민국가》(1908),《근대사에서의 국가이성(國家理性)의 이념》(1924),《역사주의(歷史主義)의 성립》(1936) 등이 있다.

4 **리케르트(Rickert, Heinrich, 1863~1936)**
독일의 철학자. 폴란드 출생으로 W. 빈델반트와 함께 신(新)칸트학파의 대표자이다. 하이델베르크대학 등에서 교수를 역임하였다. 독단적 실증주의나 생의 철학을 시발점으로 하는 세계관 철학에 반대하였다. 인식에 있어서 대상을 자연세계와 문화세계로 나누어 자연과학의 보편화적 방법과 문화과학의 개성화적 방법을 구분하였다. 대표적 저서로는《인식의 대상(Der Gegenstand der Erkenntnis)》(1892),《문화과학과 자연과학(Kulturwissenschaft und Naturwissenschaft)》(1899),《철학의 근본문제(Die Grundprobleme der Philosophie, Methodologie, Ontologie, Anthropologie)》(1934)등이 있다.

역사 자체를 위하여 역사를 연구한다

역사주의

그러면 실증주의적 역사학파는 무엇이고 그들은 무엇을 어떻게 생각하였나? 일본의 역사철학자인 류다 겐쥬로(柳田謙十浪)는 역사주의를 다음과 같이 설명하고 있다.

> 역사주의는 첫째로 역사를 어떤 다른 목적을 위한 수단으로가 아니라 그 자체를 목적으로 하여 연구하는 태도, 즉 '역사를 위해서' 연구하는 태도를 의미한다. 과학적 역사학은 정치적 경제적 이해나 도덕적 관심이라든가 하는 것에 좌우되어서는 되지 않는 것이다. 그것은 이와 같은 현실의 관심에서 탈피하여서만 참된 과학적 객관성을 갖게 된다고 하는 것이다.

다시 말해서 학문은 객관적 진리의 탐구, 불변하는 진실의 추구를 위해 이루어져야 한다는 입장을 역사가들이 받아들임으로써 역사주의는 출발한다. 역사를 실용주의적 목적에 이용하려는 이들에 대항해

▶ 베버

서 역사서술의 과학화를 주장하는 것이다. 다른 말로 하면, 역사 연구에 다른 일체의 가치를 가미시켜서는 아니 된다는 자세다. 때문에 참된 학문을 위해서는 우선 "가치로부터 자유로워야 한다."는 막스 베버[5]의 다음과 같은 주장을 역사연구에 적용한 것이라 해도 될 것이다.

역사과학 내지 문화과학은 "정치 예술 사회 등 여러 가지 문화현상을 여러 가지 발생조건과 연관시켜 이해하는 학문이다. 학문이란 '객관적이고 타당한 진리'를 구명하는 것이므로, 그 자체로서는 가치판단에까지 나아갈 수 없다. 가치판단은 각자의 세계관과 실천적 입장에 따라서 결정되는 것이다. 그러므로 서로 다른 세계관과 목적을 실현하는 실천적 입장에 있으면서 '객관적이고 타당한' 가치판단을 얻을 수는 없다. 진리를 인식하려는 학

---

5 베버(Weber, Max, 1864~1920)
　베를린대학 프라이부르크대학의 교수로 《프로테스탄티즘의 윤리와 자본주의의 정신》
　(1904~1905)을 써서 근대 유럽의 자본주의를 프로테스탄티즘 교리와 연결시켜 금욕(禁慾)
　과 근로에 힘쓰는 종교적 생활태도에서 가능했던 것으로 설명하였다. 그는 과학과 가치판단
　을 구별하는 이른바 '몰가치성(沒價値性)'을 강조하였다.

문의 의무와 자신의 이상을 실현하려는 실천의 의무는 별개의 것이다. 그러므로 학문을 지향한다면 먼저 가치로부터 자유로워야 한다.

이러한 경향을 실증주의에 입각한 역사학, 이를테면 실증적 역사학이라 한다. '실증적(positive)'이란 말은 '과학적(scientific)'이라는 말과 동의어로 사용되는 말이다. 그러므로 실증적 역사학이란 역사학을 자연과학적 방법론에 입각해서 연구한다는 것이다. 마치 자연과학자가 실험이나 관찰을 통하여 자연계의 현상을 객관적으로 파악하고, 그 현상 속에서 작용하는 법칙을 발견하여 그것을 자연의 개발 및 이용에 적용시키는 것과 동일하게 역사적 사실을 인식하고자 하는 자세를 뜻한다.

랑케의 주장

이러한 실증주의 철학을 역사학에 도입한 대표적 역사가 랑케다. 랑케는 낭만주의적 역사학이 갖는 단점, 즉 역사적 사실을 철학자의 관념이나 정치가의 목적에 예속시켜 그것을 윤색하거나 해석하는 자세에 반대하여 역사학을 철학이나 정치적 목적에서 독립시켜야 된다고 주장하였다. 다음은 랑케의 입장을 그의 몇 가지 생각으로 분류하여 정리해 본 것이다.

첫째, 역사적 사실의 왜곡에 대한 반발이다. 랑케는 낭만주의적 역사가들의 사실에 대한 윤색과 날조, 그리고 왜곡된 해석에 대한 강한 불만으로 "역사를 함부로 취급하는 자는 신으로부터 벌을 받아야 된다."라고 하여, 역사가의 임무는 "과거에 있었던 그대로의 사실을 묘사하는 것(Wie es eigentlich gewesen)"이라는 유명한 주장을 펼쳤다.

둘째, 역사학을 철학으로부터의 독립시켜야 된다는 생각이다. 랑케는 "인간의 현상을 알기 위해서는 두 가지의 길이 있는데, 하나는 개체적 인식의 길이고 다른 하나는 추상의 길이다. 그중 후자는 철학의 길이고, 전자는 역사학의 길"이라고 해서 철학과 역사학을 철저하게 구별하였다.

셋째, 역사는 경험적 방법에 의해서 인식되어야 한다는 생각이다. 랑케는 헤르더나 헤겔 등과 같은 철학자들이 역사를 그들의 합리주의적인 개념이나 법칙성에 귀속시켜 추상화시키고 있는 일에 반대하였다. 그에 따르면, 역사는 합리적 법칙에 의해서 알게 되는 것이 아니라 개별적이고 구체적인 사실들을 직접 접함으로써 파악되어야 한다. 역사는 그 사실들이 지니고 있는 일회성, 또는 비반복성(非反復性)을 염두에 두고 인식되어야 한다는 것이다.

넷째, 역사적 사실은 자연계의 사물과 동일하다는 생각이다. 랑케는 역사적 사실을 자연계의 사물들과 동일시하여 마치 자연과학자가 자연을 '있는 그대로' 인식하여야 되는 것처럼 역사학자도 역사적 사실 하나 하나를 있었던 그대로 인식하여야 된다는 입장을 취하였다. 자연이 신에 의해서 창조된 것인 것처럼 역사적 사실 사건들도 신의 손가락(God's finger)에 의해 만들어진 것이므로, 그것을 역사가 마음대로 해석하는 것은, 마치 인간이 자연을 개발한다 하여 파괴하고 오염시키는 것과 마찬가지로 신성한 역사를 오염시키는 것이라고 생각하였다.

다섯째, 역사법칙은 인간의 인식 영역 밖에 있는 것이라는 생각이다. 랑케에게 있어서는 역사법칙이란 인간적 인식의 대상이 아니다. 다만 신의 섭리로서 마치 신에 의해서 창조된 자연의 세계가 사소하고 작은 물리적 사물들로 구성되어 궁극적으로 인간의 인식영역을 벗어나는 우주를 이루고 있는 것과 마찬가지로, 전체로서의 역사란 신의 손길에 의해서 만들어진 사소하고 작은 사건 사실들로 구성된 것이다. 그러므로 이와 같은 전체로서의 보편적 세계사란 인간에 의해서 조작될 수 있는 것이거나 인식될 있는 것이 아니라, 그 자체가 신의 모습이며 신 자신만이 인식할 수 있는 것이다.

여섯째, 역사가의 일은 과거의 사실이나 사건을 수집하고 그것들을 확인하는 것뿐이라는 생각이다. 인간이 할 수 있는 최상의 일은 인간이 수집 할 수 있고, 확인할 수 있고, 인식할 수 있는 구체적이고 개별적 사실들을 확인하는 일뿐이다. 전체로서의 보편사나 역사의 법칙 등은 그 사실들의 집합이 스스로 표현하도록 해야 된다는 것이다. 자연의 사소한 사물들이 집합되어 전체적 자연의 모습을 나타내고 있는 것처럼.

그러기에 랑케는 "마치 사람이 꽃을 볼 때 린네나 온켄의 식물의 식물학적 분류를 생각지 않은 채 기쁨을 느끼듯이 개별적인 삶 속에서 기쁨을 느끼는 것 외에 다른 아무런 목적도 갖지 않고, 간단히 말해서 어떻게 전체가 개체 속에 반영되는가를 생각함이 없이 개체 하나 하나를 파악하도록 노력해야 한다."는 말로 역사학의 개별성을 강조하는 것이다.

일곱째, 역사학의 독립에 대한 생각이다. 따라서 이러한 입장에서 역사서술이 이루어진다고 할 때, 그것은 결코 민족적 입장이나 인위적인 종파적인 입장과는 무관한 것으로 되어야 한다는 주장이 된다. 따라서 랑케의 사관에 입각하면, 민족주의 사학이나 식민사학, 또는 기독교적 사학이라든가 유교적 사학이라든가 하는 것과 같이 '민족적' '기독교적'이라 하는 식의 수식어가 붙은 역사학이란 거짓 역사학으로 되고 만다.

그와 같은 수식어가 붙을 때 역사학은 그 수식어에 예속된 역사학이 되고 말기 때문이며, 그렇게 되면 그것은 역사학이 아니라 정치나 종교나 그 밖의 어떤 것들의 수단에 불과하게 되기 때문이다. 역사학이 참으로 역사학으로 되기 위해서는, 다시 말해서 역사학의 독립성을 지키기 위해서는 역사학은 오로지 역사 자체의 인식만을 목적으로 해야 된다는 것이다.

그의 주장을 따르면, 민족주의나 식민주의 등(심지어 어떤 종교나 종파의 입장까지도)을 주장하고 그 주장을 위해서 어떤 일을 한다는 것은 결국 일종의 정치행위가 될 것이고, 역사의 인식과 그 서술은 결코 정치행위일 수는 없기 때문이다. 그러기에 그는 주장하였다. "정치는 행위이고 역사학은 인식이다. 정치는 창조이고, 역사학은 그것의 보존이다. 역사학은 그 자체가 자기의 목적이지 다른 목적을 위한 수단일 수는 없다."

한마디로 실증적 역사학이란 역사학에 자연과학적 방법론을 도입하여 자연과학이 이상(理想)으로 하는 객관적 사실과 사건의 인식을 목적으로 하는 것이라 할 것이다. 물론 이러한 객관적 인식이란 모든 순수학문이 지향하는 목표다. 문제는 일정한 한계를 지니고 있는 인간으로서 그러한 진리를 발견할 수 있는가 하는 것이다. 그리고 그러한 객관적 진리를 발견해서 무엇에 쓰는가 하는 것이 문제다. 이 문제를 두고 역사주의는 또 한 번의 중대한 담론에 부딪히게 마련이다.

상대주의적 역사학파

<hr>

역사학은 자연과학으로부터도 독립해야 한다.

　이상과 같은 실증적 역사학은 다음 두 가지 면에서 비판을 받게 되었다. 첫째는 그러한 역사서술을 무엇 때문에 하는가? 하는 것이고, 둘째는 과연 랑케가 주장하는바 "과거에 있었던 대로를 묘사한다."는 일이 실제로 가능한가? 하는 것이다.

　비판자들은 실증적 역사학은 자가당착에 빠져 있다는 점을 지적한다. 역사학의 독립을 주장하면서 자연과학적 방법에 예속시켰다는 것이다. 역사과학은 인간을 대상으로 하는 것으로 자연을 대상으로 하는 자연과학과는 본질적으로 같을 수 없다. 그런데 역사학에 자연과학적 방법론을 적용한다는 것은 역사학을 자연과학에 예속시키는 결과를 가져왔다는 것이다. 그러므로 역사학 자체의 방법론을 마련하여 역사학을 자연과학적 방법론으로부터 해방시켜야 된다는 것이다.

데카르트와 비코

역사학적 방법론의 사상적 맥락은 비코에게서 비롯된다. 비코는 데카르트[6]의 대명제인 "나는 생각한다, 고로 존재한다(Cogito ergo sum)"에 대한 비판에서 단서를 찾았다. 한마디로 이 말은 문법적으로 맞지 않는다. 내가 존재하기 전에 어떻게 생각을 한다는 것인가. 이미 존재해 있는 내가 누구 인가를 의심하고 또 의심하다가 결국 의심하고 있는 자신이 존재하고 있음을 발견한 것이지, 생각해서 자신이 존재하게 된 것은 아니다.

여기서 비코는 진리는 곧 발견·발명된 것이라는 결론을 이끌어낸다. 이는 인식의 상대성을 의미한다. 진리에는 인식 이전의 진리가 있고 인식 되어진 진리가 있다. 콜럼버스 이전에도 아메리카 대륙은 있었다. 그러나 콜럼버스 이전에는 아무도 그것을 생각하지 못했다. 발견을 통해서 그것은 우리 앞에 나타났고, 그것을 보면서 우리는 아메리카를 생각한다. 우주에는 아직도 콜럼버스 이전의 세계가 무한히 실존하고 있다. 다만 발견이 안 되었을 뿐이다.

그런데 많은 사람들은 자신이 알고 있는 것은 절대적인 것이고, 자기가 보지 못한 것은 없는 것이라 고집한다. 비코에겐 데카르트가 그런 사람이다.

---

6 **데카르트(Descartes, 1596~1650)**
프랑스의 철학자·수학자·물리학자로 근대철학의 아버지라 불리는 사람. 영국의 프랑시스 베이컨이 귀납법적 방법론을 개창하여 영국경험론의 원천이 된 데 비하여, 연역적 방법론을 개발하여 대륙관념론을 시작하였다. 연역적 방법이란 철저한 회의를 통하여 더 이상 의심할 수 없는 명석판명(明晳判明)한 진리를 찾아내어 대명제를 세우고 그것을 근거로 구체적 사실에 대한 정의를 찾아내는 것이다. 그의 가장 유명한 명제는 "나는 생각한다, 고로 나는 존재한다"이다. 주요 저서로는 《우주론》, 《방법론 서설》(1637), 《성찰록》(1641) 등이 있다.

▶ 데카르트

▶ 비코

데카르트는 이등변삼각형을 그려놓고 이등변삼각형은 두 변의 길이가 같고 두 각의 크기가 같다. 그리고 이것은 시간과 공간을 초월해서 불변하는 진리다. 이처럼 합리적인 수학적 진리는 우주의 원리로 연장시켜 생각할 수 있다고 주장한다.

이에 대해서 비코는 반론한다. 삼각형은 인간이 만들어 놓은 것이니 인간이 알 수 있다. 그런데 자연이나 우주는 신이 만들어 놓은 것이기 때문에 그 속에 숨겨진 비밀은 신만이 안다. 다만 그중에서 인간이 알 수 있는 것은 인간이 스스로 발견·창조한 것뿐이다.

실례를 들어보자. 고대인들에게 빛이란 무엇을 의미하는가? 그들에게 빛이란 단지 사물을 비추어 눈으로 볼 수 있게 해주는 것일 뿐이었다. 그러나 신이 빛을 만들면서 그 속엔 많은 비밀을 감추어 두었다. 그 비밀은 신만이 아는 것이다. 인간들에겐 없는 것이었다. 그러나 시간이 흐르고 지식이 쌓여가면서 사람들은 그 비밀을 찾아내었다. 엑스선, 감마선, 베타선 …… 그래서 이것은 존재하게 된 것이다. 역사는 이처럼 인간이 신이 감추어 놓은 비밀을 발견 발명이라는 방법으로 찾아내어 온 과정이다.

이렇게 비코는 데카르트가 명석판명(明晳判明)한 인식의 대상에서 제외했던 역사야말로 인간이 인식할 수 있는 유일한 대상이라고 주장하였다. 그리고 그는 역사란 진리 그 자체가 스스로를 표상하여 가고 있는 과정이라 하였고, 그 표상작업(表象作業)은 인간의 발견과 발명을 통해서 이루어지는 것이라고 주장하였다.

따라서 역사는 인간 인식의 확대과정이며 이를 통한 진리의 자기 표상과정(自己表象過程)이다. 그러므로 인간이 현재에 지니고 있는 지식이나 발견한 진리는 오직 역사발전의 현재적 단계까지에서 얻어진 지식, 발견된 진리일 뿐 절대적인 진리는 될 수 없다. 이에 따르면 앞으로 역사가 진전되어 감에 따라 인간의 지식과 진리는 언제나 새로워지며 그 양이나 그 깊이에 있어서 점점 더 많아지고 깊어진다.

한 예를 들어보자. 19세기 초 맬서스[7]는《인구론》에서 "인구가 기하급수적으로 늘고 식량은 산술급수적으로밖에 증가하지 않으므로 인구와 식량사이에 불균형이 생길 수밖에 없다"고 주장하였다. 이 주장대로라면 현재 인류는 모두가 기아선상에 놓여 있든가 아니면 이미 굶어 죽었어야 한다. 그러나 지금 인류는 그때에 비하여 얼마나 풍부하고 배부른 삶을 살고 있는가? 맬서스의 주장은 수학만을 알고 역

---

7 맬서스(Malthus, Thomas Robert, 1766~1834)
   영국의 고전파 경제학자다. 케임브리지 대학을 졸업한 후 영국구교회의 목사가 되었다. 그는 《인구론(An Essay on the Principle of population)》(1798)을 집필하였는데 이에 따르면, 인구는 기하급수적으로 증가하고 식량은 산술급수적으로 증가하여 결국 인류는 빈곤해 질 수밖에 없다. 이러한 불균형과 인구증가를 억제하기 위해서는 기근·질병 등에 의한 사망과 같은 자연적 억제력에 의존할 것이 아니라, 성행위를 절제하고 결혼을 연기하여 출산율을 감소시키는 등의 도덕적 억제책이 필요하다고 주장하였다.

▶ 맬서스   ▶ 랑케   ▶ 크로체

사를 모르는 데서 연유한 그릇된 판단이다. 자연과학적 방법으로 인
간사를 이해하고자 한 데서 온 오류다.

랑케와 크로체

　데카르트와 비코의 관계는 랑케와 크로체의 관계로 이어진다. 이
탈리아의 역사학자이며 철학자인 크로체는 랑케의 실증적 역사학
에 대해 공격을 가하면서 그의 역사이론의 단서를 끌어내었다. 그는
《역사의 이론과 그 역사》라는 대표적 역사 이론서를 출판하여 그가
그 전에 집필한《비코의 철학》에서 터득한 그의 역사 이론을 피력하
고 있다. 여기서 그는 랑케의 "과거에 있었던 대로"라는 명제에 대해
서 "모든 역사는 현재의 역사"라는 명제를, 랑케의 "역사학의 철학으
로부터의 독립"이라는 주장에 맞서 "참다운 역사학은 철학과 일치한
다."라는 주장을 세웠다.

　왜 과거의 역사가 아니라 현재의 역사라 하는가? 그는 주장한다.

모든 인간은 현재의 삶에 대한 관심에 뿌리를 두고 생각하고 행동한다. 그리고 마땅히 그리해야 한다. 역사가는 현재 삶에 대한 관심에 입각해서 역사를 서술하며 또 마땅히 그렇게 해야 한다. 그러므로 모든 역사서술은 그 역사가 당시의 삶에 대한 관심의 표현일 뿐 과거 그 자체에 대한 진술은 아니다.

그러므로 역사는 불변의 진리를 설명하거나 진술하는 것이 아니라 사건과 사실들이 어떻게 전개되어 가는가? 사물에 대한 인식이 어떻게 변천되어 가는가를 설명하고 진술하는 것이다. 자연과학이 존재(being)를 밝히는 학문이라고 한다면, 역사학은 변천(becoming)을 설명하는 학문이다. 자연과학이 영구불변의 진리를 찾아내는 것이라 하면 역사학은 상대적 진리가 어떻게 변화되어 왔는가를 서술하는 것이다. 자연과학이 자연 즉 물질세계를 대상으로 하는 연구라면 역사학은 인간과 인간의 정신을 대상으로 하는 학문이다.

이러한 생각은 크로체에게서 비롯되어 영국의 컬링우드, 미국의 로빈슨(Robinson, James Harry, 1863~1936), 칼 베커(Becker, Carl, 1873~1945), 찰스 베어드(Beard, Charles Austin, 1874~1948) 등으로 이어지는 데, '현재사'의 문제에 있어 약간의 차이를 가지고 두 개 그룹으로 나누어진다.

크로체와 베어드는 적극적으로 현재를 주장하여 모든 역사가는 현재에 자기 앞에 주어진 과제를 파악하고 그것을 해결하기 위하여 역사를 써야 한다고 주장한다. 한편 컬링우드와 베커는 학자로서 역사가는 객관적 진리에 접근하도록 최선을 다해야 하지만 역사가는 어쩔 수 없이 그가 처해 있는 주위 환경과 능력의 한계로 말미암아 현재사에 그칠 수밖에 없음을 안타까워하는 입장이다.

전자는 실천을 중요시하는 입장이고 후자는 아카데믹한 탐구를 고수하는 입장이다. 그 가운데 로빈슨은 "역사는 언제나 새롭게 쓰이어져야 한다."고 주장하여 미국 신사학파(School of New History)의 태두가 되었다.

역사는 지식의 창고

_____

역사학의 새로운 실용성

모든 역사는 현재사(contemporary history)라는 크로체의 말은 상당한 설득력을 갖는다. 허나 한편으로는 교훈·종교·정치·철학적 역사학으로 되돌아가야 한다는 말로도 이해될 수 있다. 현재사라는 것이 현재의 필요에 따라 쓰이어진 역사라는 말로 해석될 수 있으니, 이는 곧 실용적 역사학의 다른 표현에 불과하기 때문이다. 물론 그렇다. 그러나 이 두 가지 생각은 발상단계에서 차이를 갖는다. 실용적 역사학이라 함은 역사를 수단이나 보조적 자료 정도로 생각한 것인데, 현재사의 개념은 역사를 주체로 보고 있기 때문이다.

다시 말해서 역사적 사실과 사건들을 교훈이나 종교, 정치나 철학을 위한 자료로 보는 것이 아니라, 역사 그 자체를 이해하되 그것을 과거에 있었던 대로가 아니라 '현재의 생에 대한 관심'을 근거로 이해하고 서술해야 한다는 것이다. 그럴 때 역사는 우리에게 무엇인가 주는 것이 있다는 것이다.

상대주의적 역사학의 특징은 바로 여기에 있다. 랑케를 중심으로 한 실증적 역사학이 역사학의 독립을 이룩하였다고 한다면, 이는 독립된 역사학에 실용적 가치를 부여한 것이라 할 것이다. 그러므로 상대주의적 역사 사상가들은 랑케의 실증적 역사학을 비판하고 역사학의 실용적 가치를 중요시한다.

크로체는 '현재 생에 대한 관심'에 부응해서 쓰이어지지 않은 역사는 생명이 있는 역사일 수 없다. 그것은 한낱 심포니를 연주하기 전, 음의 조율을 위해 함부로 불어대는 악사들의 악기 소리와 다를 것이 없다고 했다. 미국 신사학파의 태두인 로빈슨은 "우리들을 보다 나은 인간, 보다 나은 시민으로 만들지 못하는 어떤 연구에 대한 신청은 기껏해야 허울 좋고 영리한 나태일 뿐이다"라는 볼링부르크 경의 말을 즐겨 인용하면서 실용성이 결여된 역사의 연구는 "유식하지만 무익한 사람들의 게으른 호기심"을 위한 행위일 뿐이라고 매도하였다.

이 점을 염두에 두고 역사주의에 입각한 역사연구가 현재의 우리에게 어떤 이익을 줄 수 있는가를 생각해 보기로 하자.

현재는 과거의 아들

먼저 '현재'라는 것이 무엇인가를 생각해 보아야 한다. 현재란 과거로부터 흘러온 과정의 최첨단에서 태어난 과거의 아들이다. 그런데 현재란 언제나 해결하고 극복해야 할 문제 또는 과제를 지니고 있다. 이 과제들은 과거로부터 상속받은 것이고 미래를 위해 해결하지 않으면 안 되는 것들이다. 이러한 문제들을 어떻게 해결하고 극복할 것인가?

▶ 블로흐

 우선 현재를 올바르게 파악하지 않으면 안 된다. 현재를 올바르게 판단하기 위해서는 먼저 현재의 아버지인 과거를 이해하여야 한다. 마르크 블로흐[8]는 "현재에 대한 그릇된 판단은 과거에 대한 무지의 필연적 결과"라 했다. 현재란 과거의 연속으로 이루어진 것, 현재의 문제란 어제로부터 흘러 온 것이기에 그 과거를 모른다거나, 알아도 그릇되게 안다면 현재에 대한 판단은 그릇된 것일 수밖에 없다.

 어쩌면 현재란 망망대해에 떠 있는 배의 위치와 같다. 현 사회, 현 국가라는 배는 어디론가 가야 하는데, 그리고 현 사회에 살고 있는 사람들은 그 배를 이끌어 가야 하는데, 방향을 어떻게 잡을 것인가? 과거란 현재의 위치에서 바라보는 배의 항적(航跡)이다. 이것을 올바르

---

8 **블로흐(Bloch, Marc, 1886~1944)**
 프랑스의 역사가. 스트라스부르 대학의 중세사 교수가 되어 L.페브르와 공동으로 《사회경제
 사연보》를 창간하여 아날학파의 기초를 이룩하였다. 특히 《프랑스 농촌사의 기본성격》을 발
 표함으로써 사회경제사가로서의 지위를 확립하고 1937년에 소르본대학 경제사 교수가 되었
 다. 제2차 세계대전이 일어나자 53세의 나이로 육군대위로 출정하였다가 패전하여 저항운동
 에 참가하였다가, 나치스 비밀경찰에 잡혀 총살당하였다. 《봉건사회》, 《역사를 위한 변명》은
 그의 명저다.

게 그리지 않고 정해진 배의 진행 방향은 틀릴 수밖에 없다. 그렇다면 사회나 국가라는 배는 어디로 갈 것인가? 좌초? 파선? 침몰?

개인도 마찬가지다. 과거에 대한 기억이 없이는 내일의 삶을 설계할 수 없다. 로빈슨은 이에 대해 "우리가 역사라고 부르는 것은 우리의 개인적으로 친밀한 기억들과 구별되지 않는다."고 했다. 그리고 역사란 우리의 기억을 인위적으로 확장시키고 넓혀서 생소한 상황을 당함에 있어서 자연스럽게 맞이하게 되는 당혹함을 극복하는 데 사용할 수 있다고 하였다.

현재를 파악하기 위하여 우리는 신문을 읽는다. 그런데 신문을 읽을 때 거기에 실린 기사를 제대로 이해하는가, 아닌가는 매우 중요한 일이다. 동일한 사건과 사실에 대한 기사를 읽어도 그것을 이해하는 것은 각자 개인이다. 개인들이 기왕에 지니고 있는 지식과 식견에 따라 이해는 달라진다.

그래서 로빈슨은 "역사학의 목적을 독자들로 하여금 그 자신의 시대를 파악할 수 있게 하자는 것, 즉 조간신문에서 해외 뉴스를 지성적으로 읽을 수 있게 하자는 것"이라 하였다. 왜 해외 뉴스뿐이겠는가? 국내 문제에 있어서도 마찬가지다. 역사적 맥락을 이해하지 못한 채, 어찌 오늘의 국내 뉴스인들 제대로 파악할 수 있겠는가?

예를 들어, 아직도 소련을 공산주의의 맹주로 생각하고 있는 이가 있다면, 그는 어리석은 자이다. 그것은 고르바초프의 페레스트로이카가 있었고, 동구권이 붕괴된 이후의 역사를 의미하는 것이 아니다. 역사를 제대로 공부한 사람이라면, 스탈린 후르시초프 때에 이미 공산주의는 그 본질을 상실하고 있었다는 것을 이해했어야 했다. 마르크스의 사상이 무엇이었으며 볼셰비키 혁명에서 휘날리던 붉은 깃발이 무엇을 의미하는 것인가를 이해하는 사람이라면 그것이 히틀러나 무솔리니의 독재정권과 유사한 형태를 취할 수 없다는 것을 이해하였을 것이다. 그런데 아직도 러시아나 북한을 공산주의 국가라 하는 이가 있다면, 그는 얼마나 공산주의에 대해서 무식한 자인가?

국내 문제에 있어서도 마찬가지다. 오늘날 한국을 둘러싸고 있는 미국·일본·러시아·중국의 관계를 이해함에도 역사에 대한 올바른 이해는 필수적이다. 이미 세계사의 흐름이 제국주의라는 19세기적 특성을 버리고 세계주의적 경향으로 흘러왔음에도 이를 의식하지 못한 채, 한말의 상황과 대비시키면서 우려 통탄을 하는 우를 범하고 있는 것이다. 이는 반도라는 단 한 가지 유사성만을 들어 이탈리아반도의 로마가 세계의 정복자가 되었는데 한반도는 왜 그렇게 못했는가를 따지는 것이나 다름없는 일이다.

역사에 있어서 지정학적 위치는 중요하지만 그것만으로 역사가 전개되는 것은 아니다. 역사는 나름대로 맥락을 지니고 있다. 로마의 역사는 오리엔트의 역사, 페르시아의 통일, 그리스의 영광스런 문화의 창조, 카르타고의 지중해 지배라는 맥락을 통해서 이어져온 것이다. 한마디로 지중해와 태평양은 다르다. 역사에 대한 전반적 이해가 없이 단편적 사건·사실에 대한 짧은 지식으로는 이러한 판단의 오류를 범하기 쉽다.

과거 사실은 현재의 예상문제

이러한 거창한 세계관에 관한 문제가 아니더라도, 우리는 현재에 당면한 문제들을 해결함에 있어서 역사가 필요하다. 과거 사실은 현재의 예상문제일 수 있기 때문이다. 물론 과거의 사건이나 사실이 현재에 그대로 재현되는 것은 아니다. 그러나 유사한 사건·사실은 얼마든지 볼 수 있다.

우리는 수학문제를 풀 때 동일한 문제만을 풀지는 않는다. 한 가지 문제를 풀면 그것을 응용하여 유사한 문제들을 풀 수 있는 지혜와 능력이 생긴다. 역사적 사건들은 과거에 사람들이 나름대로 그들 앞에 대두된 문제들을 풀어간 흔적들이다. 그리고 역사를 공부한다 함은 스스로 과거의 사람이 되어 그들이 당면했던 문제를 풀어보는 훈련이 될 수 있다. 이 훈련이 잘된 사람들은 현재에 자기 앞에 제기된 문제를 해결하는 능력이 생길 수 있다.

그러므로 역사교육은 중요하다. 나라의 흥망성쇠를 가름하는 일이다. 그리고 위정자들에게는 과거의 성공한 사례, 실패한 사례들을 익혀두어야 할 의무가 있다. 그들이 이 사회와 국가를 제대로 이끌어나가야 할 의무를 인정하면서도 역사 읽기나 배우기를 시행하지 않는 것은 직무유기다. 자격 없는 자가 지도자의 자리를 점하고 있는 것이다. 아우구스티누스는 세상에서 가장 큰 도적은 자격도 능력도 없는 자가 국가를 다스리는 자리를 차지한 자라 하지 않았던가?

역사교육은 지도자를 위해서만 요구되는 것이 아니다. 그것은 볼링부로크 경(Lord Bolinbroke)의 말처럼, "보다 나은 인간, 보다 나은 시민"을 만들기 위해 필요한 것이며, 베어드의 주장처럼 현재를 사는 시민을 위해서, 그리고 훌륭한 민주시민을 만들기 위해서 중요한 것이다. 민주주의를 염불처럼 외우면서도 막상 그것을 실천하는 자리에선 전혀 비민주적으로 돌변한 현상을 자주 보게 된다. 민주라는 말은 알고 있어도 그것이 어떤 상황에서 어떻게 발생하였으며 성장·발전해 왔는지에 대한 역사적 지식도 없고, 때문에 민주시민으로서의 훈련이 되지 않았기 때문이다.

역사는 인간생활에 대한 지식의 총체

로빈슨에 따르면, "역사란 과거 인간생활에 대한 지식의 총체"다. 그러므로 역사는 우리들의 삶에 필요한 모든 분야의 지식을 제공해 주고 있다. 우리는 정치·경제·사회·문화·종교 등의 생활을 영위하고 있는데, 이들을 위한 지식을 어디에서 구하는가? 돌이켜보면 세계사의 근대를 연 르네상스, 계몽주의와 같은 운동들은 한결같이 그리스·로마 시대의 지식과 예술에서 그 뿌리를 찾았다. 종교개혁도 가톨릭의 문제점을 해결하기 위한 지식을 과거 즉 사도 바울이나 아우구스티누스에게서 찾았다.

보다 구체적인 예를 들면, 마키아벨리의 《군주론》은 근대 정치학의 기원이지만 마키아벨리는 그에 앞서 역사가였다. 《법의 정신》을 쓴 몽테스키외는 그보다 먼저 《페르시아인의 편지》라는 역사책을 썼다.

우리의 것을 돌아보아도 그렇다. 문학을 한다는 사람이 허균(許筠)이나 박지원(朴趾源)을 몰라서 되겠는가. 그리고 그들이 그러한 소설을 쓰게 된 사회·역사적 배경을 몰라서 되겠는가? 이미 앞에서 말한

바 있지만, 이런 의미에서 인문사회과학은 다른 말로 역사적 과학들 (historical sciences)이다.

인간이란 무엇인가? 다른 동물과 달리 복잡하고 어려운 삶을 살아가고 있는 동물이다. 이토록 복잡하고 어려운 삶을 어떻게 살 것인가? 언제나 현재라는 이름으로 우리의 앞을 가로막고 있는 여러 가지 난관들을 어떻게 극복하며 살아갈 것인가?

우리는 이를 위해 지혜를 짜내어야 한다. 지혜는 과거로부터 흘러내려온 지식의 체계 속에서만 얻을 수 있다. 지식의 체계, 그것을 나는 역사라 하고 싶다. 구지식체계(舊知識體系)가 없이 신지식체계는 없다. 이른바 신지식체계를 개척하고자 하는 사람들일수록 구지식체계의 흐름을 포착해야 할 것이다. 오늘의 신지식이 내일은 구지식이 된다는 사실을 명심해야 할 것이다.

역사를 통한 인간의 자기인식

역사를 모르면 기억상실증 환자

마르크 블로흐에 따르면, 역사학이란 과거를 대상으로 하는 것이 아니라, 인간을 대상으로 하는 학문이다. 그래서 그는 역사가란 전설에 나오는 식인귀에 흡사하다 했다. 인간의 살 냄새를 맡게 되는 바로 그곳에서 자신의 사냥감이 있음을 아는 식인귀. 그러므로 역사가는 과거의 문헌이나 유물·유적뿐이 아니라 인간의 냄새가 나는 곳은 어디라도 달려가서 인간의 비밀을 캐내야 한다.

컬링우드는 역사학의 목적은 인간이 인간으로서의 자기 본성을 인식하는 데 있다고 했다. 그에 따르면, 소크라테스는 인간을 향하여 "너 자신을 알라!"고 외쳤는데, 이 말은 "인간이란 무엇인가? 인간 중에서도 다른 사람이 아닌 바로 너는 누구인가? 인간과 그 속에 포함되어 있는 너는 무엇을 해왔으며, 무엇을 할 수 있는가?"를 알라는 말이라는 것이다. 그리고 이러한 질문에 대한 답변은 역사를 제대로 이해함으로써 얻을 수 있다는 것이다.

또 베른하임[9]은 역사학의 가치는 인간이 자신을 인식하는 데 있다고 하였다. 즉 역사학은 인간에게 자기에 대한 올바른 인식을 갖게 하여 자신이 현재 상황을 파악하게 하는 데 그 가치가 있다 하였다. 이를 위해 역사학은 인간으로 하여금 과거의 사건이나 상황이 어떻게, 무엇으로 이루어졌으며, 그런 것으로부터 장차 무엇이 생성될 것인가를 알게 한다는 것이다.

구체적으로 예를 들어보자. 우선 우리는 '나'란 누구인가, 나는 어디에서 생겨나서 어떻게 살아왔으며 장차 무엇을 어떻게 하면서 살아가야 할 것인가에 대한 의문을 갖는다. 이를 위해 먼저 나의 가족의 역사를 알아야 한다. 나의 조상은 언제 어디서 비롯되었으며, 어떤 일들을 한 어떤 인물을 배출하며 오늘에 이르렀는가를 알아야 한다(아니, 알고 싶어한다). 다음엔 나의 가문이 소속되어 있는 민족 또는 나라의 역사를 알아야 한다. 그리하여 나는 영국인도 미국인도 일본인도 아닌 한국인이라는 것을 확인해야 하다. 그래야 내 삶의 방향을 잡을 수 있다. 그래서 이력서가 중요하고, 민족사를 알아야 하는 것이다.

그랬을 때, 나는 비로소 나 개인, 나의 가족, 나의 민족을 위해서 무엇을 할 수 있으며 무엇을 해야만 하는가를 알 수 있다. 영국인도 아니고 미국인도 아닌 한국인, 제국주의 시대에 희생을 당한 민족의 일원, 동족상잔을 거치며 분단의 설움을 당한 남한의 한국인으로서 어떠한 삶을 살아야 할 것인가를 생각할 수 있다. 여기서 생각해낸 나의

---

9 **베른하임(Bernheim, Ernst, 1850~1942)**
독일의 역사가. 1883~1921년 그라이프스발트대학교 교수를 지냈다. 중세 사가(史家)이지만, 《역사학 서론》(1905), 《역사적 방법의 교정(敎程)》(1910)은 사학방법론에 관한 저서이다. 또한 《역사학 입문》(1912)은 사학 연구의 입문서로 널리 읽힌다.

삶의 방향과 태도는 영국인이나 미국인의 것과 다를 수밖에 없다.

마지막으로 세계사의 동향을 알아야 한다. 그것을 앎으로 해서 우리의 미래를 조망할 수 있다. 이를테면, 얼마 전까지만 하더라도 견원지간의 피비린내가 나는 싸움을 하던 독일과 프랑스가 통합 유럽을 이루기 위해 노력하고 있는 모습을 돌이켜보면서, 미국과 캐나다, 멕시코가 경제통합을 이루어나가는 것을 보면서, 우리의 대중(對中)관계, 대일(對日) 관계를 어떻게 생각해야 할 것인가를 가늠할 수 있다. 한마디로 역사를 모르고 사는 사람의 삶은 기억상실증 환자의 삶과 같다.

인간은 단독자인가

무엇보다 중요한 것은 우리는 역사를 통해서 삶의 의미를 생각할 수 있다.

개인의 삶은 역사라는 그물[網]의 매듭들이기 때문이다.

한때 인간의 삶을 단독자(單獨者)로서의 삶으로 이해하려는 철학·문학적 사조가 풍미한 적이 있었다.[10] 19세기 산업혁명[11] 이후 발달한 과학문명은 인간세계를 거대한 사회적 메커니즘으로 만들고 그 속에서 인간을 소외시켰다. 인간은 한낱 기계의 부속품으로 전락되어, 삶의 의미나 가치도 상실한 채, 미래에 대한 희망도 없이, 움직이다가 낡아지거나 불필요해지면 버려지는 신세가 되어버린 것이다.

이 가운데 주변을 어둡게 가리며 다가오는 전운(戰雲)은 드디어 제1차 세계대전과 제2차 세계대전이라는 역사상 미증유의 참혹한 전쟁이 발발하여 인간을 늦가을 낙엽처럼 떨어지게 하였다. 과학을 이룩한 것도 인간이고, 메커니즘을 형성한 것도 인간인데, 그 인간이 그들로부터 소외되고 드디어 그들로 해서 죽어가게 된 현상, 여기서 인간은 철저하게 고독할 수밖에 없었다. 그리고 절망할 수밖에 없었다.

이때 사람들은 물었다. 눈을 감아보아라. 아름다운 꽃들이 '나'의 주변을 장식하고 있다 한들 '나'와 무슨 관계가 있는가? 코를 막아보아라. 향기로운 냄새가 '나'를 유혹한다 한들 '나'와 무슨 관계가 있는가? 피부가 문둥병으로 마비되었다고 가정하여 보아라. 아름다운 연인이 있어 '나'를 애무한다 한들 '나'와 무슨 관계가 있는가? 그런데 만약 그 시각과 후각과 촉각의 주체인 '나'가 없다면, 이 세상이 '나'와

---

10 **실존주의(實存主義, existentialism)**
20세기 전반(前半)에 합리주의와 실증주의 사상에 대한 반동으로서 독일과 프랑스를 중심으로 일어난 철학 및 문학 사상. 이는 개별자(個別者)로서 자아의 실존, 즉 타자(他者)와 대치(代置)할 수 없는 자기자신의 독자적 실존을 강조한다. 선구자로서는 키르케고르나 포이어바흐를 들 수 있다. 이들은 모두 헤겔이 주장하는 보편적 정신의 존재를 부정하고, 인간 정신을 개별적인 것으로 보아 개인의 주체성이 진리임을 주장하고(키르케고르), 따라서 인류는 개별적인 나와 너로 형성되어 있음을 주장했다(포이에르바하). 바로 이와 같은 주장이 실존주의 사상의 핵심을 이룬다. 실존주의 철학자로는 L.셰스토프, N.A.베르쟈예프, 부버, 문학자로는 사르트르 카뮈 카프카, 신학자로서는 바르트나 불트만과 같은 변증법 신학자들을 꼽을 수 있다. 실존주의 시조(始祖)로서는 니체나 도스토예프스키, 나아가서는 파스칼까지도 거론되고 있다.

11 **산업혁명(産業革命, Industrial Revolution)**
18세기 중엽 영국에서 일어난 산업상의 변혁. 한마디로 공장제 수공업체제의 공장제 기계공업체제로의 전환을 말한다. 이 전환은 많은 부대 변혁을 초래하였다. 우선 기계공업의 발달을 가져왔고, 그것은 다시 제철공업, 광산업, 교통통신업의 변혁으로 이어졌다. 결과적으로 오늘에 이르는 산업전반에 걸친 급속한 전환과 발전을 이룩하였다. 이 과정에서 인권의 문제가 야기될 수밖에 없었다. 기계가 사람을 대신하게 됨에 따라 실업자의 증가, 노동조건의 악화 등 비인간적인 처우가 자행되자 노동자와 자본가의 극한적 대립이 초래되었고, 인간이 물질사회의 메커니즘에 작은 부속품으로 전락하여 인간의 주체성이 상실되었다.

무슨 관계가 있다는 말인가?

그런데 오늘의 대부분 삶들은 이 '나', 즉 자아(自我)를 상실하고 있는 것이 아닌가? 눈에 보이는 현실, '나'를 둘러싸고 있는 어지러운 메커니즘과 시끄러운 군중들로 해서 '나'를 망각한 채, 살아가고 있는 것이 아닌가? 시간은 계속 흘러가고 죽음은 다가오고 있는데……. 이 상황에서 자아를 상실한 삶을 유지하려 안간힘을 쓰기보다, 차라리 스스로 죽음의 길을 택하는 것이 더욱 주체적이지 않은가? 이 길이야말로 무의미, 권태, 부조리, 불안, 초조, 절망으로 점철되어 있는 삶으로부터의 해방이 아닐까?

이러한 사조는 1960년대 한반도를 강타하였다. 그리하여 감수성 많은 어느 여고생은 동해바다 백사장에서 변사체로 발견되었다. 그 시신 옆에는 까뮈의 《이방인》과 《페스트》가 놓여 있었다. 어느 여자대학에서는 여학생이 기숙사 굴뚝에 떨어져 자살을 했다. 그의 책상 위엔 사르트르와 카프카의 작품들이 진열되어 있었다.

자살이란 매우 현명한 선택일 수도 있을 것이다. 그렇다고 전혀 문제는 없는가? 과연 "인생은 그처럼 무의미하고 권태로운 것인가?" "불안, 초조, 절망을 느끼는 이유는 무엇인가?" 그리고 "나의 삶은 나만의 삶이니, 살리던 죽이던 나의 마음대로 할 수 있는 것이란 말인가?"이런 문제들 자체를 반성적으로 생각해 보아야 할 것이 아닌가?

인간은 역사적인 존재

이 중에서 가장 중요한 문제는 "과연 인간은 단독자일 수 있는가?"

이다. 한 개인은 다른 사람들과 관계를 단절한 채, 살아 왔으며 앞으로도 그렇게 살아 갈 수 있는가 하는 것이다. 사회적 메커니즘에 예속된 상태의 인간이 자기발견을 위한 몸부림의 결과로 자아의 중요성을 강조하는 것까지는 이해할 수 있다. 허나 이는 지나치게 개인의 감정을 근거로 하는 주관적이고 감각적인 사고의 표출이 아닐 수 없다.

맑은 시냇물 속에서 즐겁게 노니는 송사리 떼를 보고도, 삶의 에너지를 보충하기 위해 여러 개의 위를 움직여 되새김을 하는 소를 보고도, 신경질적으로 권태를 울부짖는 이상(李箱)의 문학적 정서를 이해할 수는 있다. 하지만 그것이 모든 사람에게 통용되는 느낌은 아니다.

한 그루의 나무를 본다. 나무에는 수많은 잎들이 매달려 있다. 그것들은 이른 봄 힘겹게 움터 나와 찬바람의 시련을 견딘다. 오뉴월의 화려한 녹색 빛을 발하는 화려한 전성기를 지나 칠팔월 폭염을 극복하고 가을을 맞이하여 낙엽으로 땅에 떨어져 쓸쓸하게 아궁이로 들어가든가, 썩어 대지로 돌아간다.

그들 낙엽들은 무의미한가? 그들도 불안과 초조와 절망을 맛보았겠지만 그들의 뒤엔 새로운 나이테를 한 겹 늘린 건전한 나뭇등걸이 있다. 그리고 낙엽과 함께 떨어져 대지에 묻혀 새로운 생명을 잉태하고 있는 무수한 씨앗들이 있다.

생(生)의 철학자 딜타이는 역사에 있어서 'Zusammenhang'이라는 단어에 큰 의미를 부여하다. '연결' 또는 '맥락'이라 번역할 수 있는 이 말에는 역사의 본질이 함유되어 있다. 역사는 인간의 삶의 연관 또는 맥락에 의해서 이루어진다는 뜻이다. 역으로 개인들의 삶의 연결과 맥락으로 역사가 이루어진다는 것이다. 여기서 다시 나의 존재에 대해서 생각해보자.

'나'는 어떻게 지금 여기에 존재하고 있는가? '나'란 결코 혼자서는 존재할 수 없다. '나'가 있기 위해서는 어머니와 아버지라는 두 분의 '나'들이 존재해야 한다. 어머니와 아버지는 또한 딸이요 아들이니 그분들에게도 어머니와 아버지—나에겐 할머니와 할아버지가 되는 분들이 내외로 네 분이나 존재했어야 했다. 그리고 다음은 할할…머니와 할할…아버지가 무한한 과거의 시간대로 소급해가며 기하급수적으로 존재했어야 했다. 이들도 살아가면서 불안, 초조, 권태 등등의 느낌을 느끼며 고통스럽다면 고통스런 삶을 사신 분들이다. 그러니 '나'란 그분들이 아니었으면 존재해 있을 수 없는, 그 분들의 고통과 노고의 결실이다.

'나'는 다시 짝을 만나 아들딸을 낳게 될 것이다. 아들과 딸들도 나처럼 그렇게 할 것이다. 이 과정은 지속되고 그물의 매듭들처럼 퍼져나갈 것이다. 그중에는 위대한 음악가나 문학가도 태어날 수 있고, 위대한 정치가나 영웅 등등도 나와 이 세상을 바꾸어 놓을지도 모른다. 어쩌면 만인을 삶의 고통으로부터 해방시켜 줄 성자가 태어날지도 모른다.

'나'가 있기까지 있었던 할머니들과 할아버지들의 삶은 과거다. '나'로 말미암아 앞으로 생겨날 삶들은 미래다. 그렇다면 나의 삶은 과거와 미래를 연결하는 교량이다. 그러므로 자살이란 과거와 미래를 차단하는 행위이며, 무한한 생명들의 삶을 수포로 만드는 일이며, 미래에 태어날 무한한 삶들을 죽이는 대량학살행위이다.

이처럼 과거·현재·미래로 연결되는 역사 속에서 실존하는 인간의 삶을 생각할 때, 개개인의 삶은 결코 단독자로서의 삶일 수 없다. 거대한 역사의 그물조직 속에 존재하는 하나의 매듭이다. 그 매듭 하나가 끊어지면 그물은 못쓰게 된다. 나는 역사적 존재이며, 나의 삶은 역사적인 삶이다.

역사적 사고와 인식

역사적 사고

역사를 올바로 이해해야 하는 이유 중 또 하나는 역사적 사고를 해야 한다는 것이다. 인간사는 변화하고 또 변화하는 것이다. 그러므로 인간사는 변화하는 과정으로 이해되지 않으면 안 된다. 인간사를 변화의 과정 속에서 생각하는 것이 역사적 사고다. 역사적 사고를 통해서만 우리는 인간사를 제대로 이해할 수 있다.

사물을 인식한다 함은 사물 속에 감추어진 진리를 발견한다는 말과 같다. 모든 진리는 상대적인 것이라는 점을 역사는 가르친다. 과거에 진리이던 것이 현재에는 진리가 아닐 수 있으며 지금까지 알지 못하던 것을 내일은 알 수 있다. 그러므로 지속적으로 새로운 진리를 발견하기 위하여 노력하여야 한다. 노력하면 언제나 진리는 새롭게 발견된다.

과거에는 광선 중에 엑스선이나 감마선 베타선이 있는지 몰랐다. 과거에는 디엔에이(DNA)라는 것이 무엇인지, 게놈(Genom)이 무엇인지 몰랐다. 과거에는 돌멩이 속에서 반도체를 추출하여 전자통신 혁명을 일으킬 줄은 상상도 못하였다.

그런데 만약 1930년대의 사고방식을 가지고 그 시대에 발견한 진리, 즉 그 시대의 광선의 개념, 그 시대의 인체의 개념, 그 시대의 학문의 개념을 절대불변의 것, 불변의 진리라고 고집한다면, 지금 우리는 어찌되었을까? 아마 지리산 청학동으로 들어가야 했을 것이다.

역사를 이해함으로써 고정관념에서 탈피해야 한다. 과거의 역사학은 과거를 중시하고 과거에 매달리기 위한 것이었는지 모르지만, 이제 역사학은 과거로부터 해방하여 새로운 미래를 열어가기 위한 학문으로 되어야 한다.

과거 위대한 조상들의 업적을 기리고 숭앙하는 것은 민족적 자부심을 높이고 긍지를 높인다는 점에서 정신 건강을 위해 필요한 일일 수 있었다.

그러나 과거는 되돌아오는 것이 아니다. 우리는 과거를 되돌아보고, 미래에 대한 전망을 해야 할 것이다. 미래를 위한 역사학이 이루어져야 한다.

우리의 조상들이 만주에서 말을 달리며 용맹을 떨쳤다는 것은 우리의 마음을 통쾌하게 하는 일들이다. 그러나 그것에 사로잡혀 중국을 적대시한다거나 만주의 고토(故土)를 찾아야 된다는 배타적 애국심을 앞세운다면 다가오는 태평양시대를 위한 외교정책에 걸림돌이 될 것이 분명하다. 그것은 진정한 애국심이 아니다. 지금 일본의 극우 보수주의자들이 행하고 있는 행각은 역사의 수레바퀴를 거꾸로 돌리는 일이다. 헛된 일일뿐이다. 과거의 대륙침략을 자랑스럽게 여기고 '대동아전쟁'을 미화한다고 해서 그들이 할 수 있는 일이 무엇인가?

참된 인식에 이르는 4단계

역사적 사고를 통해서 역사적 판단을 해야 한다. 컬링우드는 다음과 같이 참된 역사인식에 이르는 4단계를 설정하였다. 첫 번째가 인지(認知) 즉 'recognition'의 단계다. 이는 예술적 앎, 직관적 앎이다. 두 번째 단계가 감지(感知) 즉 'perception'이다. 이는 오관을 통한 직접경험을 전제로 하는 자연과학적 앎이다. 세 번째의 앎이 의식(意識), 즉 'consciousness'다. 목적과 의도와 사상을 지니고 그것을 실현하려는 실천적·행동적 앎이다. 마지막 단계가 인식(認識) 즉 'knowledge'인데, 이는 역사적 인식, 반성적 인식이다. 다음과 같은 사례는 이러한 네 가지 단계의 앎을 이해함에 있어 도움이 될 것이다.

어느 날 전철을 탔다. 마침 재수가 좋아서 자리에 앉을 수가 있었다. ①눈을 감고 잠 반, 명상 반을 즐기고 있는데 옆에 누군가가 앉는 느낌이 들었다. ②호기심에 눈을 뜨고 옆을 보니 예쁜 여인이었다. 키도 늘씬하고, 콧날은 오똑하며, 얼굴색은 뽀얗다. 체취는 황홀할 정도다. ③문득 생각했다. 이 정도의 여자라면 한번쯤 수작을 걸어보고 잘되면 배우자로 만들어도 좋겠다고…….
그래서 그녀가 내리는 역까지 따라가서 염치 불구하고 "차 한 잔……"을 부탁했다. 서로 마음이 통해서 차 한 잔이 생맥주로 발전하였다. ④얼큰한 김에 비교적 많은 대화를 나눌 수 있었다. 대화 도중 나는 벌떡 일어나 씁쓸한 마음을 달래며 집으로 돌아오고 말았다. 그녀는 술집으로 손님을 끌려고 나온 여인이었기 때문이다.

여기서 첫 번째 경우 ①은 인지의 단계다. 두 번째 경우 ②는 감지의 단계, 세 번째 경우 ③은 의식의 단계다. 마지막 단계 ④는 인식의 단계다.

한때 사람들은 '과학적'이라는 말을 주문 외우듯 자주 사용하였다. 과학적이라는 말은 직접 경험을 의미한다. 오관을 동원하여 사물을 확인하고, 그것이 부족하면 기구를 사용하여 정밀관찰을 하거나 실험을 해서 명석판명(明晳判明)한 진리를 발견해 내는 것을 말하는 것이다.

그러나 이것은 위의 사례에서 보면 ②의 단계에 불과하다. 자연세계는 겉모습을 보고 명석판명한 사실을 판별할 수 있을지 모르나, 인간의 문제는 그렇지 못하다. 시각과 후각을 통해서 예쁘게 보이는 여인이 무엇을 위하여, 어떤 목적을 가지고, 어떤 생각을 가지고 그 미모를 활용하고 있는지는 겉모습으로는 알 수 없음이다. 인간관계에서 실패하는 것은 대개 이처럼 겉모습으로 알 수 없는 목적 의도 사상 때문이다.

적령기를 맞이한 신랑 신부 후보자 여러분! 배우자를 고르는 일은 제2의 탄생을 의미할 만큼 중요한 일이다. 어떻게 배우자 고르기를 하려는가? 인지에 맡기려는가? 감지에 맡기려는가? 아니면 운명에 맡기고, 앞에 나타난 이성이면 무조건 행동부터 하려는가? 부디 반성적 사고, 역사적 인식을 통해서 올바른 배우자를 구하기 바란다.

또 한 가지 예를 들어보자. 사회분위기가 뒤숭숭하던 어느 날, 강의실에서 학생차림의 한 젊은이가 강단 위로 뛰어 올랐다. 그리고 외쳤다. "여러분! 우리가 지금 한가하게 강의나 받고 있을 때입니까? 지금 시국이 어떤 때입니까? 우리 다 같이 운동장으로 나가 데모에 동참합

시다!"

　이 경우 학생들의 정말로 지성적인 사람들이었다고 한다면 어떤 반응을 보여야 할 것인가? 그 선동에 즉각적으로 반응하여 데모에 참가했는데, 만약 선동자가 실은 운동권 학생이 아니라 운동권에 동조하려는 자들을 색출하기 위해 파견된 정보부 기관원이었다면 어찌하겠는가? 설사 그가 기관원이 아니고 운동권학생이었다 치자. 그렇다하더라도 그가 학생들의 집단행동을 이용해서 정부에 대한 개인적인 한을 풀어보려는 사람이든가, 아니면 나라나 민족의 장래는 어찌되었든 자신의 정치적 출세만을 위하여 날뛰는 정상배(正常輩)였다면 어찌하겠는가?

　지금까지 학생들은 선동가들에게 얼마나 많은 기만을 당해 왔는가? 개인의 정치적 야망을 채우기 위하여 광분하는 선동가들의 박수부대로 농락당한 일이 얼마나 많았는가? 결국 그 선동가들이 정권을 잡아서 이 나라 이 민족을 위하여 이룩한 일이 무엇인가? 한말의 대표적 매국노 이완용도 탁월한 웅변가였으며 애국자임을 자처한 선동적인 인물이었다는 사실을 우리는 기억해 둘 필요가 있다.

　때문에 현명한 판단은 당장 귀에 들어오는 자극적인 언동이나 눈에 보이는 멋진 표정을 근거로 내릴 것이 아니다. 그 사람의 의도와 목적을 파악하고 그것의 나의 것과 일치하느냐 아니냐? 그리고 그것이 공명정대한 것이냐 아니냐? 이 국가와 민족의 장래를 위한 것인가 아닌가를 판가름 한 뒤에 내려야 하는 것이다. 그것은 그 대상에 대한 역사적 배경에 대한 반성적 또는 역사적 인식을 통해서만 비로소 가능한 것이다.

제2부

역사를 어떻게 볼 것인가

5장
역사는 발전하는가, 퇴보하는가

반문명사관

발전이냐 퇴보냐

"역사가 발전하는가, 퇴보하는가?"는 역사관을 논의하는데 가장 기초적인 문제다. 과연 역사란 어떤 목표를 예정해 놓고 그것을 향하여 발전해 가는 것인가, 또는 현재에 가까워질수록 무엇인가 나아지고 개선되어 왔는가? 반대로 시간이 흘러감에 따라 인류의 생활은 더 악해지고 고통스러워지고 불행해지고 있는가, 하는 것들이 문제로 된다.

전자를 진보·발전사관이라 하고, 후자를 퇴보사관이라 하는데, 이 중 어느 것이 더 진실에 가까운가? 대부분의 사람들은 역사의 진보를 믿고 있다. 특히 서양 사람들이 그렇다. 그러나 그와는 반대로 역사의 퇴보를 주장하는 이들도 있다. 진보·발전사관은 종류가 다양하고 복잡하다. 이에 비하면 퇴보사관은 단조롭다.

역사의 발전을 믿는 이들은 오늘의 삶이 과거에 비하여 훨씬 편해졌다는 것을 내세운다. 불편하던 의식주의 취득 방법이나 교통통신의 방법 등을 비교해 볼 때, 발전이란 것은 의심할 나위가 없다.

한편, 많은 사람들은 오늘의 삶을 과거의 것과 비교하면서 한탄한다. 젊은이들이 입고 다니는 옷 모습도 마땅치 않고, 왕년의 소달구지 다니던 낭만적인 생각을 더듬으며 교통 혼잡에 짜증을 내기도 한다. 풍치지구를 메워가고 있는 러브호텔들을 보며 망국의 징조라며 흥분하기도 한다. 역사가 진전되어 갈수록 세상은 말세로 치닫고 있다고 생각하는 사람들이다.

이처럼 과거를 보다 참되고 선하고 아름다운 것으로 보고, 현재를 추하고 사악하고 타락한 것으로 보려는 이들은 대체로 삶의 가치를 물질적인 것에서 찾으려 하지 않고, 정신적인 데서 찾으려는 사람들이다. 물질적인 풍요나 편리에서가 아니라, 윤리·도덕적인 데서 인간의 인간다움을 찾으려는 이들이다.

반문명주의

이들을 가리켜 반문명주의자 또는 복고주의자라 한다. 이들의 눈에는 미개하였던 시대의 인간은 선량하고 이타적인 정신으로 서로 도와가며 살았는데, 문명이 발달할수록 악해지고 있는 것으로 보인다. 그 대표적인 사상가는 루소[1]다.

루소는 그의 《인간 불평등기원론》에서 "인간은 본질적으로 선하다. 그러나 문명이 인간을 불평등하게 만들었고, 그 결과로 악의 주인공이 되게 하였다"고 하였다.

또 《학문과 예술론》에서 그는 다음과 같이 말했다.

▶ 루소

육체와 마찬가지로 정신도 나름대로 필요를 갖는다. 육체의 필
요는 사회의 근거(basis)이고, 정신의 필요는 그것의 장식품들이
다. 이러한 장식품들은 인간으로 하여금 그들의 노예제도를 선
호하게 만든다. 필요는 군주를 만들고, 예술들과 과학들은 그 군
주들을 강하게 만들어 왔다.

이와 같이 루소는 문명사회에 대하여 공격을 하였다. 그는 특히 사
회생활에 있어 인위적인 것(artificiality)에 대하여 적대감을 보이고 있

---

1 **루소(Rousseau, Jean-Jacques, 1712~1778)**
프랑스의 사상가소설가. 1749년《학문과 예술론(Discours sur les sciences et les arts)》
이 현상논문에 당선되어 사상가로 이름을 떨치기 시작.《인간불평등 기원론(Discours sur l'
origine de l' ingalit parmi les hommes)》(1755),《정치 경제론(De l'conomie politique)》
(1755), 서간체 연애소설 《신(新) 엘로이즈(Nouvelle Hlose)》(1761), 인간의 자유와 평등을
논한 《민약론(民約論, Du Contratsocial)》(1762), 교육소설 《에밀(mile)》(1762), 자전적 작
품 《고백록(Les Confessions)》 등을 집필하였다. 이러한 작품들 속에 일관하는 주장은 '인
간 회복' 이었다. 인간은 자연상태에서는 자유롭고 행복하고 선량하였으나, 자신의 손으로 마
든 사회제도 문화에 의하여 부자유스럽고 불행한 상태에 빠져 사악한 존재가 되었다는 것이
다. 때문에 다시 참된 인간의 모습(자연)을 발견하기 위하여 인간은 자연으로 돌아가야 한다
(Return to nature)고 주장하였다.

다. 그에 따르면, 보다 원초적인 사회라 해서 인간의 본성이 기본적으로 현재의 것보다 더 좋은 것은 아니다. 그러나 그러한 사회에서 인간들은 진지했고 열려져 있었다. 모든 인간들은 어떤 강력한 동기가 없다면 대개 비슷하게 행동한다. 그러나 어떤 동기가 개입되면 인간의 진지한 우정과 진실한 믿음은 사라진다. 거짓된 부드러움의 미소가 얼굴을 감싸고 그 속에 온갖 음모가 꿈틀거리다.

오늘, 우리 삶의 모습을 보면, 루소의 생각은 옳다. 과학, 그리고 예술과 기술이 발달하여 생활이 편리해졌다고 하나, 우리는 지금 누구를 믿고 살 수 있는가? 회사 직원이 상사를 믿을 수 있는가, 아니면 사장이 직원을 신뢰할 수 있는가? 학교의 선생이 학생을 사랑할 수 있는가, 학생이 선생을 존경할 수 있는가? 오늘의 모든 인간은 돈과 출세라는 동기에 의하여 불신의 늪에서 허우적거리고 있지 않은가?

그 때문에 루소는 "우리의 정신은 기술과 과학이 성장하는 데 비례하여 붕괴되어 왔다"고 하였다. 그래서 기술과 과학은 악의 산물이다. 그것들은 악에서 나왔고 악한 결과물을 산출하고 있다. 그것들은 사치와 방종과 나태와 타락을 조장한다.

그 실례를 우리는 그리스와 로마에서 찾아볼 수 있다. 그리스는 페리클레스 시대를 정점으로 하는 찬란한 문명을 이룩했으나 동시에 멸망으로 이어졌다. 로마는 옥타비아누스 황제로 비롯된 팍스 로마나(Pax Romana)의 찬란한 문명을 이룩했으나 그 또한 로마 멸망의 원인이 되었다. 문명이 가져다준 인간성의 마멸과 그로 말미암은 사치·방종·나태·타락에 빠진 삶이 그렇게 만든 것이다.

오늘, 우리는 나름대로 경제발전을 이룩했다고 한다. 1950~60년대를 회고할 때 경제적인 삶에 있어 비약적인 성장이 있었던 것이 사실이다. 그런데 그 성장만큼 행복해졌는가? 우리는 이러한 경제성장, 이를 위한 과학과 기술의 발달을 위하여 교육에 총력을 경주(傾注)하고 있다. 대학은 인간의 정신생활을 위한 인문과학은 뒷전으로 하고 경제논리에 맞춘 기술교육에만 몰입해 있다. 그것이 과연 인간을 행복하게 만들 수 있을까? 과학도 발달하지 않았고, 문명생활에 있어서도 낙후되어 있었고, 경제수치(GNP)에 있어서도 비참했었던 1950~70년대가 더 행복했던 것으로 기억되는 것은 무엇 때문일까?

문명은 곧 생태의 파괴

이러한 문명의 발달, 경제의 발달, 이를테면 서구의 근대화 운동을 역사의 퇴보, 인간성의 악화로 이해한 사람이 있다. 그 대표적인 사람이 러시아의 무정부주의자로 잘 알려진 크로포트킨[2]이다. 다음은 그의 글이다.

---

2 **크로포트킨(Kropotkin, Pyotr Alekseevich, 1842~1921)**
러시아의 무정부주의 이론가 및 혁명가다. 모스크바의 명문귀족 출신 장교로서 군에서 전역한 뒤, 지리학에 흥미를 가지고 연구생활을 했다. 무정부주의자 바쿠닌파(派)에 동조하여 페테르부르크와 모스크바에서 선전활동을 하다가 체포되었다가 2년만에 탈옥하여 문필생활을 하며 폭동을 주도하였다. 러시아혁명과정에서는 케렌스키 정부를 지지하고 볼셰비키의 독재에 반대하였다. 저서에 《빵의 정복(La Conqutedu pain)》(1892), 《어느 혁명가의 추억(Memoirs of a Revolutionist)》(2권, 1899), 《상호부조론(Mutual Aid, a Factor of Evolution)》(1902) 등이 있다. 상호부조론에서는 그는 헉슬리나 스펜서 등이 주장하는 사회적 다윈이즘의 약육강식론을 반대하고 상호부조론을 주장하였다.

▶ 크로포트킨

아프리카의 미개인인 부시먼의 일족 호텐토트족(Hottentot)은 신성하였다. 그들은 유럽인들의 부패와 불신을 조금도 모른다. 그들은 평화롭게 생활하여 이웃과 싸우는 일은 별로 없다. 그들은 서로 친절하며 또 호의를 가지고 있다……. 호텐토트족의 가장 큰 기쁨 중 하나는 서로 물건을 주고받는 것과 다른 사람을 위하여 좋은 일을 하는 일이다. 그들의 청렴함, 상벌집행에 있어서의 신속함과 엄격함, 그들의 정절의식은 세계의 어느 민족들도 따를 수 없을 만큼 우수한 점들이다.

그러나 문명이 발달하면 할수록 인간의 성품은 사악해지고 잔인해진다. 문명인으로 자처하는 유럽인들은 아프리카에서 행복한 원시적인 삶을 살고 있는 부시먼을 박살내었다. 다음은 유럽인의 그 자인한 성품을 그린 크로포트킨의 글이다.

부시먼은 주택이 없이 흙을 파낸 구멍 속에 간간이 병풍과 같은 바람막이를 세우고 잠을 자는 정도로 수준이 낮은 미개인이다. 유럽인이 그 지역에 식민지를 만들고 사슴을 모두 잡았기 때문에 부시먼은 처음으로 유럽인의 가축을 훔쳤다. 그 때문에 그들은 차마 말하기도 무서운 박멸전쟁(撲滅戰爭)의 희생물이 되었다. 1774년에는 500인, 1808년과 1809년에는 3000명의 부시먼이 '농민동맹'이라는 백인들의 집단에 의해 도살되었다. 그들은 쥐와 같이 독살되었고, 짐승의 시체를 앞에 놓고 매복한 사냥꾼에게 살해당하였다.

이러한 크로포트킨의 생각은 최근에 들어 생태주의(生態主義)적 아나키즘으로 이어져 현대 문명을 비판하고 인류가 자연으로 되돌아가야 할 이유를 제시하고 있다. 오늘의 아나키스트들은 자본의 시대, 혁명의 시대, 국가의 시대는 점차적으로 퇴조되어가고 있음을 간파한다. 그리고 그것들에 대안적 개념으로 아나키즘을 제시한다. 이들에 따르면, 르네상스 이래 서구문명의 중심개념이 되어 온 휴머니타스는 이제 거부되어야 한다. 인간의 만능(萬能)적 능력 발휘와 무한한 욕구의 충족이라는 두 가지 명제의 실현을 위하여 노력하여 온 서양의 근대사의 과정은 발전이 아니라 인류를 위기로 몰아넣은 퇴보과정이었다.

그들이 지금까지 발전시켜 왔다는 것이 무엇인가? 생활의 풍요와 편리를 명분으로 거대도시를 만들어 놓았는데 그 결과가 무엇인가? 그 안에서 살고 있는 이들은 얼마나 더 행복해졌나?

그들은 이처럼 문제를 제기하고 환경의 오염과 생태의 파괴를 통한 인류의 멸망을 예견하고 있다. 그들은 환경오염과 생태파괴의 원인이 자본주의나 사회주의를 막론하고 생산력 증대를 요구하는 산업주의(industrialism)에 있음을 직시하고 자본주의나 사회주의에 대해서 부정적 몸짓을 보이고 있다. 현대의 산업주의를 일으키고 성장시킨 장본인은 거대화 일로(一路)를 걷고 있는 국가체제, 관료체제, 권위주의적 계급독재에 있음을 지적하고 이들의 해체를 주창하고 있는 포스트모더니즘과 제휴하여 그 힘을 더하고 있다.

그들은 19세기 주장하던 아나키즘의 이상이 공상이었음을 인정하고 거기에 근접하는 이념으로써 민중과 시민이 직접 참여하는 자유주의적 자치사회, 폭력과 억압에 기반을 두는 강권적 국가지배 대신에 지역 단위의 소규모 연합사회를 주장하고 있다. 다시 말해서 그들은 포스트모더니즘의 탈중심성(脫中心性), 해체성(解體性), 반권위성(反權威性)과 연관된 초계급성, 비폭력성(非暴力性), 반혁명성(反革命性)을 내재적 실천 논리로 삼고 있다.[3]

한마디로 현대의 문명을 역사의 퇴보의 결실로 보려는 사람들은 다음과 같은 막스 베버의 통탄을 예견했거나 동조하고 있는 이들이다.

거대도시의 출현으로 인간의 자율적 삶은 아무도 책임지지 않는 거대 메커니즘과 삭막한 관료제의 철창 속에서 화석화되어 가고 있다. 이 속에서는 자연생태계가 파괴되고 황폐화되듯이, 인간의 내면적 세계 또한 물신주의와 소비주의에 의해서, 그리고 권력과 폭력에 의해서 조작되거나 감시되며 위협을 당하고 있다. 여기서 인간들은 자아의 정체성과 주체성을 상실하고 있다.

3 김성국
《왜 다시 아나키즘인가?》,《아나키-환경-공동체》도서출판 모색, 1996 참조

상고주의 사관

실낙원의 회복을 위해

　루소와 크로포트킨의 반문명적인 생각에는 상고주의(尙古主義) 사관이 깔려 있으며 성선설이 기초하고 있다. 이들의 생각을 따르면, "인간의 본성은 원초적으로 선하였다. 그래서 문명이 발달하지 않았던 시대에 인류는 낙원에서 살았다. 그러나 역사가 전개되고 문명이 발달하면서 인간의 성품은 사악해지고 인간의 삶은 타락해 낙원은 파괴되어 왔다"는 것이다. 그러므로 이들의 역사에 대한 생각에는 낙원의 시대였던 원시·고대시대를 이상(理想)으로 생각하여 숭상(崇尙)하는 마음이 실려 있다.

　이러한 마음은 루소나 크로포트킨, 그리고 환경오염과 생태파괴로 삶의 위협을 당하고 있는 근대인에게서만 찾아볼 수 있는 것은 아니다. 중국의 역사관에서도 상고주의는 강조되었고, 그리스의 헤시오도스는 서양인으로서는 처음 이러 입장을 분명히 한 사람이다.

　직선적 목적사관의 모범으로 알려진 기독교의 역사관도 좀 깊이 살펴보면, 궁극적으로 상고주의에 뿌리를 두고 있음을 알게 된다. 다만 다른 복고적 생각들이 원초적으로 선량하던 인간이 시간의 경과에 따라 점진적으로 사악해져 왔다고 생각한 데 비하여, 기독교에서는 인류 역사의 시작을 인류가 원죄를 지어서 악해진 데에 있는 것으로 생각하는 차이가 있을 뿐이다.

성 아우구스티누스는 역사를 8단계로 나누어 시대를 구분하였다(아우구스티누스의 역사발전에서 상세히 논할 것임). 이를 따르면, 제1기에 아담이 선악과를 따먹음으로써 원죄를 짓고 낙원에서 추방을 당한다. 그리고 제2기에서 제6기에 이르기까지는 그 원죄로부터 구원을 받는다는 목적을 향해 직선적으로 발전한다. 그리고 제7기에는 인간의 원죄가 해소되어 아담과 해와가 선악과를 따먹기 이전 상태로 환원된다. 그리고 제8기의 영원한 날(Eternal day), 주의 날(Lord's day)에는 종말이 없는 영원한 나라에서 살게 된다.

이것은 그 후 많은 기독교인들에게 상고주의 사상을 갖게 하였다. 그리고 그에 따른 철학과 문학이 태어나게 했다. 그 대표가 청교도 시인으로 이름난 밀턴이다. 그는 '실낙원'에서 인류의 타락과 낙원으로의 복귀에 대한 희망을 다음과 같이 피력하고 있다.

인간의 최초의 거역, 그리고 금단의 나무 열매―그 치명적인 맛 때문에 죽음과 온갖 재앙이 세상에 들어와 에덴을 잃었더니, 한층 위대하신 한 분이 우리를 구하여 낙원을 회복하게 되었나니, 노래하라 이것을! 천상의 뮤즈여…… 내 속의 어둠을 빛내시고, 낮은 것을 높이고 떠받드시라. 이 크나큰 시제(詩題)와 영원의 섭리를 내가 증명하여 인류에 대한 하느님의 길이 옳음을 밝힐 수

있도록.[4]

기독교 문화의 전통 위해서 이루어진 서구의 많은 사상가들의 생각은 비슷하다. 가장 진보적인 발전사관의 모델로 꼽히고 있는 마르크스의 변증법적 유물론도 종국에는 정부가 없고, 계급이 없고, 사유재산이 없는 원시공산사회로의 복귀를 이상으로 삼고 있다는 점에서 또한 상고주의 사관이라 할 수 있다.

헤시오도스의 4단계 퇴보사관

그러면서도 그 이상(理想)을 실현하기 위해서라는 명분과 목표를 설정하고 역사의 진보와 발전을 주장하고 나서는 것은 아이러니가 아닐 수 없다. 이러한 생각들에 대해서는 차후에 재론하겠거니와, 여기서는 헤시오도스와 중국의 상고적 역사관에 관하여 언급하는 것으로 그 설명을 대신하겠다.

헤시오도스는 서양사학사에서 최초로 퇴보사관을 주장한 사람이다. 부유한 농부의 아들로 태어나서 목동으로 자라난 그는 부친이 사망하자 형제들로부터 대부분의 유산을 빼앗기고 추방당하여 방랑생활을 해야 하였다. 이 때문이라 해야 될지는 모르나, 그는 자기의 시대(당시로서는 가장 문명화된 시대)를 "죄악이 홍수처럼 넘쳐흐르고 겸양과 진실과 명예는 헌신짝처럼 취급되었고 사기와 간지와 폭력, 그리

---

4   J. Milton
   《실낙원》, 이창배 역, 동서문화사, 세계문학전집 10권.

고 사악한 이욕(利慾)만이 판을 치는 시대"로 보았다. 이를 근거로 그는 역사를 원초에 가까울수록 아름다운 시대로 생각하고, 인간적인 시대일수록 악한 시대로 보았다.

그는 역사의 전체과정을 4개의 시기, 즉 황금의 시대, 은의 시대, 동의 시대, 그리고 철의 시대로 나누어 시대구분을 하였다. 요즈음에는 구석기시대, 신석기시대, 청동기시대, 철기시대라는 도구의 발전 과정으로 이해되는 과정을 그는 윤리·도덕적인 면을 강조하여 퇴보과정으로 본 것이다.

그중 **황금의 시대**는 죄악이 없어 규정이나 법률과 같은 강제가 없어도 진리와 정의가 실현되었던 시대다. 배를 만들기 위해 산림을 벌채하는 일도 없었고, 전쟁으로 인해 성곽을 쌓거나 칼이나 창이나 투구 같은 것을 만들지 않았다. 인간은 노동하지 않아도 필요한 모든 것을 얻을 수 있었다. 계절은 늘 봄이고, 씨를 뿌리지 않아도 꽃은 피고, 내(川)에는 우유와 술이 언제나 흐르고, 상수리나무에서는 노란 꿀이 저절로 떨어진다. 그러니 인간은 고통이나 우환이 무엇인지 알 리 없었고, 죽을 때도 병을 앓지 않고 편안히 잠든 것처럼 죽었다.

세월이 흘러 **은의 시대**에 이르면, 봄은 단축되어 1년이 4계절로 나뉜다. 그래서 인간은 겨울의 추위와 여름의 더위를 참아야 하고 이를 이기기 위해 가옥을 만들어야 했다. 이 때문에 나뭇가지를 잘라 자연을 파손하기 시작하였으며, 농작물의 생산을 위해 땀을 흘리는 노동을 하지 않으면 안 되게 되었다. 네 것 내 것을 구별하여 물질에 대한 욕망으로 괴로움을 느끼기 시작하였다.

동의 시대에 이르면, 노동의 질곡과 사유재산에 대한 욕망이 인간들을 대립하게 만들고, 이 대립으로 인간의 기질은 포악하고 호전적으로 되어 무기를 들고 싸움을 하기에 이르렀다.

철의 시대는 인류의 최후시대, 즉 현대를 의미한다. 이 시대에 인간은 죄악에 사로 잡혀서 겸양이나 진실 명예와 같은 것은 등지고 오로지 사기와 간지와 폭력에만 의존하여 사리사욕만을 추구하는 지경에 이른다. 때문에 산은 벌채되어 민둥산으로 변하고 대양은 배들로 가득 차서 평온을 잃으며, 땅은 파헤쳐져서 성한 곳이 없게 된다. 친구들은 서로의 만남을 불편해 하고, 남편과 아내가 서로 믿지 못하여 가정은 파탄되고, 형제자매는 부모의 재산을 놓고 살육전을 전개한다.[5]

중국의 상고사상

요즈음 서양인들은 그들의 사상적 전통에 대하여 많은 회의를 하고 있다. 동시에 동양의 고전에 대해 놀라우리만큼 큰 관심을 보이고 있다. 동양인들의 동양에 대한 관심보다 서양인들의 동양에 대한 관심이 더 높다. 서양인들이 이제 자신들을 돌아보고 그들의 지닌 문제를 발견하여 해결하고자 하는 것이다. 해결방법이 동양세계에 있음을 감지한 것이 아닌가 생각된다.

동양사상의 바탕은 상고적(尙古的) 사고에 있다. 유학이나 도학은 문명이 발전하기 이전인 요순시대를 이상향으로 삼고 있다는 점에

---

5 현대인은 역사를 이와 같이 분류하고도 역사의 발전과정으로 이해하였다. 황금의 시대는 구석기시대고, 은의 시대는 신석기 시대, 동의 시대는 청동기시대, 철의 시대는 철기시대다. 각 시대의 내용을 볼 때 거의 다름이 없다.

서 다를 것이 없다. 이 두 가지 사상의 전통에 따르면, 요순시대에 인간은 선한 삶을 살았다. 자연의 순리대로 살기에 이기심은 없었고, 네 것 내 것의 구별이 없는 대동사회(大同社會)를 이루고, 자기의 부모나 남의 부모, 자기의 자식이나 남의 자식을 차별하지 않고 사랑하며 살았다. 여기서는 예(禮) 조차도 필요치 않았다.

그러나 시간이 흐르고 시대가 바뀌면서 인간은 점차 사악해져 문왕(文王)이 주(周)나라를 세우고, 무왕(武王)이 은(殷)나라를 멸하는 단계에 이르러서는 예(禮)를 내세워 인간을 가르치지 않으면 안 되었다. 그것이 없이는 바른 삶을 살 수 없고, 정치로써 다스리지 않고는 사회의 질서가 있을 수 없게 되었기 때문이다.

예(禮)만으로 다스릴 수 있는 시대만 하더라도 낙원에 가깝다. 춘추전국 시대가 도래(到來)하면서 천하는 온통 혼란과 살육으로 얼룩지게 되어 성악설이 정당성을 가질 만큼 인간은 사악해졌다. 정치가들은 이 사악함을 다스리기 위해 필요하다며 법을 만들고, 부국강병을 빌미로 재산을 착취하여 무기와 군대를 만들었다. 뿐만 아니라 저마다 자기주장이 옳다고 외쳐대며 백가쟁명(百家爭鳴)의 사상적 혼란기를 맞이하게 되었다. 저마다 수신(修身)을 말하고 제가(齊家)를 논하며 평천하(平天下)를 주장하지만, 실제에 있어 개인은 자유와 행복을 빼앗기고 비참한 삶 속으로 빠져들게 되었다.

이처럼 법이 만들어지고 정치가 등장하여 국가가 세워졌다는 것은 인간의 사악함의 발로였다. 이렇게 생각한 사람들은 수시로 역사를 돌이켜서 원초적인 시대로 되돌아가기를 원하였다. 한(漢)나라가 천하를 통일하였을 때, 왕망(王莽)[6]은 민심을 따라 주(周)나라로 되돌아가려 하였고, 당나라 때는 고종의 황후 측천무후[7]가 주(周)나라를 세워 15년간이나 지배할 수 있었다. 이는 비록 역사를 되돌릴 수는 없다 하더라도 민심은 언제나 주나라 이전으로 되돌아가기를 원하고 있었음을 보여주는 것이다.

이는 춘추 말의 난세 속에서 인(仁)과 충서(忠恕)와 예(禮)와 정명(正名)으로써 세상을 바로잡기를 염원하던 공자의 상고사상에 기인하는 일들이었다. 공자는 주나라의 주공(周公)으로부터 이상을 찾아내려 하였다. 주대의 훌륭한 모든 문물제도를 되살리려는 것이 그의 평생염원이었다. 그는 하루만 주공을 꿈에서 보지 않아도 자기의 의지가 노쇠하였다고 개탄할 정도였다. 한마디로 공자는 위대한 상고주의자였

---

6 **왕망(王莽, 기원전 45~ 기원후 23)**
중국 전한(前漢) 말의 정치가, '신(新)' 왕조(8~24)의 건국자. 38세로 재상이 되었다. 애제(哀帝)에 의해서 실각, 애제가 아들 없이 죽자, 태황태후 왕씨와 쿠데타에 성공하여 재상직에 복귀하여 9세의 평제(平帝)를 옹립하고 섭정을 하였다. 기원 8년에는 스스로 황제가 되어 국호를 '신'이라 하였다. 그는 주(周)나라 시대의 정전법(井田法)을 모방하여 토지개혁을 단행하여 지방호족의 대토지소유를 제한하고 자영농민의 빈민화를 막으려는 정책을 실시하였다. 또 가난한 농민에게 싼 이자의 자금을 융자하는 제도를 두기도 하였다. 이 모든 정책은 유교 교전인 《주례(周禮)》에 근거한 것이었다. 그러나 개혁정책은 한말의 여러 모순과 사회문제를 해결하지 못한 채 모두 실패하고 말았다.

7 **측전무후(則天武后, 623~705)**
당나라의 제3대 고종(高宗)의 황후. 뛰어난 미모로 14세 때 태종(太宗)의 후궁이 되었다가 태종이 죽자 그 아들 고종의 총애를 받아 황후 왕씨(王氏)를 몰아내고 스스로 황후가 되었다. 고종의 건강을 핑계 삼아 스스로 정무를 맡아보며 독재권력을 휘둘렀으며, 고종이 죽자 자신의 아들 중종(中宗)·예종(睿宗)을 차례로 즉위시키고, 그녀에게 반항하여 난을 일으킨 이경업(李敬業)과 당나라의 황족 등을 무력으로 탄압하여 무씨(武氏)천하로 만들었다. 690년에는 국호를 주(周)로 개칭하고 스스로 황제라 칭하며 중국사상 유일한 여제(女帝)로서 약 15년간 전국을 지배하였다. 주(周)나라의 전통을 되살려 역법(曆法)·관명(官名)을 새로 정하는 등 주대로 복귀하는 복고정책을 폈다.

▶ 왕망

▶ 측천무후

▶ 공자

다.[8]

이와 같이 상고사상은 현재를 경멸하는 생각으로 이어진다. 역사는 퇴보해서 현재에 인간은 사악해져 있고 세상은 온통 혼란과 타락으로 오염되어 있어서 불행이 예고되고 있다는 생각을 낳게 한다.

국가는 성악설을 근거로 통치된다

처음부터 국가는 성악설을 근거로 하는 법을 통해서 세워지고 통치된다. 그러기에 예(禮)만으로 다스릴 수 있었다는 주나라는 현실적인 국가가 아니다. 중국 역사에서 처음으로 국가다운 국가를 세운 것은 법가(法家)를 앞세운 진(秦)나라다. 그런데 시황제(始皇帝)는 법을 앞세워 책을 태우고 학자와 지식인들을 생매장하는 만행을 저질렀다.[9]

---

8 **고병익**
「유교사상에서의 진보관」,《중국의 역사인식》, 창작과 비평사, 73~74쪽.

이러한 참극을 보는 이들에게 국가란 악의 상징이요, 그 국가를 있게한 역사의 흐름은 퇴보의 과정이다.

서양에서도 국가권력이 유명무실하였던 중세 봉건시대를 자유가 꽃피던 시절로 생각한다. 그리고 인간성이 발휘되어 찬란한 문화를 창출한 르네상스와 종교개혁을 이루었다. 그러나 이와 더불어 군주국가가 성립되면서 점차 개인의 자유는 소멸되어가기 시작하였다. 군주국가가 절대왕권국가로 변모하면서 자유는 더욱 억압되었다. 이들은 성악설을 전제로 하는 마키아벨리의 《군주론》[10]과 홉스의 《리바이어던》[11]을 근거로 인민들을 군주에게 예속시켜 때로는 강제노역 현장으로, 때로는 살육이 자행되는 대규모 전장으로 몰고 나갔다. 시민혁명이 일어나고 자유주의라는 것이 출몰하였지만, 이는 오히려 독재자들이 인민과 국가, 민족과 이데올로기라는 이름을 앞세워 인간 개개인의 자유를 억압하기 위한 빌미에 지나지 않았다.

---

9 **분서갱유(焚書坑儒)**
진시황제는 천하를 통일한 후 선진시대의 제자백가에 의해서 혼란에 빠진 사상을 통일하기 위하여 법가의 이사(李斯)의 주청을 받아 들여 모든 서책을 태우고, 학자와 사상가들을 땅에 묻어 죽였다.

10 **마키아벨리의 《군주론》**
마키아벨리는 인간의 본성은 나태하고 이기적이므로 이들을 다스려서 구가를 통일하고 그것을 유지하기 위해서 군주는 모든 수단을 동원하여야 하며 그것은 정당화 될 수 있다고 하였다.

11 홉스는 인간은 천부적으로 인권을 가지고 태어났으나 그것을 자연상태에 맡겨서 사용케하면 만인에 대한 만인의 투쟁이 전개될 수밖에 없다고 하였다. 이를 막기 위해서 인민은 자신들의 권리를 주권자에게 양도하고 주권자에게 신민(臣民)으로서 복종해야 한다고 하였다.

역사는 제 갈 길을 갈 뿐이다

여기에 상고주의는 그 의미가 있다. 그러나 어떤 대처방안을 제시하는 것은 아니다. 상고주의자들이라 해서 역사를 역류시킬 수는 없었기 때문이다. 예를 들어, 중국이 그처럼 상고사상을 가지고 있었다 하더라도 결국은 오늘과 같은 문명의 세계로 흘러오고 말았다. 역사는 나름대로 제 갈 길을 가고 있기 때문이다. 다만 할 수 있는 일이 있다면 미래의 불행을 예비하여 스스로의 생활방식을 바꾸도록 노력하는 교훈적 의미는 있을 수 있을 것이다. 허나 그런 교훈적 의미가 무슨 대수란 말인가? 오늘날의 도시생활에 만족하고 거기서 더 많은 물량적 행복을 추구하는 이들에게는 코웃음 쳐지는 생각일 수밖에 없다.

문제는 관점이다. "참된 인간의 삶의 의미가 어디에 있는가? 인간의 행복기준이 무엇인가?"에 대한 관점의 차이이다. 정신세계를 중요시하는 사람은 그대로의 삶을 살 것이고, 육체적이고 물질적 삶에서 행복을 느끼는 사람들은 그들 나름대로의 길을 가는 것이다. 때문에 역사는 제 갈 길을 갈 수 있다. 그것이 벼랑 끝이든 하늘 위이든 말이다. 이 두 개의 끝 중 어느 것도 정하지 못하고 갈팡질팡하며 불행에 떠는 사람을 뒤로 내버려 둔 채, 그렇게 역사는 흘러가고 있는 것이다.

6장
역사를 어떻게 볼 것인가(1)

순환사관

역사는 돌고 돈다

　퇴보사관이나 상고주의 역사관이 현재를 부정적으로 보는 것이라면 현재를 극복하고 긍정적인 미래를 희구하는 사관이 있다. 퇴보는 퇴보로 끝나는 것이 아니고 다시 발전하여 새로운 전성기로 되돌아간다고 하는 생각이다. 이런 생각을 근거로 많은 사람들은 역사란 돌고 도는 것이 아니냐고 한다.

　과연 역사란 돌고 도는 것일까? 봄이 가면 여름이 오고, 여름이 가면 가을이 오며, 또 그 다음엔 겨울이 오듯이 역사도 동일한 과정을 반복해서 돌아가는 것일까? 그렇다면 우리에게는 매우 다행한 일이다. 가을이 오면 겨울 차비를 해서 솜이불도 만들고 김장도 하듯이, 우리는 앞으로 다가오는 역사의 계절을 위해 대비할 수 있을 터이니까 말이다.

　이처럼 역사를 통해서 실제로 미래를 대비하였는지, 아니면 그랬으면 좋겠다는 희망의 표현인지는 모르나 많은 사람들이 이러한 역사의 반복순환(反復循環)을 믿었다. 앞에서 언급하였듯이 역사에서 교훈을 찾으려는 사람들, 정치적 목적을 가진 이들은 대체로 이 순환사관을 믿으려 한다. 이 사관은 자연의 순환을 모델로 하여 인간사의 모습을 생각하고자 하는 것이다. 그러므로 자연의 문제에 관심을 가지고 있던 이들에게서 주로 나타난 생각이다.

자연철학이 발달하였던 고대 오리엔트 세계와 그 영향을 크게 받았던 그리스 시대의 투키디데스, 그리고 자연법사상이 발달하였던 로마시대의 역사가들이 대부분 이에 속한다. 그리고 기독교의 형이상학적 관념론이 날개를 접어가고 자연과학이 인류의 의식세계를 지배하게 된 후기 르네상스와 계몽주의시대의 사상가들과 실증주의자들이 또한 이에 가까운 역사관을 보이고 있다.

역사의 본질은 불변이다

파스칼은 "전체 시대의 과정을 관통하는 인류의 과정은 한 개인의 생애로 간주되어야 한다."고 하였다. 인간의 인식능력으로는 역사의 전체과정을 한 눈으로 볼 수가 없다. 그 만큼 인간의 인식에는 한계가 있다. 그러나 인간은 직접 볼 수 없는 일을 상상력을 동원하여 생각할 수 있는 능력을 가지고 있다. 상상은 무작정해서 되는 것은 아니다. 인식이 가능한 작은 실례를 통해서 그것을 확대하여 큰 것을 유추해 내는 것이다.

파스칼이 알고 그런 말을 했는지는 알 수 없으나, 파스칼의 그러한 방법은 이미 바빌로니아 인들에 의해서 개발되어 있었다. 'Pars pro toto'라는 라틴어가 그것이다. 이 말은 '전체에 대한 부분'이라 직역할 수 있는데, 이는 부분을 통해서 전체를 이해할 수 있다는 말이다.

하루에 있어 태양이 떠 중천에 이르고, 석양이 져 자정이 오는 것을 우리는 감지할 수 있다. 그리고 한 달에 있어서 초승달이 뜨고 그것이 상현달이 되고 만월이 되고 하현달이 되고 다시 그믐달을 거쳐 스러지는 현상을 본다. 또 한 인간의 삶에 있어서 어린아이가 태어나서 청년기를 마지하고, 장년기를 거쳐 노년기에 이르고, 드디어는 죽음에 이르는 것을 안다.

한 인간의 삶의 과정을 부분으로 삼아 보다 큰 것을 추리하면 하나의 가문이 시작되어 흥하고, 쇠퇴하여 몰락해 가는 과정을 생각해낼 수 있다. 이것을 좀 더 확대하면 하나의 국가의 흥망성쇠의 과정을, 그리고 이것을 제대로 이해하면 인류 역사의 생성소멸을 짐작해서 알 수 있다는 것이다.

이러한 생각은 그리스의 투키디데스로 이어진다. 의사인 히포크라테스를 사사한 그는 의학, 다시 말하면 자연과학을 역사학에 도입해서 역사에서 일반 법칙을 찾으려 하였다. 자연의 법칙은 자연의 현상들이 반복·순환 한다는 원칙에 근거한다. 그는 역사에서도 반복·순환의 원칙을 믿었다.

투키디데스가 주안점을 둔 것은 인간의 심리다. 그에 따르면, 모든 인간에게는 어떤 시간적 차원에 구애되지 않고 향유하는 심리적인 잠재적 공통성이 있다. 공통적인 심리란 평화로운 시기와 국사가 원만하게 이루어져 나갈 때에는 명랑한 심리상태를 유지하게 되나, 내란이 일어나면 시민들의 심리상태가 위축된다는 것이다.

이러한 주장에 입각해서 그는 역사의 순환론을 주장하였다. 이에 따르면, 인간의 본성이 변치 않는 한, 인간의 행위로 된 역사사건에도 대차는 없고, 그렇다면 과거에 생긴 사건은 미래에도 재현될 수 있는 것이다. 비록 역사의 개개 사건들은 일회적으로 발생하는 것이므로 역사는 변동하지만, 그 본질에 있어서는 변화가 없다.

마키아벨리가 희구한 로마의 영광

르네상스는 고전이 부활이라 한다. 이는 그리스·로마의 휴머니즘의 재생을 의미하기도 한다. 휴머니즘은 중세적 신권의 질곡으로부터 인간성의 회복을 의미한다. 인간은 스스로 자존의식을 가지고 자연을 자연대로 보기 시작하였으며, 여기서 자연철학 내지는 자연과학이 발전하였다.

마키아벨리는 자연과학적 입장에서 인간과 인간의 정치를 이해하려 하였다. 그래서 유명한 《군주론》을 썼다. 이 책은 그의 풍부한 역사적 지식을 바탕으로 한 것이다. 그는 이에 앞서서 《리비우스론(Discoursi, soapra la prima Decadi Tito Livio)》이라든가 《피렌체사(Istorie Fiorentine)》 등의 역사책을 썼다. 그러면서 로마의 영광을 동경하였다.

과거에 로마의 영광을 이룩했던 이탈리아는 게르만의 이동과 가톨릭의 지배 하에서 위력을 상실하였다. 르네상스시대에는 스페인, 프랑스, 오스트리아 등 주변 국가들에 비하여 약소 후진적인 입장에 놓여 있었다. 마키아벨리는 이러한 상황에서 옛 로마의 영광을 그 시대에 재현했으면 하는 소망을 지니고 있었다. 그래서 역사는 반복·순환하는 것이라는 확신을 가졌다. 로마의 영광이 재현될 수 있기를 비는 마음에서다.

분열될 대로 분열되어 서로 싸우고 있는 당시 도시국가들을 생각하면, 마키아벨리의 마음은 답답하고 안타까웠다. 그래서 강력한 군주가 등장하여 이들을 통일해 주기를 원했고, 역사는 반복·순환하여 로마제국이 다시 건설되기를 바랐다.

그에 따르면, 로마가 멸망한 것은 로마인들이 원래 지니고 있었던 건전한 덕성이 타락으로 연결되었기 때문이다. 그래서 다음과 같은 역사의 원리를 생각해 내었다.

> 용기는 평화를 낳고 평화는 안일을 낳고, 안일은 무질서를 낳고 무질서는 파괴를 낳는다. 그리고 또 무질서로부터 질서가 솟아나고, 질서로부터 덕이 솟아나고, 그 덕으로부터 영광스럽고 훌륭한 미래가 솟아난다.

이 원리는 로마의 역사에서 그 유형을 찾아볼 수 있다. 로마는 공화정 당시에 용기 있는 영웅들(로물루스 이래 포에니전쟁까지)이 출현하였다. 아니 모든 로마인들이 용기 있는 전사들이었다. 이들은 로마의 평화를 이룩했다(카이사르와 옥타비아누스에 의한 제국의 확립과 그로 인한 팍스 로마나의 성립). 그 평화로 인하여 로마제국의 귀족사회는 안일에 빠져 무질서한 생활을 하였다. 그 결과로 로마제국은 파괴된 것이다. 그러나 그 무질서로부터 질서 있는 피렌체는 성립되고, 질서 있는 피렌체는 덕을 지니게 된다. 그렇다면 그 덕으로써 피렌체는 로마제국의 영광을 재현시켜야 된다는 것이다(마키아벨리는 중세 기독교 사회를 이탈리아 역사에서 제외시켰다).

마키아벨리는 극한적으로 찬반이 엇갈리는 평가를 받는 사상가다. 어떤 사람은 양심도 신앙도 없이 오로지 출세를 위한 권모술수를 정당화시킨 악덕의 상징으로 매도한다. 그러나 분명한 것은 그는 애국자였다는 것이다. 그가 마키아벨리즘이라는 말과 함께 권모술수의 상징처럼 생각되는 것은 주변국들의 간섭과 침략으로부터 그의 조국 이탈리아를 보호하고 독립을 지키기 위해서는 아주 강력한 군주가 필요하다는 확신 때문이었다.

그에게는 국가의 통일과 그 유지를 위해서는 모든 수단은 정당화될 수 있었다. 한 가지 명백한 것은 그는 일반인들이 생각하는 것처럼, 군주주의자가 아니라 국가주의, 애국주의자였다는 점이다. 그래서 그는 그의 역사이론을 통해서 이탈리아 민중에게는 미래에 대한 희망을, 지도자들에겐 그들이 실천할 역사적 과제를 제시한 것이다.

바사리의 순환론

마키아벨리가 르네상스 인으로서 정치사에 관심을 둔 사람이라고 한다면 예술사에 관심을 두어 순환론을 밝힌 사람이 있다. 바사리(Giorgio Vasari, 1511~1574)가 그 사람이다. 미켈란젤로의 제자로서 회화수업을 받다가 미술사가로 변신한 그는《위대한 화가, 조각가, 건축가의 생애(Lives of the Great Painters, Sculptors and Architects)》라는 저술을 남겼다. 그는 이 책의 서문에서 다음과 같은 말을 쓰고 있다.

▶ 조토

▶ 보티첼리

내가 이 책을 쓰는 것은 다음과 같은 이유에서다. 첫째는 예술에 대한 나의 사랑 때문이며, 둘째는 하나의 조그마한 시작이 어떻게 최고로 고상한 경지에까지 이끌어져 갔으며, 어떻게 그처럼 고상한 상황에서 그처럼 완전한 파괴로 전락하는 것이 가능하게 되었으며, 또 어떻게 이러한 예술들이 우리 인간의 육체에서 보이는 것과 같은 자연, 즉 탄생·성장·노쇠·사망의 과정을 갖는 자연을 닮게 되었는지를 오늘날 나와 더불어 생존하고 있는 사람들에게 보여 줌으로써 그들에게 봉사하고자 하였기 때문이다. 그리고 또 한 가지 바라는 것은 이상과 같은 수단으로써, 그들로 하여금 예술의 르네상스 과정을, 그리고 오늘 그 예술들이 도달한 완성이 어떤 것인가를 쉽게 인식하도록 하는 것이다.

바사리는 이러한 이론의 실례로서 조토(Giotto)[1]에서 미켈란젤로까지의 과정을 설명해주고 있다. 13세기 자연주의를 시작한 조토에서 비롯된 르네상스의 기법은 15세기 마사초(Masaccio)[2]의 명암법을 수용하고 보티첼리(Botticelli)[3]의 이교도와 기독교의 화해 등을 거치면서 레오나르도 다빈치의 원근법을 통해 미켈란젤로에 이르러 완성된다.

완성에서 더 나아갈 길은 없다. 여기서 사실주의는 몰락의 길을 걷고 점차 인상주의의 길이 열리게 된다.

바사리는 자신이 르네상스 인이기에 그 이후의 예술이 어떻게 변천되어 갈 것인지는 알 수 없었다. 그러나 그의 생각은 그 이후의 서양 미술사에 그대로 적용된다. 사실주의의 명암법과 원근법이 점차적으로 무시되어 가면서 색과 선으로 이루어진 인상파(전·후기)와 입체파(Cubism) 야수파(Fauvism) 등의 예술발전과정은 모두가 생성소멸과정을 거쳤다. 한마디로 예술의 역사는 새로운 기법이 탄생하고 성장하고 완숙·노쇠하여 소멸되어 가는 과정의 반복이라 할 것이다.

---

1 **조토(Giotto di Bondone, 1266?~1337?)**
이탈리아의 화가·조각가·건축가. 피렌체파 회화의 창시자. 초기의 주요작 아시시의 산프란체스코성당 상원(上院)의 벽화 《성프란체스코전(傳)》 28도(圖)와 《새에 설교하는 성프란체스코》 등 작품을 남겼다. 그의 미술사적 의의는, 그리스도교 교의(教義)의 해석으로 끝나던 종래의 그림에서 해방하여 인간성과 종교성을 융합하여 예술적으로 표현하여 이탈리아 르네상스 미술의 선구가 되었다는 데 있다. 화면에 원근법이 적용되어 인물과 공간 사이에 합리적인 연관이 이루어졌으며, 인물상은 조형적으로 형태화되어 각각 마음의 움직임이 개성적으로 표현되었다.

2 **마사초(Masaccio, 1401~1428?)**
이탈리아의 피렌체파 화가. 1426년 피사의 카르미네성당의 다익제단화(多翼祭壇畵) 제작에 종사하였고, 1427년 피렌체에서 살다가 1429년 요절했다. 회화에서의 참다운 르네상스 양식의 창시자로 알려져 있다. 그것은 고딕양식을 청산하고 B.조토의 조형적 전통으로 복귀하여 원근법의 원리를 섭취하여, 자연의 참모습을 파악한 시각적 세계를 창조하였기 때문이다.

3 **보티첼리(Botticelli, Sandro, 1445?~1510)**
이탈리아 르네상스시대의 화가. 초년에는 자연연구에 대한 정열을 보였다. 후에는 메디치가를 중심으로 한 인문주의 학자·시인들의 고전(古典) 부흥의 분위기와 신(新)플라톤주의의 영향으로 점차 사실을 무시하고 신비주의적인 경향을 나타내었다. 대표작으로 《수태고지(受胎告知)》, 《비너스의 탄생》이 있다.

비코의 나선형적 순환사관

역사는 순환하며 발전한다

　르네상스가 중세의 세계관으로부터 탈피하기 위해 노력한 시대였다면, 계몽주의시대는 근대적 세계관을 확립한 시기라 할 것이다. 이 시기에도 사람들의 주안점은 자연과학에 있었다. 데카르트와 베이컨[4]을 종주로 하는 철학사상은 수학적 원리를 중심에 둔 자연과학적 논리를 근거로 한 것이었다. 그래서 토마스 홉스는 인간 및 인간의 사회의 문제까지도 수학적 공식과 원리에 입각해서 풀어보려 한 것이다. 《리바이어던(Leviathan)》이라는 저서는 그래서 나온 책이다. 이러한 와중에서 데카르트에 반기를 들어 역사과학에 입각한 사물의 인식을

4　베이컨(Bacon, Francis, 1561~1626)
　　영국의 철학자·정치가. 르네상스 후의 근대철학, 특히 영국 경험론의 창시자이다. 엘리자베스 여왕 치하에서 국회의원이 된 것을 비롯하여 제임스 1세 치하에서는 사법장관 등 요직을 지냈으나 수뢰(收賂) 사건으로 의회의 탄핵을 받아 관직과 지위를 박탈당하고 정계에서 실각된 후 만년을 연구와 저술에 전념하였다. 많은 저술을 남겼으나 그 대표작은 《노붐 오르가눔(Novum Organum)》이다. 그는 기억·상상·이성이라는 인간의 정신능력에 따라 학문을 역사·시학·철학으로 구분하였고, 다시 철학을 신학과 자연철학으로 나누었다. 그의 최대 공헌은 자연철학 분야에 있었고, 과학적 방법론·귀납법 등의 논리 제창에 있었다.

시도한 사람이 비코(Vico, Giovanni Battista, 1668~1744)다.

르네상스시대의 순환사관은 계몽주의시대로 접어들면서 변화의 모습을 보인다. 어떤 단순사항의 반복적인 발전(예를 들면, 마키아벨리의 덕성이나 바사리의 예술적 기능)이 아니라, 인간생활의 총체적인 것들로 구성된 하나의 과정으로서의 역사를 생각하였고, 이러한 역사의 진행은 단순한 반복·순환이 아니라, 순환하면서도 직선적인 발전, 내지는 확대과정으로 인식하게 되었다.

이에 있어 천재적인 아이디어를 제시한 사람이 비코다. 비코는《신학문(Scienza Nuova)》이라는 저서를 남겼다. 이 책에서, 그는 과거를 지배하는 역사의 보편적인 법칙, 즉 역사의 어떤 패턴이 있는가? 그리고 이 법칙은 특별한 인간의 역사에 있어서 어떻게 반영되고 있는가? 하는 것을 알고자 하였다.

역사는 진리의 자기표상 과정

앞에서 이미 언급하였듯이, 비코는 데카르트의 대 명제 "생각한다, 고로 존재한다."에 대응해서 "생각한다, 고로 내가 존재해 있음을 발견한다."라는 명제를 세워 그가 말하는 '새로운 학문'을 세우고자 하였다.

그는 '발견되어져야 할 진리'와 '발견되어진 진리'를 구별한다. 전자는 영원불변의 진리일 것이고, 후자는 인간에 의해서 인식된 것이다. 인식이란 발견과 발명을 뜻하는 것이니, 그것은 다시 인간에 의해서 만들어진 진리이다. 인간에 의해서 만들어진 진리란 그 인간이 처

▶ 베이컨

▶ 비코

해 있는 시간·공간, 및 인간의 능력에 따라서 각각 다를 수밖에 없다.

비코에 따르면, 역사는 진리의 자기표상(自己表象) 과정이다. '발견되어져야 할 진리'가 인간에 의해서 발견되어 가는 과정이 역사다. 달리 말하면 절대적 진리는 존재하는 데, 그것은 스스로는 표상(表象) 할 수 없고 인간의 정신활동을 통해서만 표상된다.

따라서 역사는 진리의 자기 표상과정이지만 그것을 이룩해 가는 것은 인간이다. 역사를 구성하고 있는 사건 사실들이란 인간에 의해서 표상된 진리이다. 이 진리란 진리 그 자체일 수는 없고 진리의 일부분이든가 진리의 일면, 또는 어느 정도의 진리일 뿐이다. 이러한 진리는 인간의 정신생활을 통하여 발견되어 인간의 현실생활 형태로 만들어진다.

여기서 진리의 발견은 상황과 인식의 문제로 이어진다. 인식은 필요(Need)와 유용성(Utility)의 문제로 연결된다. 인간의 삶의 조건, 또는 상황은 필요와 유용성을 발생시키고, 인간은 필요성과 유용성에 따라 진리를 발견한다. 인간이 어떠한 상황에서 어떤 형태의 진리를 발견하느냐에 따라 역사는 대체로 3가지 형태로 반복해서 전개된다.

그 **첫 번째 시기가 신들**[諸神]**의 시대다.** 인류는 원시시대에 숲 속에서 살았다. 이 시대를 요즈음 시대구분법에 따라 구석기시대라 하면 어떨까? 이 때에 사람들은 자연에 대한 두려움을 갖고 자연에 순응하며 살아야 했다.

여기서 필요하고 유용한 것은 자연만물을 신으로 경배하는 것이다. 아직 상상이나 이성과 같은 사고력은 발달되지 못하여 모든 것을 감성으로 느끼고 이해하고 표현하였다. 그들의 관심은 신들에게 집중되고 그들의 진리는 신화를 통해서 이해되고 표현되었다. 생활은 채취 어로나 초보적 농경을 행하는 야만적인 것일 수밖에 없다. 그래서 이 시대를 숲 속의 시대, 신들의 시대, 신화의 시대, 야만의 시대라 한다.

그 **두 번째 시기가 영웅의 시대다.** 사람들은 숲 속을 나와 작은 촌락을 만들고 정착생활을 하게 된다. 요즈음 시대구분으로 신석기시대 내지는 청동기시대라 하면 어떨까? 이 시대에는 씨족 집단이 이루어지고 토템이라는 신을 중심으로 족장인 영웅들이 등장하여 씨족을 이끌며 다른 씨족들과 연맹을 맺던가 하여 귀족적인 국가를 구성하고 모든 곳을 통치한다.

영웅들은 스스로 탁월한 능력을 발휘하여 민중 위에 군림한다. 신에게 시를 써서 읊어 제사를 지내고, 신탁을 대신하여 전쟁을 수행한다. 여기서 필요하고 유용한 것은 상상력이다. 이때 진리는 상상적 지식, 시적 지혜로 표현된다. 그래서 이 시기를 영웅의 시대, 상상의 시대, 시의 시대라 한다.

세 번째 시기가 **인간들의 시대**다. 인간들이 도시를 만들고 살게 된 시대다. 이 시대에는 인간정신이 이성의 형태로 표현된다. 때문에 모든 인간들은 본성에 있어 평등하다는 것을 인식하게 되어 먼저 대중적 국가(공화정의 민주국가)가 성립되며 그 다음에는 군주국가가 성립된다. 이 두 가지 형태의 국가는 모두 인간적인 정부다.

이 시대에 필요하고 유용한 것은 신에 대한 경배나 영웅에 대한 복종이 아니라 구체적인 개념을 담은 지식이다. 개념 지식이란 신화나 시처럼 애매모호한 것이 아니라 이성에 근거한 구체적이고 사실적인 것이다. 이를 표현하는 수단으로 산문이 발전한다. 그래서 이 시대를 인간들의 시대, 이성의 시대, 산문의 시대, 고전의 시대라 한다.

나선형적 순환

이상과 같은 세 가지 특징의 시대는 순차적으로 반복·순환한다. 그러나 이러한 반복·순환은 동일한 원(圓)의 반복을 의미하는 것이 아니라, 그 원(圓)이 앞으로 전진(前進)하여 그 규모나 그 질에 있어서 진보를 나타내고 있는 나선형적(螺旋形的) 순환이다.

비코는 그리스 역사에서 이에 대한 모델을 찾은 것이 아닌가 생각된다. 호메로스 이전 시대의 그리스는 신들의 시대다. 이 시대의 인간들은 잔인하고 야만적이었으며, 이 시대의 관습은 아직 종교에 물들어 있었다. 만사는 신들에 의해서 결정된다고 믿고 있었다.

호메로스에 의해서 서술된 시대로부터 호메로스 자신의 시대에 이르면, 감각은 상상으로 전환된다. 여기서는 인간의 의식이 신화적이고 시적인 형태로 표현되기 시작하였으며, 언어와 법률과 문화의 발전이 있었다. 이 시기의 중엽에는 농업이 경제의 기초로 되었고, 소수자들이 지배자 또는 지도자의 역할을 담당하는 일종의 귀족정치가 성립되었다. 이 시기의 의식의 시적인 표현은 호메로스의 신화에서 보인다. 즉 스파르타는 농업 경제와 전사귀족정치의 중요성을 나타내고 있다.

마지막으로 아테네의 지배권 확보와 더불어 그리스 역사에는 이성의 시대가 도래(到來)하였다. 여기에는 모든 자유시민들이 평등하게 생각되어지는 민주형태의 정부가 출현하고 이와 더불어 사물들의 보다 안정된 상태가 이루어진다. 인간은 그의 잔인성을 버리게 되고 보다 자비로워 진다.

이상의 실례는 로마사나 전체 세계사의 과정도 나선형적 순환발전론에 따라 설명 될 수 있다. 이에 따르면 그리스의 에게 해시대—로마와 중세의 지중해시대—근세의 대서양세계—태평양세계—지구촌세계로의 발전·확대 과정을 생각해 볼 수 있다.

그러나 여기에도 문제가 없는 것은 아니다. 유럽의 역사 발전과정을 바로 세계사의 발전과정으로 볼 수 있는가 하는 것이다. 중국이나 인도 그리고 우리나라의 역사를 제외시킨 입장에서 말이다.

볼테르의 굴곡의 역사

4개의 축복된 시대

계몽주의라는 시대적 특성 때문일까. 아니면 우연의 일치일까? 비코와는 사상적 맥락을 달리하는 볼테르(Voltaire, 1694~1778)가 역사관에 있어서는 유사한 생각을 가지고 있었다. 볼테르는 데카르트 학파의 맥락을 이은 계몽주의 사상의 대표다. 그런데 그는 자연과학적 사고에 몰입되어 있던 여느 사상가들과는 달리 역사에 관심을 가졌다. 그리고 역사철학이라는 말을 처음으로 만들어 썼다. 뿐만 아니라《루이 14세 시대사》라는 역사책을 남겼다. 여기서 볼테르는 비코의 나선형적 순환발전론과 유사한 굴곡(屈曲, up-down)의 역사발전을 주장하였다.《루이 14세 시대사》의 서문에서 피력하고 하는 그의 역사발전을 요약하면 대개 다음과 같다.

역사상 모든 시기에는 영웅들과 정치 지도자들이 출현하였다. 인민들은 이들에 의해 이룩된 혁명을 경험했다. 그런데 역사를 사실·사건으로만 기억해 두고자 하는 이들의 눈에는 매 시대가 동일하게 보인다.

▶ 볼테르

▶ 카이사르

그러나 사려 깊은 사람이라면, 전체로서의 세계사를 보게 될 것이며, 거기서 4개의 시대를 생각하게 될 것이다. 4개의 시대란 축복된 시대들이다. 위대한 지도자가 출현하고 철학과 예술의 완성으로 인간 정신의 위대성이 표현된다. 그리하여 신기원을 이룩한 시대다.

그중 **첫 번째**는 필립2세와 알렉산더 대왕의 시대[5]다. 이 시대에 위대한 정치가로서 페리클레스[6]가 출현하였고, 철학자로서 소크라테스 플라톤 아리스토텔레스가, 예술가로서 페이디아스 아리스토파네스 소포클레스 에우리피데스 사포 등이, 그리고 웅변가 데모스테네스 등이 출현하여 인류문화의 황금기를 이룩하였다. 지구상의 다른 모든 곳에는 아직도 야만적 상태에 놓여 있었다. 유독 그리스라는 제한된 지역에서 이와 같은 영광의 문화가 찬란한 꽃을 피웠던 것이다.

두 번째는 카이사르[7]와 아우구스투스의 시대다. 이 시대는 루크레티우스(Lucretius)[8], 키케로[9], 리비우스, 베르길리우스[10] 등의 이름을 통해서 알려진 시대다.

세 번째는 메흐메트 2세[11]에 의해서 콘스탄티노플이 점령당한 이후, 즉 르네상스 시대다. 이탈리아의 한 평범한 가문인 메디치가[12]가 투

5　그리스가 문화의 절정을 지나 펠로폰네소스 전쟁으로 혼란을 겪고 있을 때, 그리스 북방에
　위치한 마케도니아에서는 필립 2세가 행정개혁 군사력 확충 등을 통하여 국력을 증대시켰다
　그리고 그리스로 침입하여 그리스 제국을 통일하였다. 그러나 필립 2세는 암살을 당하고 그
　아들은 알렉산더 대왕이 집권하여 그리스인들의 반 페르시아 감정을 이용하여 그리스를 지
　배할 목적으로 동방원정을 일으켰다.

6　**페리클레스(Pericles, 기원전 495?~429)**
　페르시아 전쟁을 승리로 이끌고 델로스 동맹을 주도하여 국부를 증진시켜 국내적으로는 민
　주주의의 꽃을 피우고 문학 예술 학문 등의 발전을 이룩하여 아테네 문화의 황금의 꽃을 피
　웠다.

7　**카이사르(Caesar, 기원전 100?~44)**
　로마는 포에니 전쟁이후 전세계의 지배자로 군림하였다. 이때 국내에서는 군벌이 등장하여
　삼두정치가 출현되었는데, 이때 카이사르는 제1회 3두정치를 행하다가 폼페이우스 크라수
　스 등 정적을 무찌르고, 원로원으로부터 종신의 총통, 대원수로 임명받아 실질적인 로마의 황
　제가 되었다. 그러나 공화주의자인 부르투스와 카시우스 등에 의하여 피살되고 그 뒤를 이은
　아우구스투스가 정식으로 황제 위에 오른다. 이로부터 200년간을 팍스로마나라 하여 대평화
　기가 온다.

8　로마의 시인이며 에피쿠로스학파의 대표적 학자.

9　**키케로(Cicero, Marcus Tullius, 기원전 106~43)**
　고대로마의 문인·철학자·변론가·정치가. 처음에 그는 보수파 정치가로서 활약하였으며, 집
　정관이 되어 '국부의 칭호를 받기도 하였다. 그러나 카이사르와 반목하여 정계에서 쫓겨나 문
　필에 종사하였다. 그는 수사학의 대가이자 고전 라틴 산문의 창조자이며 동시에 완성자라
　고 불린다. 그의 철학은 절충적인 처세 도덕론에 불과하지만 그리스어를 번역하여 그리스 사
　상을 로마에 도입하였다는 점에서 공적은 큰 것이다. 현존하는 작품으로는 《카틸리나 탄핵
　(In Cat-ilinam)》외 58편의 연설과, 《국가론(De Republic)》, 《법에 관하여》, 《신에 관하여(De
　natura deorum)》, 《의무론(De officiis)》등의 철학서와 《노년론》, 《우정에 관하여》같은 소품,
　그리고 친구인 아티쿠스 등에게 보낸 서한이 있다.

10　**베르길리우스(Vergilius Maro, Publius, 기원전 70~19)**
　고대 로마의 시인. 영어로는 버질(Virgil)이다. 20세 때 《에클로가에(Eclogae)》의 작시(作詩)
　를 시작하여 33세에 완성하였다. 그 후 11년에 걸쳐 장편서사시 《아이네이스(Aeneis)》를 썼
　는데, 《아이네이스》는 미완성 작품으로 현재 12권이 남아 있다. 그의 애국심과 종교적인 경건
　함, 풍부한 교양과 시인으로서의 기교, 이러한 점들로 해서 시성(詩聖)'으로서의 대우를 받았
　던 것이다.

▶ 키케로

▶ 베르길리우스

▶ 단테

르크 족이 그리스로부터 몰아낸 학자들을 피렌체로 불러들여 어떠한 제왕들도 행하지 못한 찬란한 문화를 창조한 시대다. 이것은 이탈리아의 영광의 시대다.

이 시대엔 문학에 있어 단테[13], 페트라르카(Petrarch, 1304~1374), 보카치오(Boccaccio, 1313~1375)가 등장하여 활약하였고 미술에선 레오나르도 다빈치(Leonard da Vinci; 1452~1519), 미켈란젤로(Michelangelo, 1475~1564), 라파엘(Raphael, 1483~1520) 등[14]이 나왔다. 이 때에 이탈리아인들은 마치 그리스인들이 지혜라는 이름을 그들에게 주었던 것과 마찬가지로 덕(德)이라는 이름으로 그들을 부르는 명예를 제공하였다. 모든 것은 완숙으로 향하고 있는 것이다.

네 번째는 루이 14세(Louis XIV, 1643~1715) 시대다. 이 시대는 위의 4개의 시대 중에서 가장 완전에 가까이 접근한 시대일 것이다. 그 이전에 있었던 3개의 시대에 발견된 것들에 의하여 풍만해져 있는 시대는 어떤 장르에 있어서는 위의 세 시대의 것을 다 합친 것보다도 더 많은 것을 행한 시대다. 모든 예술이 진실로 메디치가 시대나 아우구

스투스 시대, 알렉산더 시대의 것들 보다 훨씬 더 진보된 것은 말할
것도 없고, 인간의 이성 일반이 개선되었다.

볼테르 역사관의 요점

이상과 같은 볼테르의 말을 통하여 우리는 다음 몇 가지를 생각해
볼 수 있다.

첫째는 부분적 목적사관이다. 그에 의하면 역사란 과거에서 현재를
향하여 진전되어 온 과정이다. 그러므로 일종의 진보적 목적사관이라
할 수도 있다. 그 과정은 매 시대마다 목적을 설정하고 그것을 향하여
진전되어 온 과정이다. 그 과정의 초기 단계에서는 미숙하고 저급하
였던 것이 점차 시간이 흐르고 역사가 진전되어 감에 따라 완숙되고

---

11 **메흐메트 2세(Mehmet II, 1430~1481)**
오스만 투르크의 황제, 1444년 황제위에 올라 헝가리와 베네치아의 동맹군을 격파하고 세력
을 넓혀 1453년에는 콘스탄티노풀을 점령함으로써 동로마제국을 멸망시켰다.

12 **메디치 家**
피렌체를 지배하며 르네상스를 실질적으로 후원한 대재벌가문. 유럽에 16개의 은행을 세울
정도로 상업과 금융업에 성공하여 교황청의 재정을 장악하고 막대한 자본을 가지고 학자들
과 예술가들을 보호하였다.

13 **단테(Dante, A., 1265~1321)**
이탈리아 최대의 시인. 중세와 르네상스를 연결하는 교량의 역할을 함. 대표작으로 《신곡(神
曲, Divine Comedy)》이 있다. 페트라르카, 보카치오와 더불어 이탈리아 르네상스 문학의 금
자탑을 쌓음.

14 르네상스를 대표하는 3대 미술가, 그중 레오나르도 다빈치는 《모나리자》, 《최후의 만찬》으로
미켈란젤로는 성 시스틴 성당에 그려진 《천지창조》, 《최후의 심판》, 조각으로 《피에타》, 《다비
드 상》, 《모세 상》 등으로 유명하며 라파엘은 성모마리아상으로 유명하다.

고급스러운 것으로 발전되어 가는 것이었다.

둘째는 일종의 반복·순환 이론을 가미시키고 있다는 것이다. 각 시대의 문화는 일단 정상(頂上)에 올라 완숙된 문명에 이르면 점차 몰락의 길을 걷게 되고 종국에는 완전한 붕괴에 이르게 되며, 거기서 새로운 문화의 싹이 터서 또 하나의 시대를 위한 신기원을 연다는 것이다.

셋째는 보편사적 직선사관을 주장하고 있다는 것이다. 그에 따르면, 역사상의 문화의 생성소멸은 같은 선상에서 반복된다. 그러나 그것을 담당하는 국가나 민족 등의 주체는 교체되어 왔다. 그리스인에게서 로마인에게로, 로마인에게서 피렌체로, 그리고 피렌체인에게서 프랑스인에게로……. 여기서 완숙에 이른 문화는 현대에 가까워질수록 수준이 높아진다는 것이다. 비코의 나선형에서 현대를 의미하는 상부로 올라 갈수록 순환의 원이 커지는 것과 마찬가지로, 볼테르에게선 굴곡이 반복되면서 정점(頂點)이 점점 높아져왔다는 것이다.

넷째는 역사를 인간이성의 발전과정으로 인식하였다고 하는 것이다. 역사상 매 단계에서 이루어지는 굴곡이 반복될수록 정점의 높이가 더 높아지는 것은 그 만큼 인간의 이성의 수준이 더 높아졌기 때문이라는 것이다.

헤겔 역사철학의 선구

위와 같은 볼테르의 역사에 대한 생각에서 우리는 르네상스 이래의 역사사상가들의 생각들이 종합되어 있음을 감지할 수 있다. 문화의 생성소멸과정으로 본 것은 바사리의 생각과 유사하고, 문화의 변천과정을 생각한 것은 마키아벨리의 생각과 유사하며 역사의 굴곡이 반복될수록 이성의 수준이 향상되어 문화의 수준이 보다 높아진다고 하는 생각은 비코에게서 그 유사점을 발견할 수 있기 때문이다.

그러나 주지하는 바와 같이 볼테르는 이성을 강조한 계몽주의 사상가다. 그러므로 그는 처음으로 역사가 인간의 이성이 발전되어 가는 과정으로 이해하여 앞으로 역사를 절대이성의 자기실현 과정으로 이해하게 되는 헤겔 역사철학의 선구가 되었다.

헤르더의 순환사관

낭만주의의 선구자

볼테르의 역사사상이 비코의 것과 유사하다 하였지만 그보다 더 비코를 닮은 사람은 헤르더[15]다. 그는 어두운 고서점에서 버려져 있던 비코를 지식세계로 끌어내어 빛을 보게 만든 첫 번째 사람이기도 하다. 데카르트를 거역한 비코로서는 계몽주의시대에 태어났지만, 당시 지식사회에서는 망각되어 있었기 때문이다.

볼테르가 비코와 유사한 역사관을 주장했다 하지만 그것은 그의 개인적인 취향과 역량의 발휘일 뿐 그 시대의 일반적 경향은 아니었다. 이 시대의 역사의식을 대표하는 것은 콩도르세를 중심으로 하는 진보사관 또는 직선사관이었다(이 부분은 후에 별도로 논의하기로 한다).

---

15 **헤르더(Herder, Johann Gottfried von, 1744~1803)**
독일의 철학자·문학자. 쾨니히스베르크대학에서 공부하였고 그곳에서 젊은 I.칸트와 J.G.하만의 감화를 받았다. 직관주의와 신비주의를 앞세워 칸트의 계몽주의적 합리주의 철학에 반대하였다. 비코의 영향을 입어 독일 역사철학의 시원을 마련하여 헤겔의 역사철학에 연결시켜 주었다. 대표작은《인간사의 철학에 대한 개념들(Ideas Toward a Philosophy of the History of Man)》이다.

▶ 헤르더

헤르더는 철학적으로 칸트의 제자다. 그리고 칸트는 계몽주의사상을 완성시킨 사람이다. 그러나 헤르더는 칸트의 계몽주의에 머물러있지 아니하고 낭만주의라는 새로운 사조의 선구자가 된 사람이기 때문이다. 그럴 수 있었던 데에는 비코의 영향이 컸다. 그러므로 헤르더의 역사에 대한 생각은 계몽주의적인 역사관을 비판하는데서 비롯된다.

역사는 합리적이지 않다

헤르더의 역사철학에 대한 생각은 《인간사의 철학에 대한 개념들(Ideas Toward a Philosophy of the History of Man)》이라는 저서에 나타나있다. 여기에서 그는 나름대로의 역사의 개념을 설정하고 있다. 그 대강을 정리하면 다음과 같다.[16]

---

16 Ronald H. Nash, Ideas of History 참조.

첫째, 계몽주의는 인류의 진보에 대한 확고한 확신에서부터 출발하는 것이다. 이에 따르면, 모든 역사는 야만상태와 미신상태에 있던 인간이 거기에서 탈피하여 계몽된 상태로 발전되어 온 과정이다. 이에 대해서 헤르더는 역사에서 진보를 찾는 것은 가능한 일이지만, 그것이 계몽주의자들이 주장하는 바와 같이 어떤 최종적 목표를 향한 의식적이고 합리적인 진보는 아니라 한다. 역사의 발전은 인간의 의지나 신의 간섭과는 관계없이 나름대로 자기의 갈 길을 가는 것이므로 인간에게는 비합리적이고 무의식적인 것으로 보인다는 것이다.

둘째, 계몽주의는 과거사를 야만적이고 미몽적(迷夢的)인 것이라고 생각하여 경멸의 대상으로 취급하는 경향이 있었다. 그러나 헤르더에 따르면, 역사가는 과거를 모멸하거나 비판해서는 아니되고, 오히려 동정을 가지고 그것을 취급해야 된다는 것이다. 그리고 가능하면 역사가는 각 문화의 삶 속으로 들어가서 그것을 안으로부터 이해하려고 노력하여야 한다는 것이다.

셋째, 계몽주의자들은 인간의 본성은 일률적이고 불변하는 것이라고 주장하였다. 이에 대해 헤르더는 인간의 본성은 시간과 공간의 차이에 따라 변할 수 있는 것이며, 따라서 각 시대와 문화는 그 나름대로의 특성을 지니고 있는 것이라고 주장한다. 그러므로 인류의 역사는 많은 형태를 지니게 된다는 것이다.

헤르더에 의하면, 각 문화는 일종의 식물처럼 그것이 태어난 토양에 의존해서—불규칙적으로, 그리고 자의적으로—자라난다. 각 문화의 자라남은 단순히 적당한 시간, 적당한 장소에 올바른 인민들이 있었던 결과로 생겨난 것이다. 문화들은 일반적인 법칙에 고정됨이 없이, 각자 그 자체의 방법으로 발전하여 왔다.

영혼의 자기표현 3단계

이상과 같은 주장에 따라, 헤르더는 역사는 3개의 과정에 따라 발전하고 있는 것이라고 생각하였다. 그리고 이 과정 속에서 매 단계마다 거기에 알맞은 특징적인 인간성(Humanity)이 스스로를 나타내고 있는 것으로 보았다. 즉 그는 역사를 인간성의 총화인 영혼(靈魂)이 스스로를 표현해 가는 방법의 발전과정으로 보았다. 이에 따라 역사의 발전과정을 시적 단계, 산문적 단계, 철학적 단계 등 3단계로 구분해서 설명하고 있다.

첫째 단계인 시적 단계에서 인간들은 노래로써 그들의 영혼을 표현하고 서사시로서 그들의 기억을 보존하였다. 헤르더는 이 시기를 다음과 같이 묘사하고 있다.

> 그들은 매일 생활을 노래하였다……. 그 언어는 감각적이었고 그들의 이미지에는 용기가 넘쳐흘렀다. 그러나 아직 그것은 감정의 표현이었다. 이때에는 아직 산문적 저술가들이 있지 않았으므로, 시인들이 시를 통해서 가장 중요한 사건들을 불멸화 하였다. 그 시인들은 노래를 통해서 교육을 하였다. 그러므로 그 시대의 노래들 속에는 전쟁과 승리, 이야기와 격언들, 그리고 법률과 신화가 포함되어 있다.

둘째 단계로서 산문적 단계는 시적 단계 뒤에 오게 되는 단계인데, 여기서 인간은 그의 영혼을 산문으로 표현한다. 이때에는 시적 단계에 비하여 감정보다 이성이 발달하게 된다. 이것을 헤르더는 남성적 속성의 발달로 표현하였다. 이 단계의 시대적 특징을 다음과 같이 서술하고 있다.

> 젊은이가 보다 성숙해지면 해질수록, 지혜와 정치적 성숙도가 본질에 가까워지면 가까워질수록, 보다 더 남성적으로 되고 젊음은 끝나 간다. 그의 남성적인 시대의 언어는 시가 아니라 아름다운 산문이다.

다음은 **셋째** 단계인 철학적 단계다. 헤르더에게 있어서 영혼은 그 자체가 진화하는 것이다. 그에 의하면, 영혼은 모든 인간적 경험의 총화인데 이것은 시간의 경과에 따라 얻어지는 총화이고, 이것이 완성된 상태가 철학적 단계이다.

이런 의미에서 헤르더는 역사를 인류를 위한 교육과정으로 이해하였다. 즉, 역사의 발전은 인류의 경험의 증대 과정이며, 또 미숙한 상태에서 성숙해 가는 과정이다. 이러한 과정을 통해서 최종적으로 인류가 성숙된 철학적인 단계를 다음과 같이 표현하고 있다.

> 성숙의 시대인은 아름다움 대신에 예의를 안다……. 세속적인 지혜가 미분화되면 될수록 그리고 그것이 유사성을 거부하면 할수록, 그만큼 더 비예의적인 단어 대신에 예의적인 단어를 받아

들일 수 있는 능력이 커진다.

  결론적으로 헤르더의 역사관은 일종의 순환사관이다. 역사는 시적
단계에 그 출발점을 두고 시작되어 산문의 단계를 거쳐 철학적 단계
로 변천하여 간다. 여기까지가 헤르더의 역사발전 과정의 전체라면
그것은 직선적인 목적사관이라 해야 할 것이다. 그러나 문제는 역사
의 발전이 철학적인 시대에서 종결되고 말 것인가 하는 것이다.

  헤르더의 역사관은 그 형태에 있어서 비코의 것을 답습하고 있다.
비코가 역사과정을 야만시대 영웅시대 고전시대의 3가지 단계로 파
악하고 있는 것을 나름대로, 자신의 시대성에 맞추어서, 약간의 변형
을 가했을 뿐이다. 이점을 생각할 때, 그의 철학적 단계는 다시 시적
단계로 이행될 것이고, 그렇게 해서 역사는 순환의 길을 가게 된다.
그렇지 않다면 역사는 종결되고 말 것이기 때문이다.

7장
역사를 어떻게 볼 것인가(2)

슈펭글러의 서구의 몰락

역사를 문화의 단자로 이해한다

역사는 어떻게 진행되어 가는가? 이 문제에는 "무엇을 역사로 생각하는가?"라는 문제가 제기될 수 있다. 거대한 시간의 흐름 속에서 태초와 종말을 상정하고 역사를 논의하는 거대담론의 경우, 하나의 세계사 또는 보편사의 진행을 말하게 된다. 여기서는 그 '하나의 세계'가 어떤 세계를 말하는가 하는 문제를 낳는다.

앞에서 논의한 퇴보사관이나 복고사관, 그리고 순환사관에서 이 문제는 확연히 나타난다. 이 경우들에서 이야기되는 역사는 하나의 선(線)을 따르는 과정일 수밖에 없다. 특히 서양인들이 주장하는 사관일 경우, 그것은 주로 서양사의 맥락일 수밖에 없기 때문이다. 여기에 눈을 고착시킬 때 "동양에는 역사가 없다"는 랑케의 망발도 가능하게 된다.

그러나 역사를 몇 개의 단자(單子)로 볼 때에는 이야기가 달라진다. 마치 대자연 속에서 생성소멸과정을 반복하는 식물과 마찬가지로 거대한 세계사의 흐름 속에서 생성소멸과정을 거듭하는 문화와 문명들

 ▶ 슈펭글러

 ▶ 토인비

을 역사의 단위로 이해하려 한다면 역사를 보는 시각은 크게 달라질 수 있다. 이러한 시각으로 역사를 이해하고자 한 이들이 오스발드 슈펭글러[1]와 아놀드 토인비[2]다.

---

1 **슈펭글러(Spengler, Oswald, 1880~1936)**
독일 하르츠 지방에서 출생하여 뮌헨 베를린 할레의 각 대학에서 수학과 자연과학을 전공하였으나 철학 역사 예술에도 관심을 가지고 연구하였다. 김나지움(고등학교)의 교사를 지내다가 1911년 이후 뮌헨에서 문필생활로 생애를 보냈다. 이때 《서구의 몰락》(제1권 1918, 제2권 1922)을 저술했다. 만년에는 나치즘으로 기울었으나 그의 페시미즘이 받아들여지지 않아 고독과 불우한 생활을 하다가 일생을 마쳤다. 《인간과 기술》(1931), 《정치론집》(1932) 등의 저서도 있다.

2 **토인비(Toynbee, Arnold Joseph, 1889~1975)**
영국의 역사가, 문명평론가로서 《역사의 한 연구》를 남겼다. 그는 런던 출생으로 옥스퍼드대학에서 고전고대사를 전공하고 왕립 국제문제연구소 연구부장, 런던대학 국제사 연구교수, 외무성 조사부장을 역임하고 런던대학 명예교수가 되었으며, 1956년에는 명예훈위보지자의 서열에 올랐다. 그 밖의 저서로 《Nationality and War》(1915), 《Greek Historical Thought》(1924), 《A Survey of International Affairs》(1924~1938), 《Civilization on Trial》(1948) 등이 있다.

유기체인 유럽문명은 몰락한다.

슈펭글러는 1919년 《서구의 몰락(Der Untergang des Abentlandes)》 이라는 책 1권을 세상에 내놓아 당시 유럽인들을 놀라게 하였다. 'Abentland' 즉 '저녁의 나라'의 석양이 지고 몰락의 암흑이 올 것이라는 예언적인 책 제목 자체가 서구인들의 자존심을 무너뜨린 것은 말할 나위도 없으려니와 역사상 미증유의 처참한 전쟁인 제1차 세계대전을 치르고 난 유럽 지성인들에게는 커다란 위기의식을 불러일으키기에 충분하였다. 그러면 슈펭글러가 말하는 서구의 몰락이란 무엇을 의미하는가?

슈펭글러는 역사학에 일종의 형태학[3]을 도입하였다. 자연의 형태와 마찬가지로 역사는 생성소멸 과정을 거치는 하나의 유기체라는 것이다. 유럽의 역사 또한 하나의 유기체이니 만큼 몰락하지 않을 수 없으며, 그 몰락의 시기가 가까이 왔다는 것이다. 여기서 유럽 인들이 놀라는 것은 당연한 일이다. 그러면 유럽이 왜 몰락한다는 것인가?

그는 역사 자체 내에서 몇 개의 원리를 끌어내고 그것을 통해서 서구문화의 미래를 점쳤고, 서구의 몰락을 예언하였다. 서구의 몰락을 예견한 원리란 무엇인가?

그에 따르면, 역사의 기본 단위는 문화다. 각 문화는 자존능력(self-contained)을 지니고 있다. 각 문화는 다른 문화와 상호의존성을 지니고 있지 않고 생물체들의 독자적인 자존능력을 지니고 있는 것처럼

---

3   생물의 형태나 구조를 비교하여 생물이 나타내는 개별성으로부터 일반성을 이끌어내는 생물학의 한 분야.

나름대로의 독자적인 형태를 지니고 있다. 이 부분을 그는 다음과 같은 말로 표현하고 있다.

인류의 역사는 목적도 없고 이념도 없고 계획도 없다.
문화는 제각기 자신의 이념 감정 생명 의지 죽음을 갖는다.
문화는 자라고 늙는다.
문화는 꽃이 자라듯 아무런 목적이 없이 자란다.
문화는 유기체다. 세계사학은 생물학이다.

문명의 봄 · 여름 · 가을 · 겨울

슈펭글러에 따르면, 유기체로서의 문화는 소년기·청년기·장년기·노년기를 갖는다. 문화의 생명을 유지하고 성장할 수 있게 하는 활력을 제공 하는 것은 그 안에서 타고 있는 영혼의 불꽃이다. 이 불꽃이 꺼지면 그 문화는 문명의 단계로 간다. 문명은 문화의 쇠퇴기다.

다시 그는 문화가 문명기로 이행하여 가는 과정을 봄·여름·가을·겨울의 사계절의 절기변화로 표현하였다. 그는 이러한 문명의 성립을 8개의 모델을 실례로 들어 설명하였다. 그러나 여기서는 서구사회 하나를 중심으로 설명하기로 한다.

1. 봄은 문화이전기(文化以前期)**다.** 유목생활을 하던 인간은 농경기술을 알게 되어 자연을 어머니로 섬기게 된다. 이들은 문화와는 무관하다. 도시적인 것을 거부한다. 이들은 기독교 등의 종교

를 알지 못하다. 이 시대는 정치도, 계급도, 대중도, 국가도 없다. 다만 추장을 중심으로 한 혈연적 부족만이 있다. 그들은 역사를 갖지 못한다. 프랑크 왕국시대(500~900)[4]가 이 시대다.

2. 여름은 초기문화기(初期文化期)다. 이 시기는 서구의 중세로 봉건제도[5]와 귀족국가의 시대로 크게 나누어진다. 그중 봉건시대에는 농촌생활이 중심이 되지만 도시가 출현하고 귀족(성곽)과 신관(사원)이 출현한다. 즉 봉건 제후들이 난립하여 각자 장원을 만들고, 그 가운데 성곽을 세워 분권적 정치사회를 이끌어간다. 이 시대의 중요한 요소들로는 교회의 승려계급이 있고 기사제도와 영주계급이 있다.

그러나 십자군 전쟁 후 봉건제도가 붕괴되고 군주들을 중심으로 하는 군주국가가 성립된다. 이와 더불어 중세도시가 생기고 시민계급과 지식인들이 등장하기 시작한다.

3. 가을은 후기문화기(後期文化期)다. 이 시대에는 국가와 정부가 완전한 형태로 실현된다. 군주국가[6]는 상비군과 관료체제를 확충해가며 발전하여 봉건적인 귀족들을 흡수·통합해서 강력한 절대주의 국가로 발전한다. 이를 위해 상공도시민(부르주아)은 재정을 조달하는 한편 국가의 중상주의정책에 힘입어 부를 축적하고 승려와 귀족에 이어 제3신분으로 등장한다.

이 시대에는 도시가 질적으로 양적으로 발전하여 농촌을 지배하게 된다. 인클로저(Enclosure) 운동[7]은 그 하나의 예다. 그러나 제3신분은 절대왕권에 대항하여 혁명을 일으키고 이것은 나폴레옹의 정복을 거쳐서 궁극적으로 시민의 승리로 이어진다.

4. 겨울은 문명기(文明期)다. 이 시기는 문화의 마지막 단계다. 인

간집단은 무정형(無定型)의 대중으로 화한다. 국가와 민족과 사회
와 신분은 분해되기 시작한다. 도시는 병적인 대도시가 되고 제
4계급인 대중(mass)이 대두한다.

몰락의 조짐

문명기에는 다음과 같은 특징이 나타난다.

---

4   **프랑크왕국(Frankenreich)**
    게르만의 이동으로 서로마제국이 멸망한 뒤 유럽을 지배하던 나라. 왕국은 부족국가에서 출
    발하여 점차 다른 게르만 제부족을 정복 통합하고, 피레네산맥에서 엘베강에 이르는 서유럽
    의 대부분을 포함한 대제국이 되어 민족이동 후의 혼란을 수습함으로써 유럽의 정치적·문화
    적 통일을 실현하였다. 프랑크왕국은 서유럽 최초의 그리스도교적 게르만 통일국가로서 그리
    스도교 문화 및 중세 여러 제도의 모체(母體)가 됨과 동시에, 독일·프랑스·이탈리아 등의 제국
    가(諸國家)가 그 분열·붕괴의 과정 속에서 탄생하였다. 프랑크왕국의 역사는 그 지배왕조에
    의해서, 전반의 메로빙거왕조 시대와 후반의 카롤링거왕조 시대로 나뉜다.

5   **봉건제도**
    10~13세기 서유럽의 사회 경제적 사회구조. 영주·가신·농민이 봉토 또는 은대지를 매개로
    가신의 주군에 대한 충성, 농민의 상전에 대한 조세·부역 등의 의무를 계약조건으로 연결된
    신분적 주종관계. 이로 해서 유럽은 지방분권적 사회구조를 유지하게 되었다.

6   **군주국가**
    십자군 전쟁 이후 점차적으로 봉건제와 장원제도가 붕괴되면서 실력 있는 군주가 등장. 상비
    군과 관료조직을 중심으로 영토와 세력을 확장하고 중앙집권적인 국가체제를 이루어간다. 이
    것은 궁극적으로 절대군주국가로 이행하여가는 초기 단계다.

7   **인클로저(Enclosure)**
    주로 영국에서 볼 수 있었던 토지경영의 형태. 15~16세기의 1차, 18~19세기의 2차가 있었다.
    그중 제1차 곡물생산보다는 이익이 많은 모직공업(毛織工業)을 위한 양모생산을 위해 농토에
    울타리를 치고 양을 기르는 현상을 말한다. 이 결과 농민은 이농하여 도시로 진출하고 이로
    해서 많은 역사적인 변혁이 일어나게 된다. 영국의 근대화 과정에서 중대한 의미를 갖는다.

첫째, 혁명과 무정부상태가 현출된다.

둘째, 그 속에서 제국주의가 나타나고 전제적 독재정치(실례: 독일의 히틀러 이탈리아의 뭇소리니 소련의 스탈린)가 나온다. 문화말기(가을)에 돈이 신분 의무 정책을 이겼듯이 이제 문명기에는 조악한 힘의 압제정치가 돈과 정치(부르주아)를 이긴다.

셋째, 여기서 세계도시(megalopolis)가 출현하다. 이 도시는 문화를 자승자박하여 죽여 버린다. 소수의 세계도시가 농촌을 지배하고 착취하여 고갈시킨다. 이 도시에서 인간은 ⓐ지적 유목민이 되다. ⓑ창조력을 상실한다. ⓒ예술가 철학자 시인을 불필요한 존재로 생각한다. ⓓ대도시인은 기계의 노예가 된다. ⓔ민주주의는 자의적 전제로 변한다. ⓕ신문과 대중잡지는 민중의 정신생활로부터 책을 추방한다. 그리하여 민중으로 하여 되도록 자아의식을 갖지 못하게 함으로써 개인의 선택을 불가능하게 한다.

넷째, 드디어 민중은 한 가지 신문(매스컴)만을 읽게 된다. 이 신문은 아침부터 밤까지 같은 말을 반복하면서 주문을 외운다. 이 때문에 진지한 책은 망각의 세계로 보내지고 신문은 지배자가 필요로 하는 책은 추천하고 그들이 싫어하는 책은 살육하다.

슈펭글러의 책제목처럼 실제로 유럽이 대서양으로 침몰했는지, 아니면 언제 침몰할 것인지는 중요하지 않다. 어차피 인간이 지구상에 살고 있는 한, 어느 문화집단이 몰락하느냐 아니냐가 문제로 되지는 않기 때문이다.

중요한 것은 슈펭글러가 현대의 서구적 문명세계를 확실하게 파악하였으며 냉혹한 비판의식을 발휘하고 있다는 것이다. 그리고 현재에 우리가 당면하고 있는 역사적 문제를 제기하고 있다는 것이다. 과연 위에서 언급한 슈펭글러의 현시대에 대한 비판에서 자유로운 자가 있을 수 있는가?

토인비의 문명성쇠론

절망의 시대의 두 사람

슈펭글러의 역사관은 당시 서구인들에게 큰 충격을 주었다. 그러나 그것은 문장의 난해성, 내용의 추상성, 역사적 사실의 결핍 등의 약점을 지니고 있었다. 그러므로 그것이 제시하고 있는 내용에 비하면 그 학문적 호소력은 크게 떨어졌다.

이러한 결점을 보완하면서 유사한 역사이론을 전개시킨 사람이 아놀드 토인비다. 슈펭글러의 책이 제2차 세계대전을 향하여 줄달음치고 있었던 이른바 '위기의 시기'를 느끼면서 쓰이어지기 시작되어 전쟁이 막바지에 이른 1918년에 출판되었는데 비하여, 토인비는 전쟁이 끝나고 새로운 세계 대전의 전운(戰雲)이 감돌고 있었던 1934년에 《역사의 한 연구》의 앞부분인 1, 2, 3권을 출판하였다.

때문에 두 사람의 작품과 역사관은 유럽사회가 두 번에 걸친 세계 대전이라는 전대미문(前代未聞)의 대규모 전쟁을 전후하여 빚어지고 있어 유럽인은 물론, 모든 인류가 비참하고 절망적인 현상을 목전에 두고 이루어진 작품이라는 공통점을 지닌다.

역사는 문화·문명사

토인비의 저서는 대작이다. 그러므로 그것을 다 읽어서 그 내용을 완전히 소화시킨다는 것은 전문가에게도 과중한 부담이 따른다. 때문에 이 글에서는 몇 가지 요점만을 중심으로 소개하는 것으로 만족하겠다.

토인비는 역사를 문화 또는 문명사로 보았다. 그는 "역사연구의 가지적(可知的, intelligible) 분야는 …… 민족국가나 도시국가 또는 어떤 다른 정치 사회들보다 시간·공간적으로, 훨씬 더 확장되어 있는 사회들이다……. 이 사회들(국가들이 아닌)은 역사학도들이 취급해야 하는 사회적 원자다."라고 했다. 한마디로 토인비는 역사의 단위를 도시나 국가로 보지 않고 하나의 문화 또는 문명으로 보았다. 그리고 그것의 성장과 소멸 과정을 이해함으로써 역사를 이해하고자 하였다.

26개의 문명

그러면 이처럼 토인비가 역사학의 연구대상으로 생각한 문화 또는 문명이란 무엇인가? 그것은 종교·지역·정치적 특성 등을 함유하고 있는 일종의 사회다. 이 점에서는 슈펭글러의 그것과 별로 다를 것이 없다.

그러나 토인비가 취급하고 있는 단위는 슈펭글러의 것보다 크고 숫자에 있어서도 훨씬 많다. 그리고 슈펭글러가 취한 것이 8개에 불과하였는데 비하여, 토인비는 21개(후에는 26개)였다. 그러므로 토인비의 연구는 광대한 저술로 나타났다. 그가 설정한 26개의 문명은 다음과 같다.

　서구문명, 두 개의 그리스 정교회문명, 이란문명, 아라비아문명, 힌 두교문명, 두 개의 극동문명, 헬레네문명, 시리아문명, 인도문명, 중국 문명, 미노아문명, 수메르문명, 히타이트문명, 바빌로니아문명, 안데 스문명, 멕시코문명, 유카탄문명, 마야문명, 이집트문명, 그리고 5개 의 '성장이 정지된 문명(폴리네시아, 에스키모 노메디, 오스만, 스파르타)' 등이 다.

도전과 응전의 원리

　이상과 같은 문명들에서 특히 관심을 가졌던 것은 발생에 대한 문 제였다. 그중에서도 특별한 화두로 작용한 것은 "왜 어떤 문명들은 원 초적 단계에서 성장이 멈추어버렸고 다른 문명들은 성장을 계속하여 상당한 수준에까지 이르렀는가?" 하는 것이었다.

　이에 대해서 그는 '도전과 응전'의 원리를 세워 설명하였다. 모든 문명은 그 발생과 성장과정에서 도전을 받게 되는데, 거기에 응전을 잘 하면 성장하여 상당한 수준에 이르고, 그렇지 못하면 애초에 소멸 해버리든가, 아니면 중도에 성장이 정지되어버린다는 것이다.

　그는 모든 생명은 외부적인 힘에 의해서 생성과 소멸이 결정되는 것이 아니라 내면적인 힘에 의해서 결정되는 것이라는 철학을 가지 고 있었다. 이 철학에 따라 그는 문명이나 문화 또한 외부적인 도전에 대한 내면적인 응전을 통해서 성장한다는 원리를 세운 것이다.

　그에 따르면, 문명이란 종족이나 지정학적 요소와 같은 조건이 충족되었다 해서 발생하고 성장하는 것은 아니다. 물론 이 두 가지 조건이 충족되면 어느 정도의 문명이 발생할지는 모르나 성공적으로 성장할 수는 없다. 이 두 가지의 조건 외에 창조적 소수자의 출현이라는 제3의 조건이 요구된다.

어차피 문명을 창출하는 것은 인간이다. 어느 지역의 제반 조건하에서 살고 있는 종족들의 삶을 통해서 그 특수 조건에 적합한 특수한 문명이 창출된다. 그러므로 원초적인 문명은 자연조건과 그 속에서 이루어지는 인간의 삶의 함수관계에 의해서 생성되며 그 특징이 결정된다.

그러므로 문명의 발생에 있어 일차적으로 문제가 되는 것은 자연조건 즉 환경이다. 환경이란 인간의 삶에 대한 도전이다. 환경이 너무 열악하여 인간이 살수가 없는 곳에서는 문명은 발생될 수 없다. 반대로 환경이 너무 좋아서 인간이 아무런 도전을 받지 않는 곳에서도 문명은 발생할 수 없다. 문명의 발생은 너무 부적합하지도 않고 너무 적합하지도 않은 환경의 두 가지 조건의 특수한 결합에 기인하는 것이다. 다른 말로 문명의 발생은 황금의 중용(Golden mean)에서 가능하다.

이러한 황금의 중용을 조건으로 지니고 있는 인간사회에는 문명이 발생하고 그렇지 못한 사회는 하급문명(下級文明)의 수준에 머물러 있게 된다. 이러한 조건하에서 문명이 탄생한다고 하는 메커니즘은 도전과 응전의 상호작용으로 공식화된다.

여기서 한 사회를 이루고 있는 인간집단은 도전을 받는 대상이다. 이 메커니즘에서 도전은 대체로 ①환경적인 도전과 ②덜 환경적인 도전으로서의 침략자와 반대자들의 도전으로 구분된다. 이중 환경적인 도전이라 함은 환경이 좋거나 반대로 나빠서 오는 도전을 의미하며 덜 환경적인 도전이란 환경이 아닌 인간들의 침략으로 당하는 도전을 의미한다. 문명은 이러한 도전에 성공적으로 대응하면 성립되고 그것을 인내하지 못하면 성장하기 전에 질식해 버린다.

환경적인 도전인 경우 고대 이집트문명이 성공사례다. 사하라 사막의 점차적인 확대는 인민들을 나일 강 주변으로 모이게 했다. 그러나 예측하기 어려운 나일 강의 범람과 고갈은 이들로 하여금 강력한 지도자 파라오를 중심으로 하려고 웅대한 고대문명을 창출하게 만들었다.

덜 환경적 도전인 경우는 고대 바빌로니아문명에서 그 성공사례를 찾아볼 수 있다. 티그리스 강과 유프라테스 강으로 만들어진 비옥한 초승달 지대(開月帶)[8]를 장악하기 위한 수많은 종족들의 혈투, 그것은 부국강병을 이루기 위해 필요한 강력한 법률을 만들어 강력한 전제국가 체제를 만들기에 필요한 도전이었다.

환경적 도전인 경우 폴리네시아[9]와 에스키모 문명에서 그 실패한 사례를 찾아볼 수 있다. 폴리네시아의 경우는 환경이 너무 좋아서 문명의 성장이 멈추어진 경우고, 에스키모의 문명은 환경이 너무 나빠서 성장이 멈추어진 경우다

영화와 석화

그러나 아무리 자연적 환경의 도전이 문명성장에 적당하다 하더라

도 모두 다 응전에 성공해서 문명을 발생·성장시키는 것은 아니다. 도전에 대항해서 응전하여 성공할 수 있는가 없는가는 그 사회가 도전에 응전할 수 있을 정도로 영적(靈的)인 힘을 지니고 있는가, 없는가에 달려 있다.

영적인 힘을 가지고 있어서 성공적으로 응전을 치러나가는 과정을 영화(靈化)라 보고 그렇지 못한, 즉 도전은 있으나 영적인 힘이 쇠약해져서 응전에 실패해 나가고 있는 과정을 석화(石化)의 과정이라 하였다. 토인비의 연구자 나쉬(Nash)는 이에 대해서 다음과 같이 설명한다.

> 우리는 어떻게 언제 문명이 성장하고 있는지를 알 수 있는가? 성장에는 어떤 기준이 있는가? 토인비가 제시하고 있는 기준은 그가 영화(靈化, etherealization)라고 부르는 특별한 종류의 변화다. 문명들은 일련의 도전들에 대한 응전으로 성장한다. 이러한 도전들은 점진적으로 그 본성에 있어서 보다 영적(靈的, spiritual)인

---

8 **비옥한 초승달 지대(Fertile crescent)**
이라크의 티그리스 강과 유프라테스 강 유역을 말한다. 이 지역은 동북쪽으로 이란고원에 연결된 수많은 산맥들이 있고 서남쪽으로는 아라비아 사막이 있어서 그 사이에 티그리스 강과 유프라테스 강이 북에서 남동쪽으로 흘러 페르시아 만으로 들어간다. 이 두 개의 강은 인류에게 비옥한 옥토를 제공하였다. 이 지대는 서쪽으로 시리아와 팔레스타인을 거쳐 이집트 국경에 연결되어 마치 초승달 모양의 지형을 이루고 있다.

9 **폴리네시아(Polynesia)**
폴리네시아란 '많은 섬들'이라는 뜻. 태평양 여러 섬들 사모아 피닉스 제도(諸島), 하와이 제도, 뉴질랜드 섬 등이 포함된 오세아니아 동쪽 해역에 있는 수천 개 섬들의 총칭. 폴리네시아인의 일족이 이 곳에 살기 시작한 것은 기원전 수세기로 추정되나 그 후 기원 후 아시아에서 이주민들을 따라서 전달 전승된 문명이외에는 별다른 문화발전이 없었던 것으로 생각된다.

것으로 된다. 어떤 사회가 물질적인 장애들과 자연적인 도전들을 극복했을 때, 그 사회가 외적이고 물질적이기 보다 내적이고 영적인 도전들에 대응할 수 있는 능력이 풀려지게 된다. 확실히 모든 과거의 문명들은 그것이 더 이상 높이 전진할 수 없는 단계에 도달했었다.

그러면 토인비에게 있어서 문명의 성장이란 무엇인가? 그것은 어떤 문명사회의 지리·영토적 확대를 의미하는 것이 아니다. 또 그러한 확대를 통해서 이루어지는 것도 아니다. 실례로 현재 서구의 문명이 제국주의를 통해서 세계적으로 그 영역을 확대시켰다 해서 서구문명이 성장한 것은 아니다.

반대로 지리적 확대가 문명성장의 저해(沮害, retardation)와 해체(解體)로 연결되는 경우가 허다하다. 또 문명의 성장은 기술적 진보, 자연환경에 대한 지배력의 확대로 이루어지는 것도 아니다. 기술상의 진보와 문명의 진보 사이에는 상호관계가 없다. 문명의 성장은 "문명의 진보적이고 누적적인 내적 자기 결정(a progressive and cumulative inward self-determination or self-articulation of the civilization), 즉 그 사회가치의 진보적이고 누적적인 영화(etherealization)와 그 문명의 기구와 기술의 단순화로 이루어지는 것이다. 사회와 사회, 개인과 개인의 관계의 측면에서 보면, 성장이란 언제나 새로운 환경의 도전에 대한 언제나 새로운 응전의 과정에서 나타나는 카리스마적 소수자의 끊임없는 창조적 진퇴의 과정이다.

창조적 소수자의 역할

그러면 사회가치의 진보적이고 누적적인 영화는 어떻게 가능한가? 토인비는 이 문제에 관련하여 창조적 소수자의 역할을 제시하고 있다. 사회가치의 진보적이고 누적적인 영화를 가능케 하는 것은 창조적 소수자의 역할이다. 따라서 창조적 소수자가 지속적으로 출현하여 영적인 지도력을 발휘하여 도전에 대한 성공적인 응전을 할 수 있는 한, 문명은 계속적으로 성장·발전할 수 있다.

그러나 현실적으로 그것은 불가능하다. 문명의 초기 성장단계에서는 영적인 지도력을 발휘하던 창조적 소수자들이 문명이 어느 정도 성장단계에 이르면 그들의 지위만을 보유하고 향유하려는 지배적 소수자로 전락하게 되어 영적인 지도력을 잃게 된다. 이때가 되면 문명은 석화의 과정을 밟게 된다.

문명이 성장된 단계란 법들, 목적들, 신앙들, 그리고 정부의 어떤 단위가 존재하는 보편국가(Universal State)에까지 성장한 단계를 말한다. 그러므로 문명이 보편국가에 도달된 후에는 붕괴되기 시작한다. 이 시기에 이르면 성장기의 창조적 소수자가 새로운 도전에 대한 성공적 대응을 하기는커녕, 이미 이룩한 승리에 도취되어 휴식하기를 시작하며, 상대적 가치를 절대적인 것으로 '우상화'하기 시작한다. 그래서 카리스마적인 매력은 상실되기 시작하고, 대중은 이들을 모방하고 추종하던 일을 멈추기 시작한다.

여기서 그들은 내적 프롤레타리아(그 문명의 다수 구성원)와 외적 프롤레타리아(경계선을 넘어 들어오는 야만인들)를 맞이해야 하고 이들을 다스리기 위하여 권력을 사용해야만 한다. 이 과정에서 그 자체와 문명의 생명을 유지시키는 수단으로써 만들어진 것이 '보편국가(Universal State)'이기 때문이다.

마치 그리스의 지배적 소수자에 의해서 창조된 아티카제국[10]이나 로마제국과 같은 것이 바로 그것이었다. 이들은 수많은 전쟁을 일으키고 완성한 제도들의 노예로 되어 그 자체의 문명의 파괴를 위하여 작용하였다.

문명의 몰락

여기서 문명의 몰락은 시작된다. 그 과정은 ⓐ문명의 몰락, ⓑ문명의 붕괴, ⓒ문명의 해체라는 세 개의 작은 국면으로 구성된다. 몰락의 과정은 그렇게 급격하게 진행되는 것은 아니다. 몰락에서 해체까지의 과정은 수세기 심지어는 수천 년까지 시간이 걸린다. 예를 들면, 이집트문명의 몰락은 기원전 16세기에 일어나서 해체는 기원 5세기에 이르러 이루어졌다.

몰락에서 해체까지의 2천 년간의 과정은 '죽은 상태에서 석화되는 삶(petrified life-in-death)'의 과정이었다. 이와 유사한 석화(petrified)의 현상은 극동문명이 9세기에 그 몰락을 시작한 이래 오늘날까지 중국에서 지속되고 있다. 수메르문명과 헬레니즘문명의 역사에서, 이 두

---

10 **아티카제국**
도시국가 아테네가 중심이 되어 페르시아전쟁에서 승리한 뒤, 델로스 동맹을 중심으로 부강해져서 에게 해 주변은 물론, 지중해 영역을 지배하며, 안으로는 화려한 문화의 꽃을 피웠다. 이 시대를 아티카제국이라 한다.

문명이 서로 연결되는 과정에서 약 1천8백 년간이라는 세월이 흘렀다. 그리고 그 밖에 것들(사회들)도 …… 석화되고 있는 나무의 등걸과 마찬가지로 …… 수세기 간의 '죽은 상태에서의 삶'의 단계에서 어물어물 시간을 보내었다. 그럼에도 불구하고 모든, 아니면 대부분의 문명은 다소의 시간적 차이는 있어도 최종적인 해체의 단계에 이른 것으로 보인다.

새로운 보편종교의 필요

슈펭글러는 비관적인 견해로 그의 주장을 끝냈다. 그러나 종교사관을 앞세운 토인비는 조금 달랐다. 그는 유럽의 문명은 현재 석화의 과정을 걷고 있으므로 슈펭글러의 주장과 마찬가지로 몰락이 예견된다고 했다. 그렇다고 절망할 것만은 아니라 했다. 만약 유럽인들이 다시 한 번 신에게로 귀의하여 인류의 보편적 종교를 만들 수만 있다면, 유럽의 몰락은 면할 수도 있다는 기적의 희망을 제시하였다. 그는 그 희망을 다음과 같이 호소하고 있다.

우리는 하느님이 우리의 사회에 내려준 형 집행정지(刑執行停止) 처분이, 만약 우리가 회개하는 정신으로, 그리고 찢어지는 가슴으로 다시 그것을 요청한다면, 한 번쯤은 받아들여질 것을 기도할 수도 있고 또 해야만 하는 것이다.

이러한 토인비의 생각을 따르면, 오늘날 서구사회가 몰락과 붕괴의 징후를 보이고 있는 것은 그 사회와 문명을 이루어온 창조적 소수자, 즉 서구 문명의 핵심적 요체인 기독교적 지도력을 지니고 대중을 이끌어온 자들이 그들의 핵심인 기독교 신앙을 상실하고, 그 껍데기인 제도와 권력만을 동원하여 사회를 지배하고 있기 때문이라는 것이다.

그러므로 이러한 그들의 현실을 올바르게 파악하고 반성하여 그들의 종교를 새롭게 하고 새로운 신앙심을 가져 신에게 회개하고 구원을 요청한다면 슈펭글러가 예언한 서구의 몰락을 막을 수도 있다는 것이다.

그러면서 그는 새로운 종교로서 '보편종교'를 제시하였다. 즉 그는 《역사의 한 연구》 뒤에 나온 책들에서, 역사의 최종적인 목표는 보편종교의 구성에 있다고 하였다. 그런데 그것은 세계의 주요 종교들의 요소들을 결집한 하나의 보편적 교회 위에 기초한 새로운 종교적 사회라고 주장함으로써 그의 보편종교라는 것이 서구문명의 기초가 되었던 기독교와는 다른 어떤 것임을 암시하고 있다.

슈펭글러와 토인비의 문제점

슈펭글러와 토인비의 생각은 당시 유럽인들의 많은 관심을 불러일으켰다. 그들의 조상이 살아왔고, 그들이 살고 있으며, 그들의 후손들이 살아가야 할 그 유럽이 몰락한다 하니 놀라지 않을 수 없지 않겠는가?

한편 이러한 이론에 대한 비판도 나왔다. 그 비판들은 역사 또는 문화·문명이 마치 어떤 씨에서 발아(發芽)한 풀 한 포기가 자라나서 꽃을 피우고, 열매를 맺고, 소멸하는 것처럼 유기체적인 생활의 과정을 걷는 것인가 하는 문제에 집중되었다.

크리스토퍼 도슨의 비판

도슨[11]은 영국의 종교철학자이며 문화사가로 서양 중세사를 연구한 영국의 역사가다. 그는 《세계사의 원동력(The Dynamics of World History)》이라는 저서를 통해서, 역사란 하나의 흐름이며, 그 흐름은 하나의 문명의 성장과 몰락으로 끝나는 것이 아니라고 주장하였다.

▶ 부르크하르트　　　▶ 호이징가　　　▶ 베이컨

　그에 따르면, 역사의 흐름은 앞 시대의 낡은 문화의 요소가 새로운 요소와의 병존기(竝存期)를 거쳐서 점차적으로 새로운 요소의 것으로 전환되어 가는 과정이다. 한마디로 역사란 단절적인 것이 아니라 연속적인 것이며, 어느 하나가 끝나고 새로운 것이 시작되는 것이 아니라, 어느 것이 생성해 있으면서 그와 더불어, 또는 그 속에서 새로운 문화나 문명을 잉태 발전시켜 나간다는 것이다.

　도슨의 주장은 상당한 호소력을 갖는다. 인간의 삶도 마찬가지가 아닌가? 한 세대가 죽고 다음 세대가 태어나는 것이 아니라, 최소한

11　**도슨(Dawson, Christopher Henry, 1889~1970)**
　　영국의 종교철학자 문화사가(文化史家). 1911년 옥스퍼드대학교 트리니티 칼리지를 졸업한 후 스웨덴에 유학하여 경제학을 수학하고, 다시 옥스퍼드대학원에서 역사학과 사회학을 연구하고 하버드대학 교수를 역임하였다. 옥스퍼드대학원에서 수학할 무렵, E. 트뢸치의 저서에 감명을 받아 자신의 생애를 종교와 문화 비교연구에 바치기로 결심하였다. 주요 저서에 《진보와 종교(Progress and Religion)》(1929), 《유럽의 형성(Making of Europe)》(1932), 《종교와 근대국가(Religion and the Modern State)》(1935), 《종교와 문화(Religion and Culture)》(1949), 《종교와 서구문화의 흥륭(興隆, Religion and the rise of Western Culture)》(1950) 등이 있다.

2~3세대가 병존(竝存)해 있으면서 새 세대가 출생하고 낡은 세대는 서서히 소멸되어 가는 것이 아닌가? 문화나 문명 또한 마찬가지다.

예를 들면, 부르크하르트[12]와 같은 유명한 역사학자도 한때는 르네상스를 중세와 관계없이, 또는 중세문화의 죽음 위에서 이룩된 것이라 하였다. 이러한 부르크하르트의 생각을 로빈슨(Robinson)은 "그 앞 시대에 관한 무지에서 나온 잘못"이라고 비판하였다. 그리고 호이징거[13]라는 네덜란드의 역사가는 '르네상스는 중세의 가을'이라는 유명한 말을 남기고 있다.

그도 그럴 것이, 르네상스를 중세의 대표적 철학인 스콜라철학으로부터의 탈피로 이해하는 이들도 있으나, 이미 스콜라철학자들 중에는 르네상스인보다도 더 근대적 사상을 피력하고 있는 사람들(아벨라르[14]와 로저 베이컨[15])이 있으며, 르네상스 이후인 오늘날에도 스콜라 철학자들보다도 더 중세적인 신앙을 고집하고 있는 사람들도 있으니 말이다.

---

12 **부르크하르트(Burckhardt, Jacop, 1818~1897)**
스위스의 역사가. 베를린대학에서 랑케에게 역사학을 배웠다. 독일·이탈리아의 미술을 연구하여 미술사가(史家)로서도 인정을 받아, 바젤대학의 사학(史學)·미술사 교수가 되었다. 그의 대표 작은 《이탈리아 르네상스의 문화》. 이것은 르네상스사 연구에 결정적인 영향을 주는 명저로서, 이후 '르네상스란 말은 역사상 일반 용어로 쓰이게 되었다. 그의 이론의 특징은 역사 연구의 임무란 '발전'이 아니라 '항상적(恒常的)'인 것, 반복되는 것, 유형적인 것'의 3가지를 실증적으로 탐구하는 것이라 하였다.

13 **호이징거(Huizinga, Johan, 1872~1945)**
네덜란드의 역사가. 그로닝겐에서 출생하여 그로닝겐대학교와 라이프치히대학교에서 공부하고, 그로닝겐대학교와 레이대학교에서 역사교수를 하다가 나치스에 잡혀 죽을 때까지 억류상태에 있었다. 그에게 명성을 안겨준 《중세의 가을》(1919)은 14~15세기 프랑스와 네덜란드의 생활과 사상을 밝힌 것이다.

근대에 들어서도 마찬가지다. 우리는 흔히 계몽주의 시대니, 낭만주의 시대니 하여 역사상에 명백한 구획선을 그으려고 한다. 그러나 그것은 인위적인 조작이다. 계몽주의 시대의 일면에서도 낭만주의가 자라고 있으며 낭만주의 시대의 일면에서는 계몽주의가 빛을 잃어가고 있다.

그러므로 역사에 있어서 어떤 특징을 중심으로 시대를, 무 자르듯, 구별 짓는 데는 많은 무리가 따른다. 그러므로 구별이란 극히 상대적인 것이다. 따라서 계몽주의 시대라 하면 그 계몽주의가 완전히 성숙되어 있을 때라든가, 또는 그러한 경향이 위세를 떨치고 있던 시대를 의미하는 것이어야 한다. 결코 계몽주의가 생성소멸과정을 끝마친 뒤에 낭만주의가 생성되는 것은 아니다.

그러기에 서구의 몰락이라고 하는 슈펭글러의 경종에 대해서 서구인들은 너무 놀랄 것이 없다. 왜냐하면 서구의 몰락은 몰락이 아니라 새로운 세계의 잉태, 다시 말해서 전 지구상(全地球上)에 단일 문화권을 형성하기 위한 탈바꿈에 불과하기 때문이다.

오늘날 우리 한국 사람은 한국 사람으로 살고 있다. 그러나 우리는 조선왕조의 문화전통을 무시하고는 살아갈 수 없다. 조선 왕조가 정

---

14 아벨라르(Pierre Abelard, 1079~1142)
　중세의 대표적 스콜라철학자이면서도 "회의에 의하여 연구에 이르며, 연구에 의하여 진리에 이른다"고 하였으며, "논증은 이성이 하는 것이요, 성서의 말이나 기적이 하는 것이 아니다"라고 함으로써 믿어도 안 후에 믿으라고 하였다.

15 로저 베이컨(Roger Bacon, 1214~1294)
　스콜라철학의 사변적인 학풍에 반대하여 경험만이 진리를 발견하는 길이라고 하여 관찰과 실험의 중시를 주장하였으며 일체의 선입견과 권위를 부정하였다.

치적으로는 1910년 한일합병으로 종언을 고했는지 모르지만, 그렇다고 조선의 문화적 전통이 소멸된 것은 아니기 때문이다. 그렇다고 우리는 조선의 전통만을 고집할 수도 없다.

슈펭글러의 말대로 몰락해 버렸을지도 모르는 서구문화의 전통이 우리에게 다가와서 우리의 전통과 함께 융합되어가고 있다. 그래서 현재의 한국문화를 이루어가고 있는 것이다. 그러므로 오늘의 한국문화는 조선문화이며 서양문화이며 동시에 세계적인 문화인 것이다. 지금 우리는 어떻게 서양 것, 조선 것을 구별해내겠는가?

그렇다고 슈펭글러나 토인비의 지적이 전적으로 틀렸다는 것은 아니다. 그들은 대단한 역사지식과 역사감각을 지닌 이들이다. 그들이 진단한 서양문화의 병적인 요소들은 틀리지 않다. 이런 면에서 소로킨은 그 두 사람에 대하여 긍정적 평가를 한다.

소로킨의 견해

소로킨[16]은 역사학자라기보다는 문화를 주제로 하는 사회학자라

---

16 **소로킨(Sorokin, Pitirim Alexandrovich, 1889~1968)**
러시아의 투리아 출생. 페테르부르크대학을 졸업하고 모교의 교수가 되어 철학 심리학 윤리학 역사학 법학의 연구를 거쳐 범죄학에서 사회학으로 방향을 전환하여 1917년 모교 최초의 사회학 교수가 되었다. 10월혁명 후 케렌스키파라고 하여 사형선고를 받았으나, 구명운동으로 1923년 국외추방령을 받고 미국으로 가 1930년에 귀화하였다. 미네소타대학에서 교편을 잡고, 1930년 하버드대학에 사회학부를 창설하는 등 미국 사회학계의 거두가 되었다. 주요 저서에 《사회이동(Social Mobility)》(1927), 《사회·문화의 원동력(Social and Cultural Dynamics)》(4권, 1937~1941), 《혁명의 사회학(Sociology of Revolution)》(1925), 종합사회학의 구상을 구체화한 것으로 《사회 문화 및 인격(Society, Culture and Personality)》(1947) 등이 있다.

▶ 소로킨

하여야 할 사람이다. 그러므로 도슨과 같이 역사의 연속성이나 단절성에 대한 관심보다는 어떤 문화, 어떤 사회가 건전한가, 아닌가가 주요 관심사이다.

　그러므로 그는 서구의 문화를 진단하고, 그것이 당면해 있는 위기를 파악했다는 점에서 슈펭글러와 입장을 같이 한 사람이다. 즉 그는 서구세계가 당면하고 있는 현재의 상황을 병들어 있는 몸체로 비유하여 다음과 같이 말하고 있다.

　　서구사회의 삶과 조직과 문화의 모든 중요 국면들은 굉장한 위기에 처하여 있다. 그것은 몸체와 정신은 병들어 있고, 그의 몸체에는 상처가 없는 데가 없으며, 그것의 신경섬유에는 건전한 기능을 할 수 있는 것이 없다.

　그에 따르면, 서구사회가 이처럼 병들게 된 것은 서구사회가 생성·발전하여 그 절정기를 지나갔기 때문에 찾아 온 필연적인 결과다. 그러므로 어떠한 치료약으로도 치료가 불가능한 죽음에 이르는 병에 들어 있는 것이다. 이점을 진단하여 그는 다음과 같이 말하고 있다.

> 서구문화와 사회는 이미 그것들의 절정기를 지나갔다. 현재의
> 시간에 그것은 몰락의 마지막 단계에 있다. 그러나 현재의 위기
> 는 그것들의 역사적 실존의 마지막을 알리는 시작일 뿐이다. 어
> 떠한 치료약으로도 이 운명을 되돌릴 수는 없다. 어떠한 치료도
> 서구문명의 죽음을 막을 수는 없다.

그러면 서구문화에 들어있는 병은 어떤 병인가?

소로킨은 그 병을 서구의 사회·정치·경제적인 조직과 그것을 주
도하고 있는 생활 방법의 퇴폐에서 찾으려 하였다. 르네상스 이래
발전하여 그 결과로 세계를 지배하고 있는 가치기준, 그것에 근거
한 사고방법, 행동양식이 병들어 있는 것이라고 하였다. 이것을 그는
'Sensate적' 경향이라 한다.

그러면 'Sensate적' 경향이란 무엇인가? 'sensate'란 '감각적' '유물
적'이란 말이다. 르네상스 이래의 서구문화와 서구사회를 지배해 온
가치기준, 사고방법, 행동양식이 감각적이고 유물적 즉 물질 위주였
다는 말로 이해 될 수 있을 것이다.

소로킨에 의하면, 사회의 변화는 감각적 형태(senate form)와 관
념적 형태(ideation form), 그리고 여기에 근거한 두 가지의 세계관
(Weltanschauung)의 변증법적 과정이다.

그런데 서구의 근대문화는 위에서 언급한 대로 감각적 형태를 취

한 것이다. 그리고 그것을 근거로 한 사고방법과 행동양식은 병에 들어 있다. 병들어 있는 자는 죽음으로 이어질 수밖에 없다.

그렇다고 슈펭글러나 토인비가 말하고 있는 것처럼, 서구문명이 곧 사망·소멸로 이어지는 것은 아니다. 그 이유는 문명과 문화란 슈펭글러의 생각처럼 생물학적 유추(類推)에 따라 소멸하는 것이 아니라, 변증법적으로 전환되는 것이기 때문이다.

변증법에 있어서 정(正, an sich)이 기력이 다해지면 그것에 반(反, feur sich)이 생성되어 대립하게 되고, 그 대립은 새로운 정으로 이어지는 것이다. 서구문명에 있어서 현재의 감각적 형태의 기력이 다하여 서구문명에 병이 들었다면, 그것에 반하는 새로운 관념적 형태가 생성될 것이다. 때문에 서구문명의 병듦이 곧 사망으로 이어지는 것은 아니다. 서구문명의 위기란 종래에 그 문화를 지배해 오던 형태가 해체되어 새로운 형태로 탈바꿈하는 시기가 도래하였다는 것을 뜻할 뿐이다.

오늘의 세계 문명을 이루는 데 있어서 서구의 문명의 공헌은 크다. 그러나 이제 세계문명은 단지 서구적인 문명은 아니다. 지역적으로 전 지구를 통괄하고, 인종적으로 모든 종류의 인종과 민족들이 함께하는 문명인 것이다. 이러한 오늘의 세계문명을 만듦에 있어서 서구가 시작을 했는지는 모르지만, 지금은 아니다. 이제 '서구적'이라는 수식어는 지워져야 할 때가 된 것이다. 이점에서 슈펭글러나 토인비의 서구의 몰락 이론은 긍정적으로 받아들여져야 한다.

그렇다고 서구세계가 대서양 속으로 침몰해 버린 것도, 유럽 인들이 일시에 사망해 버린 것도 아니다. 앞으로도 그런 일은 없을 것이다. 다만 서구적이라는 문화의 색깔이 지워졌을 뿐이다. 이런 점에서 소로킨의 생각에는 수긍할 부분이 많다.

서구 문명의 위기는 동서양의 문화의 융합, 즉 Senate 형태의 문화와 Ideate 형태의 문화의 변증법적 합일의 시기를 의미하는 것이기 때문이다. 이렇게 해서 역사는 단절되지 않고 지속적으로 자체 쇄신을 이루며 변천되어 가는 것이다.

서양의 르네상스가 중세적 서구세계에 비잔틴과 사라센 문명의 이입으로 이루어진 것이라면, 현재 진행되고 있는 문화의 지구촌화는 동양의 Ideate 형태의 문화적 전통 위에 서구 문명의 Senate 형태의 전통이 이입되어 이루어지고 있는 변증법적 전환의 과정이 아닐까 생각해 본다.

8장
기독교와 직선적 목적사관

역사학의 역사를 돌이켜보면 역사의 과정을 인식함에 있어서 또 한 가지 방법의 큰 흐름을 발견할 수 있다. 역사는 어떤 시작점(알파)에서 출발하여 어떤 목표점(오메가)를 향하여 발전하고 있다는 생각이다. 이러한 생각의 특징은 인간사를 이원론적으로 보는 관점, 즉 선악(善惡)의 대립, 지배자와 피지배자의 대립과 투쟁과정으로 이해하고 있다는 데 있다. 이는 고대 오리엔트 세계의 조로아스터교[1]와 마니교[2]의 이원론에서 출발하여 기독교 세계의 형성과 더불어 진일보하게 된다.

그리고 이것은 비록 기독교 자체를 거부하는 서양 근대 사상에 있어서도 나타난다. 그럴 수밖에 없는 것은 서구의 근대 사상이라는 것이 비록 기독교에서 탈피하려는 노력에서 이루어졌다 하지만, 그 문화자체는 기독교를 바탕으로 하는 것이기 때문이다. 내용 면에서는 시대적으로 차이가 나지만 구성·구조적인 면에서는 기독교를 탈피하지 못하고 있기 때문이다. 한마디로 기독교와 그를 바탕으로 하는 문화는 어느 시대의 몇몇 반대자들이나 비판자들에 의해서 쉽게 파괴되거나 교정될 수 있는 것이 아니다.

인문사회 사상의 구성과 구조를 이루고 있는 것은 역사관이다. 역사관의 문제에 있어서 서구 사상계는 현재에 이르기까지 기독교로부터 자유롭지가 못하다. 중세와 기독교를 파렴치한으로 매도하고 나선 계몽주의도 역사관에서는 기독교적인 직선적 진보사관을 내세웠고, 계몽주의의 완성자라 하는 칸트, 그의 뒤를 이어 현대철학의 원천이 된 헤겔과 헤겔의 정신 변증법을 거꾸로 세웠다고 호언을 한 마르크스도 궁극적으로 기독교적 역사관의 틀을 취하고 있기 때문이다. 그러므로 직선적 목적사관을 이해한다는 것은 오늘을 사는 사람으로서는 매우 중요한 일이라 생각된다.

1　**조로아스터교(Zoroastrianism)**

불을 신성시하고 유일신을 예배하던 고대 페르시아의 종교. 이원론적 일신교(一神敎)로, 경전 《아베스타》에 의하면, 아리만은 악을 택하고, 아후라 마즈다는 선을 각각 택하였다. 신자도 어느 것을 택하는가는 자신의 선택에 달려 있다. 인간은 죽은 뒤 그 영혼은 천국의 입구까지 가서 아후라마즈다를 택한 자와 아리만을 택한 자가 구별된다. 전자는 피안과 차안을 연결해 놓은 외나무다리(칼이라고도 한다)를 건너야 되는 데 전자는 무사히 건너 천국에 들어갈 수 있으나, 후자는 발을 헛디디어 유황불이 영원히 타오르는 지옥으로 떨어진다고 한다. 한편 조로아스터가 가고 3000년이 되면 세상의 종말이 오는데, 그때 구세주가 나타나 천국·연옥·지옥에서 모든 인간이 부활하고, 용해된 금속으로 최후의 심판이 행해져 악은 멸한다고 한다. 이 사상은 유대교·그리스도교·불교·이슬람교의 일부 등 그 후 종교세계에 큰 영향을 미쳤다.

2　**마니교(摩尼敎, Manichaeism)**

3세기에 페르시아왕국의 마니가 창시한 이란 고유의 종교. 조로아스터교(拜火敎)에서 파생되고, 그리스도교와 불교의 여러 요소를 가미한 종교로서, 교조(敎祖) 마니의 이름을 따서 마니교라고 불렀다. 그 교의는 광명(선)과 암흑(악)의 이원론(二元論)을 근본으로 한다. 현실세계는 명암이 혼돈되어 있으나 멀지 않아 광명의 세계가 예정되어 있고, 그 예언자이며 지상의 구제자로서 마니가 파견되었다고 말한다.

기독교와 역사

기독교는 로마문명의 결정체

기독교는 하늘에서 갑자기 떨어진 사상체계가 아니다. 그것은 그
것대로 미미한 시작에서부터 주변의 많은 요소들을 규합하여 성장·
발전하여 가톨릭이라는 거대한—인류 역사상 가장 거대하고 가장 천
재적으로 조직된—체제로 발전한 것이다. 그러므로 우리가 직선적 목
적사관을 이해하려면 먼저 기독교를 이해해야 하고, 기독교를 이해하
려면 그것이 성장 발전해 온 과정을 이해해야 한다.

프리먼[3]이라는 미국의 역사가는 "로마는 그 이전 역사의 모든 흐름
이 유입되어 그곳에서 스스로 소멸되어 버렸고, 그 이후 역사의 모든

---

3   **프리먼(Freeman, Douglas Southall, 1852~1930)**
    미국의 저널리스트이며 역사가. 1904년 리치먼드대학 대학원을 수료하고, 1908년 존스 홉킨
    스대학에서 박사학위를 취득, 1915~1939년 리치먼드 《뉴스 리더(News Leader)》 지(紙)의
    편집장으로 활약하였다. 그 동안 1934년에 리치먼드대학 이사장, 1935~1941년 컬럼비아대
    학 신문학 교수를 역임하였다. 주요 저서로는 《평온한 영지 버지니아》(1924), 《마지막 행진》
    (1932), 《로버트 에드워드 리(R.E.Lee)》(4권, 1935년, 퓰리처상 수상), 《남부의 후예》(1939),
    《리 장군의 부관들》(3권, 1942~44), 《조지 워싱턴》(7권, 1948~57) 등이 있다.

흐름들이 그것을 발원으로 다시 흘러가는 거대한 호수다"라고 말하였다. 또 그는 "고대사에 있어서 가장 의미 깊은 운동은 로마가 지중해 세계의 여러 국가들을 하나의 단일적 정치체제로 병합시킨 일"이라고 했다.

이집트문명, 바빌로니아문명, 페니키아문명, 헤브루문명, 그리스문명 등은 알렉산더 대왕의 젊은 패기와 야심으로 하나의 경계선 안으로 편입되었다. 그리고 그것은 다시 로마제국이라는 거대한 문화의 호수 속에서 무려 500여 년간이라는 세월을 두고 융합의 과정을 거쳐서 하나의 범세계적인 문화로 결정(結晶)을 이루었다.

그 결정체가 바로 기독교라는 하나의 보편적 종교다. 즉 로마제국이라는 세계문화의 호수 속에서 그 문화들이 응결되어 이룩한 결정체가 기독교라는 것이다. 그런데 이 기독교는 서로마 제국이 붕괴된 뒤, 그 자체 내에 포함된 지리적 인종적 문화적 이질성에 따라 이론적으로 감정적·정치적 이해의 대립에 따라 분리되기 시작하여 6~7세기에는 서로마의 가톨릭, 동로마의 그리스 정교회 그리고 좀 더 나아가서는 사라센의 이슬람교로 삼분된다. 그리고 이들은 각기 자신의 특유한 문화를 창출하기 시작하였다. 여기서 중세사는 정립되는 것이다.

기독교의 창립자 바울

기독교의 교주는 예수이지만 그것을 만든 사람은 사도 바울이다. 사도 바울은 기독교의 청사진을 만든 기독교의 설계사이며, 이에 따

▶ 바울

라 직접 작업을 한 노동자이기도 하다. 성서적으로 예수로부터 법통을 이어받은 사람은 베드로였다. 그러나 그는 민족주의자였기 때문에 그의 활동은 유태인을 중심으로 하는 데 그쳤다. 그러므로 그의 기독교는 지방적 유태교의 일파에 불과하였다. 이에 비하여 사도 바울은 전도(傳道) 여행을 통하여 베드로의 민족적이던 기독교를 세계적인 종교로 만들었다.

사도 바울의 본명은 사울이었다. 그는 다른 예수의 제자들과 달리 그리스의 스토아철학에 대하여 깊은 지식을 소유한 지성인이었다. 그러므로 그의 눈으로 볼 때, 무지한 자들의 집단으로밖에는 보이지 않는 기독교인들을 박해하는 일에 있어서 선봉에 섰었다. 그러나 기독교인에 대한 박해를 가하던 중에 이적을 체험하고, 그의 이름을 바울로 개명한 후 기독교의 사도가 되어 전도 사업에 나선 사람이다.

신약성서와 교회의 내력

그는 3회의 걸친 대전도 여행을 행하면서 기독교를 전파했으며, 그

때 가는 곳마다 편지를 보내어 그에 의하여 개종한 사람들의 신앙심을 고취했는데, 이렇게 쓰이어진 것이 로마인들에게 보낸 편지(로마서), 고린도 인들에게 보낸 편지(고린도서) 등으로, 이것은 27편으로 되어 있는 신약성서의 절반이 넘는 15편이다. 그리고 4대 복음 중에도 마태오 복음을 제외하고는 모두가 바울과 관계가 깊다.

바울은 방문지에서 다락방에 원탁을 놓고 거기에 둘러앉은 이들을 향하여 예수를 증언하였다. 이를 한동안 계속하다 보면 깊은 신앙심과 예수에 대한 지식을 갖게 되는 이들이 생긴다. 그러면 바울은 그들을 장로(長老)라 하여 그 모임을 이끌도록 하고, 자신은 다른 곳으로 이동하여 같은 설교와 조직을 하였다. 그리고 그가 지나 온 곳에 편지를 보내면 그곳의 장로는 그것을 읽고 그에 관련하여 말씀을 전달하는 형식의 예배를 보도록 하였다. 여기서 위에서 말한 바울의 편지로 신약이 만들어지고 교회와 예배형식은 시작되었다.

처음엔 교회의 사도와 신자들은 예수의 재림과 세속세계의 종말을 기대하고 있었기 때문에 특별한 조직을 필요로 하지 않았다. 그러나 교인의 수가 증가함에 따라 신입 교인들을 교육시키고 도와줄 수 있는 조직이 필요하게 되었다. 여기서 조직은 점차적으로 발전하게 된 것이다.

이에 따라 다락방을 큰방으로 바꾸지 않을 수 없게 되고, 큰방 앞에는 탁자가 놓이게 되고 거기에는 교회 관리자와 방문한 예언자 또는 사도들이 앉았다. 마룻바닥에는 일반신도가 앉음으로써 탁자에 앉은 성직자와 마룻바닥에 앉은 속인(laity)은 자연스럽게 구별되게 되었다.

교회는 점차 커지면서 신도의 신앙 열이 높아지면서 하나의 교회는 스스로 해체하여 그 신도들을 핵으로 하는 여러 개의 교회를 세웠다. 이로써 교회의 숫자는 기하급수적으로 늘어갔다. 이러한 세포 분열식의 교회의 확산으로 삽시간에 많은 교회의 성립을 보게 되었다.

이렇게 성립된 여러 교회는 지역적인 조직관리가 요구되었다. 여기서 지역조직을 관리하는 감독(episopate, Bishop)이 임명되었다. 감독, 즉 주교는 후기 로마제국의 지방행정 관료와 같은 역할을 종교적으로 담당하였다. 그리고 이들 주교들로 구성된 로마의 행정조직이던 속주(屬州)를 종교적으로 관리하는 대주교(Archbishop)가 임명되었다. 이러한 조직의 확대는 결국 로마제국이 지배하던 세계 모든 곳으로 확대되고, 그 세계는 예루살렘 로마 알렉산드리아 안티오키아 콘스탄티노플 등을 중심으로 하는 5대 교구로 구분되고 거기에는 각각 총대주교(Patriarch)가 임명되었다. 그리고 그중 로마의 총대주교가 교황이 되었다.

기독교적 역사관의 배경

이처럼 확대되어가는 교회에 몰려드는 신도들을 어떻게 교육하여 한 번 보지도 못한 예수를 믿게 하고, 한편으로는 그들의 조직의 확대를 두려워하여 핍박해 오는 로마정부의 박해에 대항할 수 있는가? 이것은 교회를 이끌어 가는 이들에게 매우 어렵고 중대한 문제였다. 여기서 신앙과 사상적 교육은 이루어진 것이다.

이 교육을 위하여 만들어진 천재적 산물이 기독교적 역사관이다. 기독교는 기본적으로 로마의 피압박자들을 대상으로 전파된 종교였다. 당시 팍스 로마나(Pax Romana)의 평화분위기 속에서 귀족들은 그들의 할 일을 잃어버리고 음란과 사치와 방종한 삶에 탐닉하여, 콜로세움에서 전개되고 있는 검투사(gladiator)들의 잔인한 전투놀이로 전통적인 전쟁의 관습을 재연하면서 무고한 인민들을 죽음으로 이끌어가는 만행을 자행하고 있던 시대였다.

여기서 야기된 사회의 현상은 빈익빈(貧益貧) 부익부(富益富)의 극한적 대립이었다. 전쟁을 통해서 약탈해 온 전리품과 노예들로 화려한 생활을 향유하던 귀족들은 평화로 말미암아 수입원은 막혔다. 특히 노예 노동력으로 경작되던 대토지사유제인 라티푼디움[4]은 오랜 평화로 노예의 공급이 중단되면서 붕괴되지 않을 수 없어 콜로누스라는 일종의 소작제도로 변형되어 국가와 귀족들의 수입원은 고갈될 수밖에 없었다.

이에 비하여 한가로움을 즐겨야 되는 귀족들의 생활경비와 국고탕진은 시간이 갈수록 심각하게 되어갔다. 드디어 국가는 실질적 생산과는 관련이 없는 중산계층을 담세자(擔稅者)에 포함시키게 되었다. 민중은 억울함이 있어도 그것을 토설할 입이 없다. 허나 중산층은 어떤 길을 통했던지 말하기를 배운 자들이다. 이들은 귀족과 국가에 대항하는 자세를 취하였고 기독교와 합세하였다.

바울의 기독교는 여기서 힘을 얻는다. 세속적인 권력자를 마치 파

---

4 **라티푼디움(Latifundium)**
로마는 군국주의 국가였고, 귀족들은 장군들이었다. 그들은 많은 해외 원정을 통해서 많은 노예를 소유할 수 있어서, 그 노동력으로 대규모의 토지 경작이 가능하였다. 여기서 이룩된 대토지사유제도가 성립되었다.

라오로 간주하여 자신들을 그에게 압제를 당하던 유태인들로 간주하게 되었다. 여기서 그들은 유대인의 이원론적 역사를 취하여 나름대로 해석하고, 거기서 기독교의 축인 역사관을 세웠다.

유대인의 야훼는 그들의 하느님으로, 유대인을 파라오로부터 구출하여 해방시킨 모세는 그들의 메시아로, 그리고 구약에 출현하는 수많은 사사(士師)들과 선지자들은 기독교의 잉태를 위한 사도들과 성직자들로 각각 대치시켜 나갔다.

이사야와 바울의 구속사관

기독교는 단순한 종교로 끝나는 것이 아니었다. 그것은 유럽의 역사를 주도해 간 중심축이었다. 기독교가 이처럼 유럽사에 있어서 강력한 영향력을 행사한 데는 윤리의식이나 교훈 등 많은 다른 요소들이 있다. 그러나 그중에서도 중요한 것은 그것이 역사적 종교라는 데 있다.

역사가 없이는 기독교는 성립될 수 없다. 기독교의 하느님은 역사를 만들고, 그 역사 속에서, 그리고 그 역사를 통해서 역사(役事)하는 신이기 때문이다. 기독교에 있어서 역사는 곧 하느님의 섭리가 실현되는 과정 그 자체다. 때문에 기독교적 역사관은 그만큼 의미가 크고 또 어떤 역사관보다도 그 영향력이 컸다.

이러한 기독교적 역사관을 완성시킨 것은 성 아우구스티누스다. 그러나 그것은 완성일 뿐, 그가 혼자서 만들었다고 할 수는 없다. 그것이 완성되기 위해서는 예수가 십자가에 못 박혀 죽은 이래 5백여 년이 지난 뒤의 일이다. 그 기간에 많은 교부철학자들의 연구가 있었다. 그러나 여기서 그들의 노력과 업적을 열거할 수는 없다. 다만 그

근간이 되는 사상의 맥락으로서 구약시대의 이사야와 신약시대의 바울의 역사관을 더듬는 데 그친다.

이사야의 역사관

기독교의 역사관은 우선 구약성서 이사야의 예언적 시(詩)에서 찾아볼 수 있다. 이사야의 시는 그 형식에 있어서는 산문의 형태로 된 역사서가 아니라, 예언적인 하나의 시이지만 여기에 담겨진 이야기는 역사의 진행 모습과 그 의미를 충분히 표현해 주고 있다. 다음은 이를 보여주고 있는 이사야의 시다.

> 아, 너희가 비참하게 되리라
> 악법을 제정하는 자들아.
> 양민을 괴롭히는 법령을 만드는 자들아!
> 너희가 영세민의 정당한 요구를 거절하고 내가 아끼는 백성을 천대하여 그 권리를 짓밟으며, 과부들의 재산을 털고 고아들을 등쳐먹는구나.
> 너희는 어떻게 하려느냐? 벌을 받게 되는 날, 먼 곳에서 태풍처럼 재난이 닥쳐오는 그 날에 누구에게 피하여 도움을 청하고 그토록 소중히 여기던 재산은 어디에다 숨겨두려느냐?
> 포로들 틈에 끼어 쪼그리고 앉았거나, 시체들 사이에서 뒹굴 수밖에…….
> 그래도 분노는 사라지지 않아 그 드신 손을 내리시지 않는다.

이처럼 현세는 악법을 제정하고 영세민과 허약자들을 억압하고 착취하는 지배자들의 횡포와 탄압자들에 의해서 인민들, 즉 하느님의 백성들이 비참한 상태에서 살고 있는 세계다.

그러나 이를 용납하지 않는 하느님은 어둠 속에 빛을 보내듯, 메시아를 보내어 인민을 억압하는 자들과 약탈하는 자들의 채찍을 빼앗고 그들을 무찔러 인민들을 질곡에서 해방시켜 그들을 신음케 하는 멍에와 장대를 내려놓게 하며, 그들을 박해하고 억압하는 군화와 군복을 태워버릴 것이라는 것이다. 다음은 이를 노래하는 구절이다.

> 어둠속을 헤매는 백성이 큰 빛을 볼 것입니다.
> 캄캄한 땅에 사는 사람들에게 빛이 비쳐 올 것입니다.[중략]
> 당신(메시아)께서는 그들이 짊어진 멍에와 어깨에 멘 장대를 부러뜨리시고 혹사하는 자의 채찍을 꺾으실 것입니다.
> 마구 짓밟던 군화, 피투성이 된 군복은 불에 타 사라질 것입니다.
> 우리를 위하여 태어날 아기, 우리에게 주시는 아드님.
> 그 어깨에는 주권이 메어지겠고
> 그 이름은 탁월한 경륜가, 용사이신 하느님 영원한 아버지, 평화의 왕이라 불릴 것입니다.

그렇게 되면 '평화스런 왕국'이 도래하게 되는데, 이 나라에는 지배자와 피지배자의 갈등이 없고, 빼앗는 자와 빼앗기는 자가 없는 인류의 이상적인 세계이며 곧 하나님의 나라다. 이 시대를 이사야는 이렇게 노래하였다.

이새의 그루터기에서 햇순이 나오고
그 뿌리에서 새싹이 돋아난다.
야훼의 영이 그 위에 내린다.[중략]
그의 말은 뭉치가 되어 잔인한 자를 치고 그의 입김은 무도한 자
를 죽이리라.
그는 정의로 허리를 동이고 성실로 띠를 뜨리라.
늑대가 새끼 양과 어울리고
표범이 숫염소와 함께 뒹굴며
새끼 사자와 송아지가 함께 뒹굴고, 사자가 소처럼 여물을 먹으
리라.
젖먹이가 살무사의 굴에서 장난하고
젖 뗀 어린아이가 독사의 굴에 겁 없이 손을 넣으리라.

이처럼 역사는 피압박자들의 참혹한 삶에서 출발하여 메시아의 출현으로 압박자는 제거되고 드디어는 평화롭고 평등하며 대립이 없는 세상이 펼쳐져가는 과정이라는 것이다.

바울의 역사관

이러한 생각은 예수 이후, 기독교의 창설자인 사도 바울의 생각으로 연결된다. 사도 바울의 역사관은 로마서 제 5장 12절에서 21절까지의 말씀에서 잘 표현되어 있다. 그 내용은 다음과 같다.

이러므로 〈한 사람〉으로 말미암아 죄가 세상에 들어오고 〈죄〉로

말미암아 〈사망〉이 왔나니, 이와 같이 모든 사람이 〈죄〉를 지었으므로 〈사망〉이 모든 사람에게 이르렀느니라, 죄가 〈율법〉 있기 전에도 세상에 있었으나 〈율법〉 없을 때에는 〈죄〉를 죄로 여기지 아니 하느니라. 그러나 〈아담〉으로부터 〈모세〉까지 아담의 범죄와 같은 죄를 짓지 아니한 자들 위에도 〈사망〉이 왕 노릇 하였나니 〈아담〉은 오실 자의 표상이라. 그러나 이 〈은사〉는 그 범죄와 같지 아니하니 곧 〈한 사람〉의 범죄로 인하여 많은 사람이 죽었은즉 더욱 하나님의 은혜와 또한 한 사람 예수 그리스도의 은혜로 말미암은 선물이 많은 사람에게 넘쳤으리라. 또 이 선물은 범죄 한, 한 사람으로 말미암은 것과 같지 아니 하니 심판은 〈한 사람〉을 인하여 정죄에 이르렀으나 은사는 많은 범죄를 인하여 외롭다 하심에 이름이니라. 〈한 사람〉의 범죄로 인하여 사망이 그 〈한 사람〉으로 말미암아 왕 노릇 하였은즉 더욱 은혜와 의의 선물을 넘치게 받는 자들이 한 분 예수 그리스도의 말미암아 생명 안에서 왕 노릇하리로다. 그런즉 〈한 범죄〉로 많은 사람이 정죄에 이른 것 같이 의의 한 행동으로 말미암아 많은 사람이니 의롭다 하심을 받아 생명에 이르렀느니라 〈한 사람〉의 순종치 아니함으로 많은 사람이 죄인 된 것 같이 〈한 사람〉의 순종하심으로 많은 사람이 의인이 되리라. 율법이 가입한 것은 범죄를 더하게 하려 함이라. 그러나 죄가 더한 곳에 은혜가 더욱 넘쳤나니 이는 죄가 사망 안에서 왕 노릇한 것 같이 은혜도 또한 의로 말미암아 왕 노릇하여 우리 주 예수 그리스도로 말미암아 영생에 이르게 하려 함이라.

위에 인용한 바울의 편지는 많은 그의 편지들 가운데 대표적으로 과거와 현재와 미래를 염두에 두고 쓰이어진 것이다. 여기에서 〈한 사람〉이란 말에는 매우 중요한 의미가 포함되어 있다.

① 죄를 지은 〈한 사람〉은 하나님의 명을 어기고 선악과를 따먹은 아담을 의미한다.
② 그의 〈한 범죄〉는 선악과를 따먹은 인류의 원죄를 의미한다.
③ 이 한 사람의 한 범죄의 대가로 인류는 〈사망〉의 고통을 당하여야 했던 것이다.
④ 그 고통은 모세라는 〈한 사람〉의 출현으로 율법에 의해 대치되었다.
⑤ 그리고 마지막 〈한 사람〉 즉 예수 그리스도의 출현으로 그 율법에 의한 대속(代贖)은 은사(恩赦)로 대치되고 이로 말미암아 많은 사람들이 의인으로 되어 즉 아담에 의한 원죄 이전의 상태로 복귀되었다는 것이다.

여기서 우리는 바울의 역사의식을 구체적으로 발견할 수 있다. 바울은 역사를 인류가 원죄를 지은 상태에서 시작하여 그 원죄로부터 완전히 구속되는 상태로 진행되어가는 과정으로 인식하였다. 그리고 이 역사를 아담, 모세, 그리스도를 중심으로 하는 3시기로 구분하였다.

그중 **제1기**는 아담에서 모세에 이르는 시기로, 이 시기에는 인류가 그 〈한 사람〉이 지은 죄로 말미암아 사망으로 고난을 당하여야 하는 시기이다.

제2기는 모세에서 예수에 이르는 시기로, 이 시기에는 그 원죄의 값을 모세의 율법으로 갚아야 되는 시기이다.

　제3기는 예수가 십자가의 고난을 통하여 아담이 지은 죄를 대속함으로써 인류를 원죄의 족쇄로부터 해방시키는 은사를 베풀었음으로, 인류가 스스로 이를 인정하고 그리스도를 믿으면 그 은사를 받아들인 것이 되어 원죄로부터 구속(救贖)된다는 것이다.

　이러한 구속은 인간 한 사람 한 사람이 각자 예수를 믿음으로써 가능한 것이므로, 전 인류가 다 구속되기에는 많은 시간이 걸린다. 그러므로 예수 이후의 역사는 이른바 구속의 시기가 된다는 것이다.

　마지막에는 최후의 심판이 있다. 즉 예수에 의한 구속의 시기가 끝나면 결국 최후에 심판이 있어서 구속된 자, 즉 예수의 은사를 받은 자와 구속 되지 않은 자, 즉 예수를 믿지 않거나 믿어도 잘못 믿은 자로 구별되는 심판의 날이 도래하게 된다는 이론이다.

　때문에 바울의 역사관에 따르면, 역사는 죄의 상태에서 무죄(無罪)의 상태를 향하여 발전되어 가는 과정이며, 그 발전의 과정은 제1기, 제2기, 제3기로 구별되며, 여기서 제1기는 제2기를 위하여, 제2기는 제3기를 위하여, 그리고 제3기는 최후의 심판과 그를 통한 인류의 무죄상태로의 복귀를 위하여 각각 존재한다는 진보적 목적사관이다. 이러한 목적사관은 성 아우구스티누스에게서 완성되어 전 유럽사의 사상적 구조의 틀을 이루었다.

성 아우구스티누스의 역사관

사도 바울이 기독교를 창설한 사람이라면, 아우구스티누스[5]는 기독교 신학이론을 완성한 사람이다. 역사관의 문제에 있어서도 마찬가지다.

아우구스티누스의 역사관은 그의 저서 《신국론(神國論)》과 《참회록》에 기록되어 있다. 이 두 권의 책은 일반 기독교 신학이론에 있어서도 중요한 저서이지만 역사철학에 있어서는 유럽의 역사관의 기본 틀을 완성한 책이다.

그러므로 아우구스티누스의 사상이 일반인들에게는 좀 어려운 감이 있지만 서양의 역사관을 이해하기 위해서는 짚고 넘어가지 않을

---

5   **아우구스티누스(Augustinus, Aurelius, 기원후 354~430)**
기원후 354년 북부 아프리카에서 마니교도인 아버지와 기독교도인 어머니에게서 태어났다. 카르타고 마다우라에 유학하여 라틴어, 히브리어와 고전을 익히고 수사학을 공부하였다. 18세때 아들을 낳는 등 방탕한 생활로 젊음을 보내다 키케로의 《호르텐시우스(Hortensius)》를 읽고 수사학에서 철학으로 관심을 돌려 선악의 문제와 신의 관계에 의문을 가지고 고민하다가 마니교에서 선악이원론을 터득하고 밀라노의 주교 암브로시우스(Ambrosius)의 영향으로 기독교로 개종하여 히포의 주교가 되었다. 76세의 나이로 죽을 때까지 113권의 저서와 200여 편의 편지를 써서 남겼다. 그중에서 대표적인 것이 《참회록》과 《신국론》이다.

▶ 아우구스티누스

수 없다. 아우구스티누스의 역사관은 대체로 시간관 이원론 종말론 등 세 부분으로 나누어 설명할 수 있다.

시간이란 무엇인가

우선 문제가 되는 것은 "시간이란 무엇인가?"이다. 우리는 일상적으로 시간을 쉽게 말하고 있지만, 막상 "시간이란 무엇인가?" "시간이란 존재하는 것인가?" "존재한다면 어떤 모습으로 존재하는가?"라는 질문을 받으면 막막해진다. 그런데 아우구스티누스는 이 문제를 비교적 이해하기 쉽게 설명하고 있다.

시간마저 당신이 내신 바이니 당신께서 아무 것도 하시지 않은 그 시간이란 도시 없는 것입니다. 또한 어느 시간도 당신과 같이 영원할 수 없는 것이, 당신은 항상 계시기 때문입니다. 시간이 만일 항상 된다면 이미 시간이 아닐 것이나이다.

이 말은 시간이란 영원한 것이 아니라 신에 의해서 창조된 시작과 끝이 있는 것이라는 점을 지적하고 있다. 그리고 이어서 그는 말하였다.

흘러가는 무엇이 없을 때 과거의 시간이 있지 아니하고, 흘러오는 무엇이 없을 때 미래의 시간도 있지 아니할 것이며, 아무 것도 없을 때 현재라는 시간도 있지 아니할 것이다.

시간의 존재는 현상의 변천 과정과 더불어 있음을 가르치는 말이다. 이를 종합해 보면, 시간이란 신에 의해서 세계가 창조될 때에 함께 창조된 것이다. 그것은 세계의 변천과정과 더불어 흘러간다. 그리고 그것은 역사가 종말에 이르게 되면 끝나는 것이다.

이를 비유하면, 시간은 곧 연극상의 시간과 같다. 연극에 있어서 막이 오르면 연극상의 시간은 시작된다. 무대에서 배우의 연기가 진행되고 그에 따라 무대장치가 변화되어감에 따라 시간은 흘러간다. 그리고 연극이 끝나고 막이 내리면 시간은 끝나는 것이다. 여기서 우리는 역사란 시작과 끝을 연결하고 있는 시간의 흐름 속에서 전개되고 있는 인류의 생활과정이라는 생각을 얻게 된다.

신의 시간과 인간의 시간

여기서 주의를 하지 않으면 안 될 것은 연출가인 신의 입장에서 시간과 배우인 인간의 시간은 같지 않다는 데 있다. 시간마저 만든 창조주로서 신은 시간으로부터 초월적인 존재이기에 시간의 시작과 끝을 함께 보고 있다는 것이다. 이에 비하여 그 시간 속에서 태어나 살다가 죽어버려야 되는 인간은 그렇지 못하다는 것이다.

그러므로 신에게는 현재만이 있으나, 인간에게는 과거와 현재와 미래가 있어서 과거를 등지고 현재를 살며 미래를 지향한다는 것이다. 그러면 과거란 무엇이고, 현재란 무엇이며, 미래란 또한 무엇인가? 사람들은 그것들을 구별해서 생각하고 말들을 하지만 실제로 우리가 감지할 수 있는 것은 현재뿐이다. 과거나 미래란 생각 속에만 있는 것이다. 그래서 아우구스티누스는 이렇게 말한다.

이제야 비로소 똑똑히 밝혀진 것은 미래도 과거도 있는 것이 아니라는 것입니다. 따라서 과거 현재 미래라는 세 가지 시간이 있다고 말함이 옳지 못할 것입니다. 차라리 과거의 현재, 현재의 현재, 미래의 현재, 이렇게 세 가지 때가 있다는 것이 그럴듯할 것입니다. 이 세 가지가 영혼 안에 있음을 어느 모로나 알 수 있으나 다른 데선 볼 수 없사오니, 즉 과거의 현재는 기억이요, 현재의 현재는 목격함이요, 미래의 현재는 기다림입니다.

신과 인간의 관계

여기서 신과 인간의 관계, 신의 의지와 인간의 자유의지의 관계가 문제로 된다. 신은 시간과 더불어 그 위에서 변천해 가는 세계를 창조하였다. 그리고 그 세계의 변천과정은 시간의 시작에서 출발하여 시간의 끝을 향하여 진행되어 가는 과정이다. 이 과정 자체가 신의 의지를 표현하는 방법이며 그 과정 속에서 신의 섭리가 작동한다. 그러나 신은 그러한 의지와 섭리를 스스로 실현·작동시키는 것이 아니라 인간을 내세워서 그로 하여금 하게 한다. 즉 신은 인간을 창조했고 그 인간으로 하여금 행동을 하게하고 그 행동과 행위로 엮어진 역사를 이룩하며 그 역사를 통해서 그의 의지를 실현한다. 이런 점에서 인간은 신의 뜻과 섭리를 실현하기 위해서 신에게 고용된 하수인이다.

인간의 자유의지

그러나 인간은 그 나름대로 자유의지를 가지고 있다. 그는 스스로 행하고 있는 행동과 행위는 스스로 자신이 이성으로 세운 계획과 자신의 노력과 활동에 의해서 이루어진 것이라고 생각한다. 그리고 그 행위의 결과가 성공이냐 실패냐 하는 것도 자신의 노력의 결과라고 생각하려 한다. 그러나 신의 입장에서 볼 때, 그것은 그렇지가 않다. 인간의 일은 실제에 있어 신이 이미 예견한 것이고, 그것의 성패도 이미 신의 계획에 포함되어 있는 것이다. 마치 무대에 선 배우가 자기의 역에 열중하여 자신이 실제로 극중 인물인 것처럼 생각하고 극중 인물이 느끼는 성패의 감정 등을 느끼지만, 그것은 이미 극작가가 예상한 것이며 연출가가 마련한 계획 속에 포함되어 있는 것과 같은 것이다.

여기서 신의 의지와 인간의 의지 사이에는 문제가 생긴다. 그렇다면 인간은 완전히 신의 의지대로 살아야 하고 자신의 의지는 완전히 무시당하여야만 하는가?

이에 대한 답은 "그렇지 않다!"이다. 만약 그와 같이 인간이 신의 계획을 실현하는 도구에 불과하다고 한다면 인간에게는 죄도 고통도 있지 않을 것이며, 선도 환희도 있을 수 없을 것이기 때문이다.

인간은 자신의 행위를 자신의 자유의지에 따라 행한다. 그리고 그것이 뜻대로 되지 않았을 때 괴로움을 느끼고, 그것이 마음먹은 대로 되었을 때, 즐거움을 느낀다. 이를테면 아담과 하와는 신의 명령을 거역하고 선악과를 따먹었다. 그 원죄로 말미암아 고통을 당해야 했다.

그러나 인간의 자유의지가 미치는 범위는 한정되어 있다. 신은 시간의 처음 끝과 마지막 끝을 동시에 보고 계획을 세웠는데 비하여 인간은 그의 생각이 미치는 범위 내에서 즉 현재의 상태에서 과거를 생각하고 미래를 예측하고 계획을 세웠더라도 위의 인간과 시간에서 살핀바와 같이 그것은 현재의 과거이며 현재의 미래밖에는 되지 않는다. 그러므로 그의 계획은 역사의 온 과정과 반드시 일치하는 것은 아니다.

신의 섭리

그러나 신은 온 과정을 동시에 본다. 수없이 많은 인간들의 짧은 생, 그리고 그 생애에서 발휘되는 자유의지, 그 자유의지로 세워진 계획을 실현하기 위한 활동들과 행위들, 그리고 그것들의 결과들이 시간적으로 연결되어 구성된 역사의 온 과정을 일시에 보는 신은 나름대로 계획 또는 섭리를 가지고 있다.

그러므로 신은 인간들의 자유의지에 의한 행동과 업적들 중에서 자신의 계획에 적합한 것을 취하고 아닌 것은 버린다. 때로는 사람들이 생각하기에 악한 것이라 하더라도 취하고 선한 것이라 생각한 것도 버린다. 때문에 악한 자도 현실적으로 성공한 이로 나타날 수 있고 선한 일을 한 사람도 실패자의 애통함을 겪어야 한다.

따라서 참으로 신의 존재를 알고 있는 자는 스스로 자신의 자유의지에 따라 계획을 세우고 그것을 실현하기 위한 노력을 하다가, 그것이 설사 실패하였다 하더라도 실망하지 아니하고, 반대로 성공을 했다 하더라도 지나치게 즐거워하지 않는다. 다만 신의 섭리를 찬양할 뿐인 것이다.

이원론과 두 개의 도시

아우구스티누스의 역사관에서 두 번째로 생각해야 할 것은 이원론의 문제다. 인류의 생활과정이란 인간들이 연극상의 배우들처럼 삶을 살며 행동을 하여 이룩되는 과정이며, 그 결과로 역사는 이루어져 나간다고 할 때, 그 연극 같은 인간사가 어떤 형식으로 전개되어 가는가 하는 것이 문제로 되지 않을 수 없기 때문이다.

역사라는 연극의 흐름은 선한 자와 악한 자의 삶의 대립투쟁으로 구성되어 있다. 여기서 선한 자의 삶이라 함은 자신의 육체적 삶을 희생시킬 수 있을 만큼 하느님을 사랑하는 자의 삶이다. 악한 자의 삶이라 함은 육체적이고 물질적인 삶을 너무 사랑하여 하느님이 존재하는지조차도 모르고 사는 이들의 삶을 말한다.

전자는 신의 도시(De Civitas Dei)에 속한 자의 삶이고, 후자는 지상 도시(De Civitas Terrenna)에 속한 자의 삶이다. 이 양자의 대립 투쟁에서 현세적으로는 후자가 승리하는 듯 보이지만 최종적으로는 전자가 승리한다.

한 마디로 세계 및 역사는 이와 같은 자기 자신을 사랑하여 현실적으로 영광을 누리고 있는 자와 신을 사랑하여 현실적으로는 비천하게 보이나 궁극적인 상태, 즉 신에게 있어서는 영광을 찾을 수 있는 자들로 구성되어 있으며, 그들의 생활과 투쟁으로 이루어지고 있다.

아우구스티누스는 그에 대한 구체적 실례를 구약성서에서 찾는다. 카인과 아벨 중 아벨을 죽이고 현실적인 세력을 잡은 카인은 지상도시에 속하고, 여기서 현실적으로는 카인에 의하여 죽임을 당하였으나 신의 뜻을 지킨 아벨은 신의 도시에 속한다.

이원론의 배경

이러한 아우구스티누스의 이원론에는 당시 로마제국의 현실을 딛고 있는 것이다. 사치와 방종에 빠져서 국가를 멸망으로 이끌어가고 있는 귀족들과 그 귀족들의 핍박으로 현세의 삶을 "이래 죽으나 저래 죽으나 마찬가지"의 절망상태(desperate condition)로 인식하고 살아야 하는 피지배 평민들의 대립 현상을 표현하고 있는 것이다.

이러한 이원론에서 아우구스티누스는 핍박받는 자들에게 희망을 안겨주었다. 역사는 궁극적으로 압박하는 자들에 의해서가 아니라, 핍박받는 자들에 의해서 발전한다는 것이다. 카인에 의해서 발전되지 않고 아벨에 의해서, 파라오에 의해서가 아니라 모세에 의해서, 헤롯왕에 의해서가 아니라 말구유에서 태어난 예수에 의해서……. 역사는 새로운 장들을 열어가고 있다는 것이다.

이처럼 역사는 신의 도시에 속한 자와 지상도시에 속한 자 사이에 일어나고 있는 무수한 투쟁으로 점철되어 전개되어 가고 있는 것이다. 개인 안에서도 영혼과 육체의 갈등이 일어나고, 선한 자와 악한 자, 천사와 악마, 교회와 국가 사이에서도 대립과 투쟁은 전개되고 있는 것이다.

신은 예술가, 역사는 예술작품

여기서 문제로 다시 제기되는 것은 왜 전지전능한 하느님이 신의 도시와 지상도시를 구별해 놓았는가, 하는 것이다. 쉽게 말해서, 하느님은 왜 에덴동산에 선악과를 심어 놓아 아담과 하와로 하여금 그것을 따먹고 원죄를 짓게 만들어 놓았는가 하는 것이다. 혹시 하느님이라는 이는 심술쟁이이던가 장난꾼이 아니었느냐 하는 것이다.

물론 신이 선악과를 만들어 놓지도, 신의 도시와 지상도시도 구별해 놓지 않았다면, 역사에서 투쟁과 갈등은 있지 않았을 것이다. 그러나 만약 이것들을 만들지 않았다면, 역사는 없었을 것이라는 논리가 성립된다.(적어도 기독교 신학에서는.) 그럼에도 신은 그것들을 만들어 놓았다. 그 이유는 신은 예술가였기 때문이다. 거대한 작품을 만들고 그것을 통해서 중대한 메시지를 전달하고 싶었기 때문이다. 여기서 작품은 역사이고 메시지는 신의 섭리다.

역사라는 거대한 드라마를 쓰는 신에게는 선악은 조각가에게 있어 요철(凹凸)과 같다. 신은 그의 예술품에서 선악과 요철 명암을 대립시킴으로써 그의 작품을 엮어가고 있는 것이다. 때문에 선악이나 요철 명암은 인간 자신의 문제이지 신에게는 다만 수단이며 도구일 뿐이다. 신에게는 엄격한 의미에서 선인도 악인도 없다. 예수나 가롯 유다도 신의 각본을 연기한 배우일 뿐, 절대적인 의미로 볼 때, 누구는 선하고 누구는 악한 사람이 아니라는 것이다.

그렇다면 여기서 또 하나의 의문이 발생한다. 인간은 너무나 억울하다는 것이다. 결국 신의 작품을 만들기 위해서인데, 인간은 자신의 지은 악과 죄로 벌을 받아야 되는 것이기 때문이다. 이에 대해서 아우구스티누스는 이렇게 대답한다. 악이라고 하는 것은 적극적인 어떤 것이 아니라 다만 소극적인 어떤 것일 뿐이다. 다시 말하면 악이나 죄라는 것은 어떤 일을 적극적으로 행하여서 이루어지는 결과가 아니라, 어떤 것이 부족해서 나타나는 결함일 뿐이라는 것이다.

죄란 인간 스스로 만든 것

이를 쉽게 말하면 인간은 그가 어떠한 행위를 행하던 그 행위 자체는 죄는 아니다. 다만 그가 그 행위를 신에 대한 사랑 때문에 행한 것이냐, 아니면 자기 자신에 대한 사랑 때문에 행한 것이냐에 따라 선한 것이냐 악한 것이냐가 구별된다. 이를테면 가롯 유다가 신에 대한 사랑 때문에 신의 큰 뜻을 실현하기 위해서 예수를 팔았다면, 그는 결코 자살을 해야 할 만큼 비탄에 빠질 까닭이 없다. 그는 떳떳했어야 했다. 그는 큰 소리로 외칠 수 있었어야 했다. "나는 예수를 팔았다. 그 래서 그로 하여금 우리 몇몇 유태인의 왕이 아니라 온 세계 전 인류 의 구세주가 되게 했다!"고. 그러나 그는 그렇게 떳떳하지도 못했고 소리칠 수도 없었다. 왜냐하면 그는 신을 의식하고 신에 대한 사랑 때 문에 그 짓을 한 것이 아니라 자신의 이기심 때문에, 자신의 현실적인 고난이 두려워서, 그렇게 했기 때문이다. 그러나 베드로는 떳떳했다. 그도 예수가 죽음에 이른 것을 알고 그를 세 번씩이나 부인했으나, 그 는 그래도 '예수가 만인의 주 그리스도'라는 것을 알고 그랬기 때문이 다.

그러므로 인간이 자신의 악함과 죄에 대해서 받은 벌은 스스로 자 기 안에서 받는 것이지 결코 신이 그를 미워해서 주는 것은 아니다. 반대로 인간이 선함과 영광에 대해서 맞는 축복도 결코 신이 그를 예 쁘게 생각해서 내려 주는 것이 아니다. 인간 스스로가 얻는 것이다.

그러므로 진정으로 신을 믿고 예수의 사랑을 이해한 인간이라면, 신을 의식하고 겸손한 자세로 자기에게 주어진 고난을 받아들이고 극복해야 한다. 고난을 괴로워하거나, 자기가 행한 일의 성패에 대해 서 집착하지 않아야 한다. 그가 행한 일이 자신을 위해서 행한 것이 아니라 신에 대한 사랑 때문에 한 것이기 때문이다. 설사 자신이 세운 계획 중에 일부분이 자기 의지가 포함되어 있더라도, 그것은 극히 작 은 부분에 불과한 것이기 때문이다. 그리고 그 자신의 계획은 신의 전 체적 계획에 있어서는 맞지 않는 것일 수도 있으니 설사 그의 계획이 실패로 돌아가더라도 신의 계획에는 차질이 없을 것임을 알고 있기 때문이다.

종말론

그러면 신은 역사를 통하여 실현(實現 또는 實演)하고자 하는 계획이 무엇인가? 논리적으로 계획이란 목적의 설정을 전제한다. 그러므로 신이 역사를 통하여 그의 계획을 실현한다는 것은 신이 역사의 발전을 이끌어 갈 목적을 가지고 있다는 말이 된다. 신은 그가 자신의 목적을 실현하기 위해서 역사를 창조한다. 그러므로 그 목적이 실현되면 역사는 동시에 끝나게 된다. 여기서 아우구스티누스의 역사관은 종말론을 전제로 하지 않을 수 없다.

그러면 역사의 종말에 신이 실현하고자 하는 것은 무엇인가? 한마디로 아담이 선악과를 따먹어서 지은 원죄로부터 인류를 구원하는 것이다. 이점에서 아우구스티누스의 역사관은 바울의 것과 다르지 않다. 그러나 그 과정은 보다 구체적이다.

바울의 역사과정이 3분법을 따르는 데 비하여, 아우구스티누스의 것은 다음과 같은 8분법을 따른다. ①제1기: 아담에서 대홍수까지, ②제2기: 대홍수에서 아브라함까지, ③제3기: 아브라함에서 다윗까지, ④제4기: 다윗에서 바빌론포수까지, ⑤제5기: 바빌론포수에서 예수의 탄생까지, ⑥제6기: 그리스도에서 아우구스티누스까지, ⑦제7기: 안식일—신만이 아는 시기로 이 시기에 신은 안식하고 인간은 신의 품 안에서 안식하게 된다. ⑧제8기: 그리스도의 부활이 이루어져서 영원한 날(Eternal Day), 즉 주의 날(Lord's Day)이 되기까지.

9장

서양근대의 직선적 목적사관

계몽주의와 직선적 목적사관

계몽주의

아우구스티누스의 역사관은 서기 5세기에 완성된 것이다. 이것은 기독교가 유럽세계에서 지배권을 확보하고 있는 동안 절대적 영향력을 행사하였다. 그러나 그로부터 1천여 년이 지나면서 상황은 바뀌어 갔다. 르네상스, 종교개혁, 지리상의 발견, 절대왕권의 확립 등, 근대로의 문이 열리면서 종래의 기독교 신앙은 약화되고, 인간이성의 중요성이 강조되기 시작하였기 때문이다.

이것을 사상사에서는 계몽주의[1]라 한다. 계몽주의는 오늘의 정치·경제·사회의 제도를 만드는 원리가 되었다. 그러므로 기독교가 중세 사회를 이끌어 온 기본적인 이념이었다면 근대를 이끌어 온 모든 이

---

1 **계몽주의(啓蒙主義, enlightenment)**
   이성을 강조하며 또 불합리한 전통과 권력에 항거하는 용기를 앞세운 사상이다. 이러한 사상은 프랑스의 데카르트, 영국의 프란시스 베이컨에게서 비롯되어 17세기 영국의 시민혁명을 거치면서 발전하여 18세기에 프랑스에서 사상으로서의 완성을 보게 된다. 그리고 아메리카 독립혁명에서 실험을 거쳐 프랑스혁명으로 완성에 이른다. 대표적 사상가로는 영국의 토마스 홉스, 존 로크, 프랑스의 몽테스키외, 볼테르, 루소 등을 들 수 있다.

넘의 기초는 계몽주의에 있다 해도 과언은 아닐 것이다.

계몽주의시대의 대표적 역사가로는 앞에서 언급한 볼테르가 있다. 허나 그는 계몽주의의 대표적인 사상가인 것은 사실이나 그의 역사관이 계몽주의적이라고 하기는 어렵다. 계몽주의는 프랑스 혁명을 통해서 본 모습을 세계에 드러냈다. 그것은 인간의 자유가 약속된 미래를 향한 이념이라 할 수 있다. 그러나 볼테르는 여기에는 미치지 못하였다. 그의 역사관은 미래사를 예고하지는 않았기 때문이다.

그러면 계몽주의란 무엇인가? 칸트에 따르면, 계몽이란 미몽(迷夢) 상태에서 깨어남을 말한다. 그러면 미몽상태란 무엇인가? 인간은 누구나 이성을 가지고 있다. 그리고 그것을 사용할 권리를 가지고 있다. 그러나 대부분의 사람들은 그것을 깨닫지 못하고 있다. 그러므로 계몽이란 인간이 스스로 이성(理性)을 가지고 있는 존재임을 깨닫는 것을 의미한다.

그러나 이성을 가지고 있다는 사실만으로 계몽된 사람이 될 수는 없다. 왜냐하면 이성을 가지고 있다는 것을 안다는 것만으로 이성이 있다 할 수는 없기 때문이다. 이성을 가지고 있으면 그것을 사용해야 한다. 그런데 이성의 사용은 합리적 판단을 의미하며. 그것을 위해서는 논의를 해야 한다. 그러나 현재의 체제는 언제나 논의하지 말라고 말한다. 장교는 "논의하지 말라! 다만 교련을 할뿐이다!"라고 말하며, 세리는 "논의하지 말라! 세금을 내라면 내라!"고 말한다. 그리고 위정자는 "논의하지 말라! 다만 복종할 따름이다!"라고 말한다.

이처럼 인간이 이성을 사용하는 데는 장애가 따른다. 이러한 장애로 말미암아 그 기능을 다하지 못한다면 그 이성은 있으나마나다. 그러므로 이성을 가지고 있는 자는 그것을 사용할 수 있는 용기를 갖지 않으면 안 된다.

이처럼 계몽주의의 이상은 이성의 발견과 그 활용이다. 이는 한마디로 인간의 자유를 의미한다. 인간은 자신의 이성을 발견함으로써 이성적인 삶을 살고, 그렇게 함으로써 사회는 합리적으로 운영된다는 말이다. 이를 실현하기 위해서 프랑스 인들은 혁명을 일으켰다. 계몽주의는 프랑스 혁명의 이념이 된 것이다. 그러면 프랑스 혁명은 왜 일어났는가?

프랑스 혁명은 계몽주의의 실현

유럽 세계는 르네상스와 종교개혁으로 중세의 질곡으로부터 탈출은 하였다. 하지만 이를 딛고 새로이 등장한 권위는 다시 인류의 자유를 억압하였다. 그 대표적인 것이 가톨릭이라는 교권체제와 절대주의 군주체제다.

이 둘은 앙시앵레짐(舊體制, ancien regime)이라는 이름으로 인민들 위에 군림하였다. 앙시앵레짐은 위로 전제군주를 올려 받들고 그 밑을 승려계급과 귀족계급이 바치고 있으면서 이들에게 막대한 세금을 지불하여 그 체제유지를 가능케 한 시민계급을 억압하고 있었다.

드디어 시민계급은 삼부회의의 소집을 계기로 국민의회를 만들고 앙시앵레짐에 정면으로 도전하였다. 그리하여 혁명지도자 라파예트[2]는 인권선언을 발표하기에 이르렀다. 그 내용은 다음과 같다.

▶ 라파예트

① 인간은 나면서부터 자유롭고 평등한 권리를 갖는다.

② 국가의 기능은 인간이 가지고 태어난 양도할 수 없는 자유—
사상의 자유, 종교의 자유, 임의적인 체포로부터의 자유, 그리
고 피치자의 동의 없이 부과되는 납세로부터의 자유—를 보장
한다.

③ 모든 주권의 원천은 인민에게 있다.

④ 국민의 권리를 보호하기 위해서는 삼권분립의 원칙을 지킨다.

프랑스인들은 이의 실현을 위해 바스티유 감옥을 파괴하는 것을
계기로 혁명의 횃불을 들었다. 그럼에도 그들은 처음엔 군주를 모시
고 입헌군주 체제하에서 실현하려 하였지만 루이 16세는 인민을 버
리고 오스트리아로 망명하려 하였다. 이에 그들은 루이 16세를 처형

---

2 **라파예트(La Fayette, 1757~1834)**
프랑스의 정치가, 혁명가, 군인. 부유한 귀족가문에서 태어났으며, 미국독립전쟁이 일어나자
1777년 도미하여 독립군에 참가하였으며, 워싱턴의 신임을 얻고 각처에서 분전(奮戰)하여 영
웅으로 칭송되었다. 프랑스혁명 땐, 미국의 독립선언과 비슷한 '인권선언안'을 제출, 파리국민
군사령관에 임명되어 입헌왕정을 실현하려 노력하였으나 실패, 그 후에도 계속 정치활동을
하여 1830년 7월 혁명 때에는 시민 측의 지도자로서 활약하고, 루이 필리프 왕(王)의 휘하에
서 또 다시 국민군 사령관에 임명되어 입헌왕정(立憲王政)의 성립에 진력하였다.

▶ 콩도르세

하였다. 그 결과 프랑스는 민주공화정이라는 정체를 선택하게 되었
다.

이 과정에서 혁명가들 사이에는 정파의 갈등이 야기되었다. 자코
뱅당이 지롱드당을 숙청하고 자코뱅당 안에서는 그 당원끼리 살육
전을 벌려 드디어는 살육전의 장본인인 로베스피에르(Robespierre,
Augustin de, 1764~1794) 자신이 단두대의 이슬로 사라지는 난맥상을 보
였다.

이 가운데서도 그들은 이상을 버리지 않았다. 자코뱅당에 의해 숙
청되어 결국에는 독약을 먹고 죽어야 했던 콩도르세[3]는 비극적으로

3 **콩도르세(Condorcet, Marquis de, 1743~1794)**
프랑스의 철학자 수학자 정치가. 파리 나바르 대학에서 수학을 전공하였다. 26세에 과학아카
데미 회원이 되어 달랑베르, 볼테르, 튀르고 등과 교류하면서 《백과전서》 편찬에 협력하여 경
제학 항목을 담당하였다. 1782년에는 아카데미 프랑세즈에 들어가 볼테르 전집 간행사업에
참여하였다. 1789년 프랑스 혁명에서는 18세기 사상가들의 후계자로 지목되었으며, 입법의
회와 국민공회의 의원으로 선출되어 문교 조직 계획과 헌법안 등을 마련했다. 그러나 자코뱅
당에게 체포되어 옥중에서 음독자살하였다. 그는 《인간정신 진보의 역사적 초고(Esquisse d
un tableau historique des progres de I esprit humain)》를 저술함으로써 역사발전에 관해
서 낙관주의를 표명하였고, 인류의 무한한 진보를 믿었다. 이 밖에 《튀르고의 생애(Vie de M.
Turgot)》(1786), 《볼테르의 생애(Vie de Voltaire)》(1789) 등의 저서를 남겼다.

죽음을 맞이하면서도 미래에 대한 낙관적인 역사철학을 제시하였다. 이것이 계몽주의의 진보사관이다. 그것은 그가 남긴 저서 《인간정신 진보의 역사적 초고》라는 책에 잘 나타나 있다.

콩도르세의 9단계 역사발전론

이 책에서 표현된 그의 생각에 따르면, 역사의 발전은 이성의 빛이 확대되고 승리를 얻어 가는 과정이다. 이 과정은 과학문화의 빛 속에서 전개된다.

과거에는 인간이 이성적이지 못하였다. 즉 과거의 인류는 다른 동물과 다름없이 최하위의 야만적이고 무지한 노예의 상태에 있었다. 이 단계를 출발점으로 하여 9개의 단계 또는 시대를 거쳐가면서 인류는 점차적으로 발전하여 역사의 최종 목표를 향하여 진보되어 가는 것이다. 그 9단계는 다음과 같다.

첫 번째 단계는 인류가 신체적으로 동물과 다르지 않았던 최하위의 야만적 단계이다. 이때에 인간들은 사냥꾼들과 낚시꾼들의 집단으로 통일되어 있었다. 이들은 가족을 인지하였고 언어를 사용할 줄 알았다.

두 번째 단계는 목가적인 단계다. 이때에 불평등과 노예제도가 출현하였다. 매우 기초적인 예술이 생겨났다.

세 번째 단계는 농경시대다. 이때에는 훨씬 많은 진보가 이루어졌다.

▶ 뉴턴　　　　　▶ 로크　　　　　▶ 튀르고

4　**뉴턴(Newton, Isaac, 1642~1727)**

영국의 물리학자·천문학자 ·수학자·근대이론과학의 선구자. 수학에서의 미적분법 창시 , 물
리학에서의 뉴턴역학의 체계 확립, 이것에 표시된 수학적 방법 등은 자연과학의 모범이 되었
고, 사상면에서도 역학적 자연관은 후세에 커다란 영향을 끼쳤다. 그는 수많은 연구성과를
포함한 대저서《자연철학의 수학적 원리(Philosophiae naturalis principia mathematica)》
를 저술하여 이로써 이론물리학의 기초를 확립하고 뉴턴 역학의 체계를 세웠다.

5　**로크(Locke, John, 1632~1704)**

영국의 철학자·정치사상가. 계몽철학 및 경험론철학의 원조로 일컬어진다. 오스퍼드대학
에서 철학·자연과학·의학 등을 배우고, 한때 공사(公使)의 비서관이 되었다 반역죄로 몰려,
1683년 네덜란드로 망명했다가, 1689년 사면되어 귀국하였다. 망명생활 동안 각지를 전전하
면서 여러 학자들과 친교를 맺고, 귀국 후《종교 관용에 관한 서한》(1689),《제2서한》(1690),
《제3서한》(1692),《통치이론》(1690),《인간오성론(人間悟性論)》(1690) 등을 간행하여 국내외
에 이름을 떨쳤다. 그 후 관직에 있었으나 1700년 이후 은퇴하여 사망하였다.

6　**튀르고(Turgot, Anne-Robert-Jacques, 1728~1781)**

프랑스의 정치가·경제학자. 파리 대학 신학부에서 수학, 22세에 수도원장이 되었으나, 볼테르
의 저서를 읽고 신앙생활에 회의를 느껴 관계(官界)에 투신하였다. 파리 고등법원 소원관(訴
願官, 1753~1761)으로 근무하는 한편 D.디드로의 《백과전서》 집필에도 참여하였다. 중농주
의자 F.케네와도 친교를 맺었다. 주요저서에《부의 형성과 분배에 관한 성찰(Rflexions sur
lafor-mation et la distribution des richesses)》(1766)이 있다.

이상의 세 단계는 확실한 증거를 가지고 말하기 어려운 시대다. 그러나 알파벳문자의 발명과 함께 역사적 사실의 시대로 진입하게 된다.

네 번째 단계는 그리스문화로 나타난다.

다섯 번째 단계는 로마문화 시대다.

여섯 번째 단계는 로마시대가 끝나고 중세의 십자군운동까지다.

일곱 번째 단계는 인쇄술의 발견으로 시작되어 데카르트의 새로운 철학이 등장할 때까지이다.

아홉 번째 단계는 데카르트 철학이 등장한 이래 1789년 혁명까지—이 시대에는 뉴턴4의 진정한 자연체계의 발견, 존 로크5의 인간과학의 시작, 그리고 튀르고6와 루소 그리고 프라이스의 인간사회 체계의 발견이 포함된다.

열 번째는 미래인데, 이는 역사의 발전목표에 도달하게 되는 시대다. 이 시대에 도달하면 민족과 민족 간의 불평등이 폐지되고, 각 민족 안에서 개인의 평등이 이루어지며, 인류의 진정한 완성이 이루어지는 것이다.

인류의 진정한 완성, 그것은 인류 대부분이 계몽되어서 일체의 오류나 편견으로부터 깨어나, 각 인민들은 전제군주의 지배하의 노예체제로부터 해방되고, 또 아프리카 종족들이 겪고 있는 야만상태에서, 그리고 미개인의 무지와 미신의 상태에서 탈피한 완전한 이성적 존재로 되는 것이다.

이러한 역사발전의 목표에 도달하기 위해서는 무엇보다도 교육이 강조되어야 한다고 했다. 그에 따르면, 교육의 불평등이야말로 전제정치의 원천이 되었다. 그러므로 지금까지 부자에게만 제한되었던 교육의 혜택을 모든 사람에게 제공해야 한다.

이상과 같은 계몽주의의 역사관이 얼마나 실현되었나? 이 질문에 대한 답은 자명하다. 프랑스혁명 이후 오늘까지의 정치·경제·사회· 종교·문화 등 여러 측면들을 살펴볼 때, 많은 변화를 실감할 수 있다. 이 변화들과 콩도르세가 주장한 역사의 발전목표와 무관하다 할 수 는 없다. 그러나 그가 주장한 역사발전의 최종적인 목표의 도달은 아 직 요원하다.

그러므로 그 뒤에 등장한 많은 역사철학자들은 새로운 역사발전의 목표와 그 양식을 주장하고 있는데, 어찌 보면 그 대부분이 콩도르세 의 것과 관련이 있지 않은가 생각된다. 물론 서양의 사상들이라는 것 이 동양인의 생각으로 볼 때 거의 대게 비슷하게 보인다는 점을 염두 에 둘 일이긴 하지만 말이다.

칸트의 아홉 개 명제

독일관념론

인간의 이성을 중요시한 계몽주의는 프랑스 혁명의 사상적 뿌리가 되었다. 그리고 그것은 나폴레옹의 정복과 그 지배체제로 이어졌다. 독일에서는 나폴레옹의 정복과 지배에 대항하여 민족의 통일을 희구하는 기운이 감돌기 시작하였다. 이 속에는 혁명과 전쟁으로 말미암아 생겨난 국제적 갈등과 사회적 혼란을 극복하고 새로운 세상을 열어가고자 하는 지식인들의 운동이 포함되었다. 이를 사상사에서는 독일 관념론이라 한다. 그 대표적인 학자는 칸트[7]와 피히테[8], 셸링[9], 헤겔이다.

칸트와 자연

칸트는 앞에서 언급하였듯이 계몽주의를 완성시킨 사람이다. 계몽주의는 자연과학적 사고를 중심으로 한다. 그런 의미에서 칸트는 자연을 중요시한 철학자다. 그러므로 그의 생활도 자연처럼 규칙적이었

▶ 칸트   ▶ 피히테   ▶ 셸링

7   **칸트(Kant, Immanuel, 1724~1804)**
    독일의 철학자로 계몽주의의 마지막 사상가이면서 낭만주의로의 전환을 통하여 새로운 철
    학의 시발점이 되었다. 그는 쾨니히스베르크(Koenigsberg) 대학 교수로 조용하고 규칙적인
    생활을 하며 깊은 사색 속에서 서양 근대 철학을 완성하였다. 그는 영국 경험론과 대륙관념
    론을 종합하여 《순수이성비판》, 《실천이성비판》, 《판단력 비판》 등의 3대 비판서를 저술하여
    이성의 인식 한계를 논하고 도덕적 세계를 강조하는 비판철학을 확립하였다. 만년에는 그의
    제자 헤르더를 통하여 역사철학을 접하고 《9개의 명제》라는 논문을 남겼다.

8   **피히테(Fichte, Johann Gottlieb, 1762~1814)**
    독일의 철학자, 독일 관념론의 대표자의 한 사람. 예나대학 신학과에 입학하였다가 라이프치
    히대학으로 전학, 졸업 후 예나대학의 교수가 되었고, 1798년 《신의 세계지배에 대한 우리들
    의 신앙 근거에 관하여》라는 논문이 무신론이라는 의혹을 받아 예나대학을 물러났다. 나폴
    레옹전쟁에서 패한 프로이센의 위기에 처하여 행한 《독일국민에게 고함》(1807~1808)이란 강
    연은 너무나 유명하다.

9   **셸링(Schelling, Friedrich Wilhelm Joseph von, 1775~1854)**
    독일의 철학자. 칸트, 피히테를 계승하여 헤겔로 이어 주는 독일 관념론의 대표자의 한 사람
    이다. 1798년 이래 예나대학 등의 교수직을 역임하고, 헤겔의 사후(1831) 후임으로 베를린대
    학교 교수가 되었다. 주요 저서로는 《선험적 관념론의 체계(System des transzendentalen
    Idealismus)》(1800), 《인간적 자유의 본질에 관한 철학적 고찰(Philosophische Untersu-
    chungen ber das Wesen der menschlichen Freiheit)》(1809) 등이 있다.

다. 다음은 이러한 그의 생활 모습을 그린 글이다.

> 잠자리에서 일어나 커피를 들고, 집필을 하고 강의록을 읽은 다음, 식사를 하고 산책을 하는 등, 모든 것이 정해진 시간에 따라서 행하여졌으므로, 이웃 사람들은 회색연미복을 걸친 임마누엘 칸트가 스페인 제 스틱을 들고 대문을 나서서 보리수가 늘어선 길을 산책하는 것을 보면, 그때가 바로 오후 3시 반이라는 것을 분명히 알 수 있었다. 그는 사계절 중 어느 때나 똑같은 산책로를 여덟 번 아래위로 거닐었다.

 그러나 그는 제자인 헤르더의 영향을 입어 역사철학에 관심을 갖게 되었다. 만년에는 9개의 명제라는 논문을 발표한다. 이것은 다음에 올 헤겔의 역사철학을 위한 준비단계일 수도 있겠으나 그것은 그것대로 의미를 지닌다.

칸트와 아우구스티누스

 칸트의 역사철학은 아우구스티누스의 그릇에 콩도르세의 내용을 담은 것이다. 그리고 거기에 자신의 철학관 윤리사상을 첨가한 것이다. 우선 그는 코즈모폴리턴적인 보편사를 생각하였다. 즉 역사를 태초에 시작하여 종말에 이르는 과정으로 이해함으로써 아우구스티누스를 답습하였다.

 그러나 그는 아우구스티누스의 신을 자연으로 대치시켰고, 아우구스티누스의 신의 섭리를 콩도르세가 주장한 이성이나 자유의 실현으로 대치시켰다. 그 결과 아우구스티누스의 신의 의도, 신의 계획, 신의 섭리는 자연의 의지, 자연의 계획, 자연법칙으로 대치되었고, 신의 도시와 지상도시의 대립 투쟁관계는 이성적인 사회성과 비이성적인 비사회성의 대립으로 전환되었다.

그리고 아우구스티누스가 '신의 계획이 완전히 실현된 상태' '선악의 개념이 없어지는 신의도시의 실현'으로 생각한 역사의 최종 목표를 '사회의 부조리와 모순의 원인이 되는 인간의 이기심과 동물적 본능이 순화된 상태'에 이르러 인간에게 자유가 완전히 실현되어, 개인이 아무리 자유를 누려도 사회질서가 파괴되지 않고, 사회가 아무리 개인의 자유를 규제해도 개인이 부자유를 느끼지 않는 세계가 펼쳐질 것이라 하였다. 그리고 이런 세계는 국제연맹이 실현됨으로써 가능할 것이라 하였다.

9개의 명제

이러한 생각은 그의 논문 「9개의 명제」에서 단계적이고 논리적으로 설명되고 있다. 그것을 요약하면 대개 다음과 같다.

> **제1의 명제:** 모든 자연은 자신의 특유한 능력을 지니고 있으며, 그 능력을 실현해야 한다는 목적을 위해서 존재하고 있는 것이다.
>
> **제2의 명제:** 자연의 일종인 인간도 다른 자연물과 마찬가지로 능

력을 지니고 있으며, 그것을 발휘해서 이룩할 목적을 지니고 있다. 그 능력이란 이성이다. 그러나 인간이 이성이라는 특유한 능력을 지니고 있다 해도 개인의 이성만으로 그 목적을 완수할 수 없고, 여러 종류의 이성을 동원한 역사적 전개과정을 통해서만 그 완수가 가능하다.

제3의 명제: 자연은 그의 의지를 여러 가지 종류의 자연의 능력 발휘, 목적추구를 통해서 실현되는 데, 인간의 자연성이란 이성과 그 이성에 기초를 둔 의지의 자유다. 즉 자연은 인간의 이성과 그것에 기초를 둔 의지의 자유를 통하여 그 목적을 수행해 가고 있는 것이다.

제4의 명제: 인간들이 각자 의지의 자유를 발휘함에 있어는 상호 적대관계가 성립될 수밖에 없다. 자연은 이러한 인간들의 적대관계를 이용하여 인간들에게 심어져 있는 모든 능력을 발휘시키고, 그렇게 해서 자연은 자신의 최종적 목적을 실현시켜 가는 것이다.

제5의 명제: 그러면 자연이 지향하는 최종적인 목표는 무엇인가? 칸트는 자연이 추구하는 사회 발전의 최종적 형태를 법에 의하여 보편적으로, 그리고 정당하게 통치되는 시민사회로 보았고, 그것을 건설하는 것이 인류에게 주어진 최종적인 과제라고 하였다.

제6의 명제: 이러한 시민사회를 건설한다고 하는 인류의 과제는 인간에게 있어서 가장 해결하기 어려운 것이다. 그러므로 그 과제의 해결은 역사 발전과정이 최종단계에 이르렀을 때에 비로소 가능한 것이다.

제7의 명제: 이러한 과제, 즉 완전한 시민적 제도의 확립이라는 과제가 해결되기 위해서는 국가와 국가 사이에 법에 따른 외적 관계의 규정이라는 과제가 해결되어야 한다. 이것은 칸트가 생각해 낸 국제연맹이다. 이것은 칸트의 이상적인 완전국가, 즉 완전한 시민사회를 뜻하는 것이다. 이는 최대의 창조적 개인주의가 질서를 유지하기 위한 최소의 국가 통제와 연결된다. 즉 이 사회에서는 국가가 아무리 자유를 허용한다 하더라도, 가장 엄격하게 자유의 한계를 규제할 때와 같은 정도로 질서가 지켜진다.

제8의 명제: 이처럼 역사의 최종목표인 이상사회의 건설은 어느 특정한 인간이나 그룹에 의해서 이루어지는 것이 아니라, 인간들이 스스로 윤리적으로 교육되고, 사회의 순화를 통하여 이룩되는 것이다. 그것은 자연 자체의 계획이며 자연법칙에 따라 이루어지는 것이다. 따라서 역사발전의 최종목표는 자연이 인류에게 심어 놓은 모든 능력을 완전히 발휘할 수 있는 국가를 이룩하여 그 안에서 모든 인간들이 완전한 윤리적 삶을 살 수 있게 하는 자연의 숨은 계획을 실현하는 것이다.

제9의 명제: 이상과 같은 생각들은 칸트의 코즈모폴리턴적 보편사의 성립을 확신하고 있었음을 보여는 것이다.

이상과 같이 칸트는 역사에 대한 철학을 정립하였다. 그러나 그는 철학자지 역사가는 아니었다. 때문에 역사가 어디에서 출발하여 어떤 과정을 겪어가며 발전되어 왔으며 어떤 방향으로 발전되어 갈 것인지에 대해서는 언급하지 않았다. 그러므로 역사발전론에 있어서 필히 따라 붙어야 될 시대구분 문제나 역사발전 단계에 대한 생각은 제외

되었다. 이러한 결점을 극복해가면서 보다 완벽한 역사철학을 완성시
킨 사람이 헤겔이다.

헤겔의 변증법적 역사발전론

세계사정신—시대정신—인간정신

헤겔[10]에 관한 이야기는 이미 제1부, 역사란 무엇인가를 설명하면서 언급되었다. 여기서 다시 논의하는 것은 헤겔의 역사관을 하나의 독립된 역사관으로 이해하고자 하는 것이다.

칸트가 아우구스티누스의 신을 자연으로 바꾸어 대입시켰다면, 헤겔은 그것을 정신(또는 이성)으로 대치시켜 놓았다. 그러면 헤겔이 말하는 정신이란 무엇인가? 그는 정신을 세 가지로 구분하였다. 그에

---

10 **헤겔(Hegel, Georg Wilhelm Friedrich, 1770~1831)**
독일의 철학자. 칸트 철학을 계승하여 독일 관념론을 완성하였다. 1788년 뒤빙겐대학교 신학과를 졸업하고 하이델베르크대학 베를린대학 교수로 활약하였다. 헤겔철학의 체계는 논리학·자연철학·정신철학의 3부로 구성되는데, 이 전 체계를 일관하는 것은 모든 사물의 전개를 정(正)·반(反)·합(合)의 3단계의 변증법(辨證法)적 과정으로 보는 것이다. 헤겔에 의하면 정신이야말로 절대자이며 반면 자연은 절대자가 자기를 외화(外化)한 것에 불과하다.
대표적 저서로는 《정신현상학(精神現象學, Phoenomenologie des Geistes)》《엔치클로페디(Enzyklopdie der Philosophischen Wissenschaften im Grundrisse)》(1817), 《법철학 강요(Grundlinien der Philosophie des Rechts)》(1821), 그리고 사후에 강의노트를 정리한 《역사철학 강의》가 있다.

▶ 헤겔

따르면, 정신에는 세계사정신, 시대정신, 인간정신이 존재한다. 그에게서 세계사란 바로 이 세계사정신이 자기를 표상―실현해 가는 과정이다.

역사가 최초로 출발할 때, 세계사정신은 전혀 표상―실현되지 않은 상태에 있었다. 그러나 세월이 흐르고 세계사가 전개되어 감에 따라 점차적으로 시대정신은 보다 완전에 가까운 정신으로 표상―실현되어 가는 것이다. 이렇게 해서 매시대마다 달리 표상―실현되는 정신이 시대정신이다. 따라서 세계사 과정의 종결 목표는 세계사의 정신이 완전히 표상―실현된 상태, 즉 절대정신이 완전하게 표상―실현되는 상태를 말한다.

그러나 그 세계사정신은 자신을 표상―실현함에 있어서 스스로 하는 것은 아니다. 각 시대의 시대정신을 구성하고 있는 인간정신을 동원한다. 마치 아우구스티누스에게서 신이 자신의 섭리를 실현하되 그것을 위해 인간의 자유의식을 이용하듯이.

정신의 본질은 자유

그런데 그 인간정신의 본질은 자유의식이다. 그러면 자유란 무엇인가? 그에 따르면, 물체가 지구의 구심점을 향하여 작용하는 중력을 지니고 있는 것처럼, 인간정신은 자유의식을 지니고 있다. 여기서 자유의식이란 언제나 현재의 것에 만족하지 않고 새로운 것을 갈구하는 정신의 본질을 의미한다.

이러한 인간정신의 본질은 언제나 기성의 것[正]에 대립하는 성향을 나타낸다. 그래서 현상에 대항하는 상황을 설정한다[反]. 여기서 성립된 정과 반의 상호대립은 결국 종합[合]을 이루면 그것은 다시 새로운 기성의 것[正]으로 나타난다. 이 같은 과정, 즉 변증법의 과정은 반복되고 이를 통하여 세계사정신은 스스로를 표상—실현시켜 가는 것이다. 여기서 헤겔의 세계사의 행정(行程)은 이루어진다.

자유의 역사

헤겔에 따르면, 이 세계사의 행정은 동방세계에서 시작하여 게르만의 서방세계를 향하여 진행되어 왔다. 그 과정은 그 세계에 있어서 얼마나 많은 사람이 자유를 인식하느냐에 따른 자유의 발달과정으로 나타난다. 즉 오리엔트(고대 이집트 바빌로니아) 세계의 일인의 자유에서 출발하여 그리스·로마의 소수인의 자유, 그리고 게르만 사회의 만인의 자유로, 자유는 발전되어 왔다는 것이다. 헤겔의 주장을 대개 다음과 같이 요약·정리할 수 있을 것이다.

오리엔트 세계에서는 전제군주 한 사람만이 자유를 알고 그것을 향유할 수 있었다. 나머지 모든 인민들은 자유라는 것 자체가 무엇인지를 모르므로 자유로울 수가 없었다. 그러나 그리스 로마 시대에 이르러서 인민들은 비로소 자유를 알게 되었다. 그렇다고 모든 사람들이 다 자유를 알고 그것을 누릴 수 있었던 것은 아니다. 그것을 알고 누릴 수 있었던 것은 소수자들뿐이었다. 민주주의가 실시되었다고 하지만 아직도 시민권을 가지고 거기에 참여 할 수 있었던 사람들은 소수자에 불과하였고 대부분의 사람들은 노예이든가 여성이든가 하여 참여할 수 없었다. 플라톤이나 아리스토텔레스도 노예제도를 인정하리만큼 인간 자체가 자유로워야 된다는 것을 그들은 알지 못했기 때문이다. 드디어 게르만 세계에 이르러 만인은 자유이며, 자유가 인간의 가장 고유한 본성이라는 것을 의식하게 되었다. 그리고 만인은 자유를 획득하기에 이르렀다.

이와 같이 헤겔에 의하면, 세계사는 그 세계 속에 살고 있는 사람들이 얼마만큼 자유를 가지고 있는가 여하에 따라 그 발전 여부가 규정되는 것이다.

이러한 헤겔의 논리를 연장시키면 온 세계 인류가 다 같이 자유를 갖게 될 때, 즉 아무리 개인이 자신의 자유를 마음껏 향유한다 해도 사회질서가 파괴됨이 없고, 또 국가가 아무리 통제를 가한다 하더라도 개인의 자유를 침해하지 않는, 그러한 자유의 단계에 도달했을 때, 비로소 세계사의 정신은 완성이 된다. 이른바 절대정신이 실현된 완전 자유의 상태가 된다.

영웅의 역할

헤겔은 이상과 같이 세계사가 그 최종적인 목표를 향하여 달려가는 데에는 세계사 정신이 자기표상을 위해 활용하는 에이전트로서 영웅의 역할이 있다고 하여 영웅을 중요시하였다. 마치 아우구스티누스의 역사관에서 신(神)이 그렇게 하듯이, 세계사정신은 영웅을 역사에 출현시켜 간지(奸智)를 통하여 그를 조종해서 역사적 사건들을 일으키고 이끌어가게 한다. 그리하여 그가 의도하고 계획한 바를 실현해 간다.

그러므로 영웅은 단지 그의 앞에 펼쳐진 현안을 해결하기 위하여 최선을 다하지만 그가 행하고 있는 일들이 궁극적으로 어디로 흘러갈 것인가는 모른다. 예를 들어서, 카이사르나 나폴레옹과 같은 이른바 세계사적 개인들은 결과적으로 자기 자신의 삶이나 또는 자신의 국가나 민족의 운명만을 개척한 인물들이 아니었다. 그들은 실로 거대하고 위대한 세계사적 목적을 수행한 인물들이었다. 그러나 그들이 그러한 목적을 알고 행한 것은 아니다. 표면적으로, 또는 외형적으로 볼 때, 그들은 자기 자신의 지위, 명예, 안전을 위하여 싸운 사람들일 뿐이다.

좀 더 구체적으로, 나폴레옹의 경우를 예로 들어보자. 나폴레옹은 그의 야심, 이를테면 그가 젊은 시절 위인전이나 영웅전을 읽으면서 생각한 야망 때문에, 또는 자기 아버지가 실패한 코르시카의 독립을 위한 싸움을 위하여 사관학교를 갔다. 그런데 마침 그 시기에 프랑스 혁명이 발발하였고 제1회 대불동맹(對佛同盟)이 맺어져 프랑스가 위태롭게 되자, 혁명정부의 명령에 따라 이탈리아 원정을 떠났다. 그리고 그의 성실과 능력을 다하여 전투에 임한 결과 승전을 했고, 일약 약관의 장군으로 이름을 떨치게 되었다. 혁명전쟁을 성공적으로 수행하였다.

과연 이때에 나폴레옹은 황제가 되기 위하여 그것을 했을까? 설사 그의 야망이 그랬다 손치더라도 그대로 될 수 있었을까? 그런데 그는 황제가 되었다. 아미엥(Amien) 조약을 맺어 평화를 얻어냈고 그 기간에 파리를 새롭게 건설하는 등 혁명과업을 완성하였다.

어쩌면 여기까지는 당시 프랑스의 시대정신을 옳게 포착하고 행동한 결과였을지도 모른다. 그러나 세계사정신은 그를 거기에 그대로 두지 않았다. 프랑스 혁명에서 얻어진 혁명정신과 자유주의 운동을 전 유럽으로 확산시키는데 그를 활용하였다.

그러나 그 방법은 달라졌다. 종전에는 그의 역할이 대중의 인기와 영광스런 승전 등을 통해서 이루어졌으나 이번에는 그를 독재자, 침략자로 만들고 전투에서 지속적인 패배를 하게 함으로써 그의 역할을 수행케 하였다. 한마디로 나폴레옹의 개인적인 실패를 통하여 세계사정신은 그 시대의 정신인 자유주의를 프러시아, 오스트리아, 스페인, 러시아, 그리고 멀리는 그리스나 중남미로 확산시켰다.

나폴레옹은 아미엥 평화조약을 분수령으로 해서 혁명전쟁을 침략전쟁으로 성격을 바꾸었다. 그는 인민의 해방자에서 독재자와 침략자로 자리바꿈을 하였다. 이것은 프러시아, 오스트리아, 러시아, 이탈리아 등지에서 자유를 위해 그에게 저항하는 개인정신을 함양·고취하여 자유전쟁을 수행케 하였다.

그 결과, 나폴레옹은 자신의 의도와는 관계없이 프랑스혁명에서 시작된 자유주의를, 정복과 그에 대한 저항이라는 묘한 함수관계를 통하여 전 유럽에 확산시켜다. 이것은 영웅 나폴레옹의 행동의 결과로 이루어지기는 했지만 나폴레옹의 의도가 아닌 세계사정신의 의도를 실현한 것일 뿐이었다. 이처럼 세계사정신은 간교한 지혜로써 영웅들을 조종하여 그들의 개인정신을 갖게 하고 그것을 확산하여 시대정신으로 만들고 그것으로 드디어는 세계사정신이 계획했던 목표를 달성해 가고 있는 것이다.

마르크스의 변증법적 유물론

정신변증법을 유물변증법으로

헤겔과 마찬가지로 마르크스에 대해서도 이미 앞에서 언급하였다. 역사를 이끌어 가는 힘이 정신이냐 물질이냐 하는 문제와 연관된 것이었다. 그러나 여기에서는 직선적 목적사관이라는 명제 아래서 마르크스의 역사관을 논의해본다.

마르크스는 아우구스티누스나 칸트 및 헤겔과 마찬가지로 역사의 최종목적을 설정하고 있다는 점에서 직선적 목적사관을 주장한 대표적 역사철학자의 한 사람이다.

마르크스는 헤겔 좌파(左派)에 속하는 철학도였다. 그러나 그는 "하늘에서 땅으로 내려온 독일철학을 땅으로부터 하늘로 끌어 올린다."고 하여 헤겔 철학의 반역자임을 자처하고 나서서 헤겔의 정신사관을 유물사관이라 하는 것으로 바꾸어 놓았다. 그리하여 그는 헤겔이 세계사정신 또는 세계사이성이라 한 것을 사회 경제적 제 관계로 대치시키고 정신변증법 대신에 유물변증법을 창시하였다.

상부구조는 하부구조에 의해 규정된다

마르크스의 유물변증법을 요약하면 다음과 같이 설명할 수 있다.

첫째, 인체상의 구조나 사회의 구조는 하부주조와 상부구조로 구분된다. 여기서 하부구조는 인체 상에 있어서나 사회체제에 있어서 생산을 담당하는 부분이며, 상부구조는 의식구조를 뜻한다. 그런데 이 두 구조의 상호관계에서는 "상부구조가 하부구조에 의하여 규정된다."는 명제가 성립된다.

예를 들면, 인체 상의 하부구조란 횡경막 아래의 신체구조를 말한다.

그곳에는 소화기관이 있어서 음식물을 소화시켜 에너지를 생산하여 신체의 각 부위로 배급한다. 그보다 더 아래에는 생식기가 있어서 후계를 생산한다. 한마디로 하부구조는 식(食)과 색(色)의 영역이다. 이 둘은 인간의 본능적 욕구의 원천이다.

이에 비하여 상부구조란 횡경막 위의 부위다. 그에 해당하는 가슴 속엔 감정이 자리해 있고 머릿속엔 이성이 있다. 그런데 감정이나 이성을 규정하는 것은 무엇인가? 배가 고프면 감정은 허기를 느껴 이성으로 하여금 먹을 것을 찾아 헤매게 하고, 성욕이 일면 별 볼 일 없던 여인이 아름답게 보여 그 여인을 유혹하기 위해 지혜를 짜내게 하는 것이 아닌가?

이것은 사회적 원리에서도 마찬가지로 적용된다. 상부구조에 해당되는 철학이나 종교, 법률이나 제도 등등은 결국 그것을 필요로 하는 하부구조의 요구에 의해서 규정될 수밖에 없다. 아무리 경직된 체제를 고집하고 있던 프랑스의 구체제도 궁극적으로 빵을 달라고 외치며 바스티유 감옥으로 행진한 무지한 대중에 의하여 붕괴되어야 했고, 거기에서 '자유' '평등' '박애'를 앞세운 민주사회의 초석이 다져지게 된 것이다.

마르크스는 이를 다음과 같은 변증법적 도식으로 설명한다.

① 인간은 생존을 위한 욕망을 인체상의 하부구조, 즉 위부(胃腑)에서 느낀다.(一정)

② 위부에서 느끼는 의식주에 대한 욕망을 충족시키기 위하여 그 의식주에 필요한 물질을 생산할 수단을 인체상의 상부구조인 머리(공상)로 만들어낸다.(一반조정, 여기서 머리, 즉 생각은 위부에서 느끼는 욕망에 의하여 규정된다.)

③ 머리로써 만들어낸 생산의 도구를 사용하여 보다 많은 재화를, 보다 손쉽게, 보다 안전하게, 획득하게 된 상태에서 인구는 증가하게 되고, 이 인구의 증가는 새로운 욕망, 즉 사회의 구성 및 생산의 분업화에 대한 욕망을 일으킨다.(一사회적 하부구조: 정)

④ 사회의 구성과 생산의 분업화라는 사회적 하부구조 위에서는 사회를 다스리는 자의 출현과 분업의 결과로 야기되는 사유재산제에 따른 지배자 또는 유산자라는 사회적 상부구조가 구성되게 된다.

모든 역사는 계급투쟁의 역사

이와 같은 유물변증법의 원리는 역사의 전 과정에서 계급투쟁의 과정으로 나타나는데, 그것을 마르크스는《공산당선언(The Communist

Manifesto)》에서 다음과 같이 피력하였다.

지금까지 존재하고 있는 모든 역사는 계급투쟁의 역사다. 자유인과 노예, 귀족과 농민, 영주와 농노, 길드의 두목과 직인, 한마디로 압박자와 피압박자가 상호간에 부단하게 대립하여 왔고 지금까지는 숨겨져 있었으나 방금 노출되기 시작한 줄기찬 싸움, 크게는 사회의 혁명적인 재구성으로, 또는 대립하고 있는 계급들의 공통적인 파괴로, 한 시대를 끝내 버릴 싸움이 수행되었다.

역사의 초기 시대에서 우리는 사회가 다양한 계급들, 즉 사회적 신분의 다중(多重)적 단계로 복잡하게 배열되어 있었다는 것을 어느 곳에서나 발견한다. 고대 로마에는 귀족, 기사, 농민, 노예가 있었고, 중세에는 봉건영주, 제후, 길드의 두목, 직인, 도제, 농노 등 이들 계급의 거의 모든 이들은 다시 종속적인 등급에 예속되어 있었다.

봉건사회의 파괴로부터 발생·성장한 현대의 부르주아 사회도 계급대립에서 제외된 것은 아니다. 그것은 낡은 것들을 대신하여 새로운 계급들, 새로운 압박의 조건들, 새로운 투쟁의 형태들을 확립한 것이다.

그러나 우리의 이 획기적인 시대, 즉 부르주아의 시대는 이러한 결정적인 모습을 지니고 있다. 즉 그것은 계급적 대립을 단순화시켰다. 전체로서의 사회는 점점 더 두 개의 적대적인 병영, 서로 직접적으로 마주하고 있는 두개의 커다란 계급들—부르주아와 프롤레타리아로 갈라져 가고 있다.

프롤레타리아의 승리는 명백하다

이 선언문에 따르면 역사는 계급투쟁, 압박자와 피압박자의 투쟁의 역사다. 즉 인류사회에 계급이 생겨나고 계급들 간에 투쟁이 전개되기 시작하면서 역사는 시작되었다는 것이다. 마치 아담과 하와가 선악과를 따먹고 선악을 잉태하여 카인과 아벨을 낳음으로써 신의 도시에 속한 자와 지상 도시에 속한 자가 갈라지고, 선악의 투쟁이 생겨 인류의 역사가 시작되었다는 아우구스티누스의 이론과 같다.

때문에 아직 역사가 시작되지 않은 선사시대(원시시대)에는 계급이 없는 원시 공산사회였다. 그러나 역사가 시작된 고대로 접어들면서 계급은 생기고 이들의 투쟁은 시작된다. 그리스 로마시대는 귀족, 기사, 농민, 노예가 있어서 귀족과 기사에 대한 농민과 노예의 투쟁이 전개되었다.

이 시대를 노예경제시대라 하는 바, 로마시대를 예로 들면, 이 시대에는 인구의 3분의 1이 노예였고 이들은 대토지사유제도(Latifundium)에 따른 귀족들의 대농장을 경영하여 국가의 경제적 부담을 졌다. 그리고 귀족들에 대한 저항의 대표로는 스파르타쿠스의 난이 있었다. 스파르타쿠스는 탈출노예들을 규합하여 전성기에는 12만 명의 노예 군사를 이끌고 전국을 위협하였다.

중세에는 봉건영주, 제후, 길드의 두목, 직인, 도제, 농노 들이 계급을 이루고 압박자와 피압박자의 투쟁이 전개되어 온 시대다—봉건적인 농노 경제시대다. 이 시대는 이른바 봉건제도가 성립되어 영주·기사·농민이 봉토라는 토지를 매개로, 기사는 영주에 대한 충성을, 농민은 기사나 영주에 대한 조세의 의무를 다하는 신분적 종속관계가 있었다. 그리고 영주의 영지는 다시 장원을 만들어 그 안에서는 농노가 경작을 하였다. 이를 마르크스는 농노경제시대로 본 것이다.

농노들은 십자군전쟁 등 사회적 변화를 계기로 장원을 탈출하여 도시에 진출, 상공업에 종사하여 길드 제도를 만들었는데 이는 두목·직인·도제를 기초적인 구성단위로 하는 것이다.

부르주아와 프롤레타리아의 대립—이 시대는 마르크스가 당면한 사회로, 그는 이 시대를 역사적 정황이 부르주아와 프롤레타리아의 양대 계급의 격돌의 전야로 인식하고자 하였다. 이 시대를 우리는 근대사회로 보는데, 중세의 농노였던 이들이 도시로 탈출하여 상공업을 일으켜 이른바 부르주아가 되었다. 이들은 시민혁명의 주체가 되고 드디어 산업혁명이 일어남으로써 프롤레타리아를 압박하는 압박자로 군림하였다.

마르크스는 앞으로 전개될 역사의 과제를 프롤레타리아가 부르주아를 타도하는 프롤레타리아 혁명으로 간주하였다. 이 혁명에서는 과거의 역사가 보여준 것과 마찬가지로 피압박상태에 있던 프롤레타리아가 부르주아에 대한 최후의 승리를 이룩하게 된다. 그는 이를 "그것(부르주아)의 몰락과 프롤레타리아의 승리는 마찬가지로 명백하다"는 말로 예견하였다.

계급도 국가도 없는 시대

이러한 프롤레타리아의 승리는 프롤레타리아에 의한 독재로 연결될 것이다. 그렇게 되면 결국 계급의 구별이나 국가의 존립이란 무의미한 것이 되어 무계급·무국가의 시대에 접어들게 된다. 이러한 사회에서는 압박자나 착취자, 그리고 피압박자나 피지배자가 존재하지 않으므로 인류의 고통은 영원히 없어져 인류가 역사적으로 지향해 온 바, 역사의 이상이 실현된다는 것이다.

이 시대는 일찍이 이사야가 예언한 바 있는 '평화스런 왕국'이 도래하게 된다. 지배자와 피지배자의 갈등이 없고, 빼앗는 자와 빼앗기는 자가 없는 인류의 이상적인 세계, 곧 하느님의 나라다. 이 시대를 이사야는 이렇게 노래하지 않았는가?

늑대가 새끼 양과 어울리고
표범이 숫염소와 함께 딩굴며
새끼 사자와 송아지가 함께 딩굴고,
사자가 소처럼 여물을 먹으리라.
젖먹이가 살무사의 굴에서 장난하고
젖 뗀 어린아이가 독사의 굴에 겁 없이 손을 넣으리라.

마르크스는 이상주의자였다. 그는 참담한 노동자들의 현실을 극복하여 이들의 복지가 이루어지는 사회를 꿈꾸었다. 계급이 없는 평등한 사회. 누가 그러한 사회를 원치 않을까? 그러나 그는 너무나 성급했다. 너무나 오만했다. 그래서 그는 평등과 평화가 있는 사회를 이루기 위한 공산당 당원이라는 특수한 투사들을 상정하였고, 그 목적을 달성하기 위한 투쟁을 선포하였다.

이것은 자기모순이었다. 결국 당원들은 그의 교조를 앞세운 새로운 교권주의자들이며 새로운 성직자들이 되어 그가 해방시켜야 된다고 외친 프롤레타리아트를 압박하여 빈곤과 노동의 족쇄에 매어달려 죽어가게 만드는 아이러니를 현출한 것이다. 결국 공산당 당원들은 어린아이와 함께 노니는 살무사가 아니라 그냥 살무사일 뿐이었기 때문이다.

10장
새 역사보기를 위하여

직선적 목적사관의 한계

목적사관에 대한 새로운 인식

지금까지 우리는 근대 유럽사상사에서 중요한 영향력을 끼친 사람들의 직선적 목적사관을 살펴보았다. 이들의 영향력 때문에 우리는 "역사는 발전한다."고 하는 말을 극히 당연한 것으로 받아들이게 되어 있다. 그만큼 직선적 목적사관의 영향력은 지배적이었다.

때문에 세계가 서구화되어 있다는 말은 이러한 역사관에 입각한 서구적 정신에 의하여 지배되고 있다는 의미일 수도 있다. 정치·경제·사회·문화에 관련한 이데올로기의 중심 역할을 해온 것이 바로 이 역사관이었기 때문이다.

그런데 이제 동구권이 붕괴되고, 우리의 정신생활을 지배해 오던 이데올로기가 아침 해가 비치면서 사라지는 유령처럼 자취를 감추어 가고 있는 현금, 그 유령의 배후 조종자인 직선적 목적사관에 대한 새로운 인식과 비판이 요구되고 있는 것이다. 일체의 거대담론을 부정하고 종래의 모든 체제의 해체를 요구하는 포스트모더니즘[1]이 풍미하고 있는 오늘, 그 새로운 인식과 비판의 의미는 크다.

새로운 교회

앞에서 밝혔듯이 직선적 목적사관은 그 기본적 틀이 기독교적 역
사관에서 유래한다. 그러므로 기독교를 긍정적인 것으로 보든 아
니든, 직선적 목적사관에 입각한 사고의 형태는 기독교적이라 할
수 있다. 이러한 경향을 영국 성공회의 신부요, 중세 사학자인 도슨
(Dawson, Christopher)은 다음과 같은 문장으로 설명하고 있다.

지금까지 이성의 빛이 종교라는 조직 속에 숨어 있는 미신과 무
지의 어두운 세력으로 은폐되어 왔다는 것을 설명할 필요가 있
었다. 그러나 그 이성의 빛을 강조하던 계몽주의라는 것도 새로
운 묵시 이외에 아무 것도 아니다. 그것은 승리를 얻기 위하여 어
떤 철학자들의 학파라던가 자연신교의 비밀결사, 또는 정당이라

---

1 **포스트모더니즘(postmodernism)**
1960년 이후 일어난 사상운동으로 그 영향은 정치·경제·사회 등 모든 영역에 미치고 있다.
포스터모더니즘이라는 용어가 의미하듯 이 운동은 지금까지 세계사를 주도해온 데카르트와
베이컨이래 발전하여 서구적 근대화의 표징이 되어 온 계몽주의와 합리주의에 대한 반성과
비판에서 비롯된 사상운동이다. 여기서 비판받아야 할 것은 이성, 합리, 체계이며 강조되어
야 하는 것은 감성, 불합리에 대한 긍정, 체제의 해체다. 그리고 탈피해야 될 것은 거대 담론이
며 취할 것은 미시적 사항들이다. 개성 자율성 다양성 대중성이 중시되고 절대이념이 거부된
다. 이 사조의 중심에는 니체와 프로이트의 영향을 받은 이들이 섰다. 그중 데리다는 어떻게
말하기가 글쓰기를 억압했으며 이성이 감성을, 백인이 흑인을, 남성이 여성을 억압했는지를
보여주었다. 푸코는 지식이 권력에 저항해왔다는 계몽주의의 발전논리의 허상을 파헤쳐서 지
식과 권력은 적이 아니라 공모자였다고 하였다. 라캉은 데카르트의 합리적 절대자아에 반기
를 들고 프로이트로의 귀환을 주장하였다. 리오타르는 합리주의의 도그마를 해체시키려 시
도하였다. 따라서 철학에서의 포스트모더니즘은 근대의 도그마에 대한 반기라 할 것이다. 이
운동은 미국과 프랑스를 중심으로 학생운동 여성운동 흑인민권운동 제3세계운동 등의 사회
운동과 전위예술, 그리고 해체(Deconstruction) 혹은 후기구조주의 사상으로 시작되었으며,
1970년대 중반 점검과 반성을 거쳐 오늘날에 이른다.

불리는 조직이라는 새로운 교회를 만들고 그 곳에 신도들을 모아 조직할 필요가 있었다.

사실 이것은 현실적으로 일어났다. 이 새로운 합리주의자들의 교회는 과거의 종파들보다 못지않은 편협한 도그마를 앞세워 상대방을 공격하고 압박하여 왔음이 입증되었다. 이 묵시들—관념론자, 실증주의자, 사회주의자 들은 나름대로의 예언과 나름대로의 교회를 가지고 있었다. 그러나 이들 중 오늘날 잔존해 있는 것은 오로지 마르크스주의적인 묵시뿐이다. 이것이 이렇게 잔존할 수 있었던 것은 그것이 지니고 있는 교회적인 조직과 사도들의 탁월한 능력 때문이었다.

도슨은 이처럼 마르크스주의가 중세적 기독교의 모방이라 하였다. 하지만 그것은 마르크스만에 국한 된 것은 아니다. 계몽주의와 낭만주의를 종합해서 서구의 철학을 집대성했다고 하는 칸트나 헤겔의 역사철학도 그것이 나름대로 예언과 조직을 가지고 있는 한, 중세적 기독교의 틀을 벗어나지 못하고 있음을 우리는 발견하게 된다.

역사관의 문제에 있어 중세적 기독교 또는 가톨릭이즘적인 것이라고 하면, 아우구스티누스에 의해서 이룩된 역사관을 뜻하게 된다. 왜냐하면 기독교의 역사가 종교개혁에 이르기까지 무려 1500년이라는 기간을 포괄하는 것이고, 또 그동안 많은 사상적으로, 즉 교리나 신학이론에 있어 많은 변천을 해 왔다고는 하나, 역사관에 관한 한 아우구스티누스 이후 별다른 변화나 발전이 없었기 때문이다.

그런데 서구에서 근대화라고 하면 사상적으로 중세적 가톨릭이즘의 파괴, 또는 그로부터의 탈피를 의미한다. 이를 그대로 따르면, 역사관은 아우구스티누스의 것으로부터의 탈피이어야 한다. 그러나 그렇지 못했다. 계몽주의자들이나 종교 개혁가들은 이성이라는 무기를 동원해서 가톨릭이즘의 교권체제에 대해 도전했고, 또 그 파괴 내지는 갱신을 주장했지만 역사관의 문제에 있어서는 아니었다.

기껏 기독교에 반대하고 새로운 역사관의 구성을 시도한 사람들이라 하더라도 단지 아우구스티누스의 신을 각각 그 시대의 중심개념으로 대치시켰을 뿐, 역사 발전의 이원론적 구조, 역사의 시작 및 종말과 그 속에서 진행되는 이원론적이고 직선적인 발전의 틀(framework)은 아우구스티누스의 것을 그대로 답습하고 있다. 그것을 구체적으로 열거하면 다음과 같다.

첫째, 아우구스티누스는 역사의 주체를 신이라 하였는데, 칸트는 자연, 헤겔은 세계사정신, 마르크스는 사회경제적 제 관계라 하였다.

둘째, 아우구스티누스는 역사 발전과정이 신의 의도 또는 신의 섭리를 실현하여 가는 과정이라 한데 대하여, 칸트는 자연의 의지 또는 자연의 법칙, 헤겔은 세계사의 자유의 실현, 마르크스는 계급투쟁의 실행 과정이라 하였다.

셋째, 아우구스티누스가 세계를 신의도시와 지상도시로 구분하고 역사 과정이 두 개의 도시가 대립 투쟁해 가는 과정이라 한데 대하여, 칸트는 사회성과 비사회성으로, 헤겔은 낡은 세력[正]과 새 세력[反]으로 각각 구분하고 역사는 이들의 대립 투쟁으로, 마르크스는 지배자와 피지배자, 부르주아와 프롤레타리아 등 양대 계급의 대립 투쟁으로 보았다.

넷째, 아우구스티누스는 역사의 종말 또는 목표를 선악이 없어지는 신의 도시의 실현단계로 보았는데 비하여, 칸트는 인간의 이기심이나 동물적 본능이 초극되어 영구평화가 이 땅에 실현되는 단계로, 헤겔은 정·반·합의 대립과 종합의 변증법적 개념이 없어지고 절대정신, 절대자유가 실현되는 단계로, 마르크스는 유물변증법의 과정, 계급투쟁의 과정이 종결되는 단계로 각각 보았다.

그러면 이들이 예견한 역사의 목표가 실현되는 단계는 어떠한 상태의 세계인가?

첫째, 아우구스티누스는 영원불변·불사·생명·진리·선·미·능력·지복(至福)·정신 등으로 표현되는 신의 계획이 실현된 세계이다.

둘째, 칸트에게 있어서 이 단계는 완전한 시민체제(a perfect civil constitution)가 확립되어 이를 근거로 국가와 국가 간에는 대 국제연맹이 결성되어 국가 간에 전쟁이 없는 영구평화가 이루어지며, 인간과 인간 사이에는 그들의 지닌 비사회성(unsocialness)이 사라지고 각자가 통제되지 않는 자유로운 태도(the attitude of uncontrolled freedom)로 생활해도 압박자와 피압박자의 구별이 없는 그러한 사회가 실현된 세계이다.

셋째, 헤겔에게 있어 이 단계는 개인이 아무리 자기의 자유의지를 발휘하더라도 그것이 국가의 의지, 또는 보편의지에 배치됨이 없고, 국가가 아무리 국가의 목적을 위하여 국가의 의지를 시행하더라도 개인의 자유를 침해하지 아니하는 국가가 형성된 세계를 뜻한다.

넷째, 이런 시대를 마르크스는 프롤레타리아트가 부르주아를 타도하고 프롤레타리아 독재를 이룩하여 드디어는 국가는 고사되고 계급은 없어져 공산사회가 완성된 세계로 본 것이다.

이상과 같은 아우구스티누스 이후 마르크스에 이르기까지의 직선적 목적사관의 변천과정을 도식화시켜 보면, 대체로 다음과 같은 발전사관의 틀이 성립된다.

사상가	이사야	아우구스티누스	칸트	헤겔	마르크스
역사의 주체	야훼	신	자연	세계사정신	사회·경제적 제 관계
역사발전의 법칙	야훼의 손길	신의 의도 섭리	자연의 의미 자연의 법칙	정신 변증법	유물변증법
이원론적 대립	지배자와 피지배자의 대립투쟁	신의도시와 지상도시에 속한자들의 대립투쟁	사회성과 비사회성의 대립투쟁	신세력과 낡은 세력의 대립투쟁	부르주아와 프롤레타리아의 계급투쟁
역사발전의 목표	압박자와 피압박자의 대립해소	신의도시와 지상도시의 통일	비사회성의 초극을 통한 완전자유의 실현-국제연맹의 실현	정반의 대립이 없어지는 절대자유의 실현	프롤레타리아의 독재로 성립되는 무계급-무국가의 사회 성립

▶ 발전사관의 틀

한마디로 이상의 사상가들이 생각한 역사 발전의 목표, 인류의 이상은 현실적으로 전개되고 있는 인간 사회와 국가와 국가 간에 야기되는 갈등과 알력이 없어지는 단계, 다시 말하면 역사상에 있어 현실적으로, 그리고 불가피하게 전개되고 있는 이원적이고 대립적인 제 관계의 종식에 두고 있는 것이다.

이것이 바로 앞서 인용한 구약 중, 예언자 이사야가 읊은 '장차 올 평화스런 왕국'의 반복이다. 야훼의 영이 내려 지혜와 슬기, 경륜과 용기, 정의롭고 공평한 재판이 이루어져 늑대가 새끼 양과 어울리고, 표범이 숫염소와 함께 뒹굴며, 새끼사자와 송아지가 함께 풀을 뜯으며, 암소와 곰이 친구로 되고, 젖먹이가 살무사의 굴에서 장난하는 그러한 사회의 도래를 기대하고 이루어진 철학들인 것이다.

그러나 결과는 그와 정반대였다. 이들 중 아우구스티누스의 기독교 교리는 이교도와의 끝을 모르는 전쟁, 이단에 대한 잔혹한 박해 등으로 일컬어지는 인류에 대한 무지막지한 억압과 살육을 감행하는 죄악을 저질러, 역사상 자유의 최대 최고의 적으로 군림하여 왔다.

칸트나 헤겔도 기독교적 역사관의 틀을 버리지 않는 한, 기독교가 지은 죄를 다시 짓지 않을 수 없었다. 독일통일을 암시한 가운데 국가주의를 만들어, 비스마르크를 거쳐 히틀러로 이어지는 독일 민족주의자들의 광분은 1차 세계대전과 2차 세계대전이라는 역사상 유래 없는 전쟁을 촉발시켰다.

그 밖에도 서구중심의 역사관을 근거로 하는 거대담론은 서구의 근대 문명을 주(主)로 하고 그 밖의 문명·문화체계들을 종(從)으로 하는 이원론적 논리를 내세워, 세계에 대한 제국주의적 정복을 합리화시켰다. 그 안에서 정복자들은 정복을 위하여, 피정복자들은 정복자들의 침탈로 인하여, 생명을 빼앗기고 비참한 질곡의 삶을 영위해야 하는 비극을 낳았다.

뿐만 아니라 마르크스의 역사관은 공산당을 만들어내어 그가 해방시키겠다고 외쳐댄 노동자 농민들의 희생을 담보로 새로운 교조주의를 세우고, 세계를 냉전체제로 몰아넣어 그 안에서 야기된 수많은 분란으로 인민들을 독재와 압박, 질곡과 신음 속에서 죽음의 길을 가도록 내어 몰았다.

이 모든 일들은 서구에서 근대화의 목표로 삼았던 모더니즘의 이원론적 역사관이 인류를 아군과 적군으로 갈라놓고, 세계 방방곡곡에서 대립과 쟁투를 벌리게 만들었기 때문에 일어난 것들이다. 때문에 2000년 대희년(大喜年)을 맞아, 그동안 기독교가 지은 죄악에 대한 참회의 뜻을 발표한 로마교황의 성명은 비단 기독교만이 아니라, 기독교적 이원론을 근거로 하는 역사관에 입각한 일체의 이데올로기가 지은 죄악에 대한 참회이어야 할 것이다.

아무튼 로마 교황의 참회는 현대사에 있어서 괄목할 만한 의미를 지닌다. 이는 지난 역사를 청산하고 새로운 역사의 전개를 암시하는 말일 수도 있다. 그러한 분위기가 만들어졌음을 의미하는 것이다. 이는 포스트모더니즘과 무관하지 않을 것이다.

포스트모더니즘은 모더니즘 다음 시대라는 말로도 이해될 수 있고, 모더니즘에서 탈피해야 한다는 말로도 이해될 수 있다. 그런데 모더니즘은 데카르트 이후 오늘에 이르기까지 서양의 근대를 이끌어

온 사상체계를 의미하는 것이다. 포스트모더니즘은 그것의 해체를 주장하고 나선 것이다.

그런데 해체를 주장하기에 앞서 이미 해체가 진행되고 있음을 우리는 느낀다. 우선 1980년대 동·서 독일의 통일과 소련의 붕괴로 동구권이 해체되었는데, 이는 마르크스주의의 해체를 의미하는 것이다. 마르크스주의의 해체는 동시에 헤겔의 역사철학의 해체이고, 나아가서 그 뿌리가 되고 있는 아우구스티누스의 역사관의 해체를 의미한다. 그래서 오늘은 사상적 무정부상태에 돌입한 것이며, 심지어는 종교의 재편성을 논의해야 하는 상황에까지 이른 것이다.

포스트모더니즘은 이러한 상황에서 출현한 것이다. 그렇다면 포스트모더니즘의 목표는 새로운 세계사의 의미를 세우기 위한 서유럽 중심의 세계사관에 대한 해체에 있는 것일 수도 있다.

역사는 흐름이다

역사는 외줄기가 아니다

지금까지 서양의 근·현대사를 지배해 온 직선적 목적사관을 살펴보았다. 근대 서양문화와 그 영향 하에 있었던 세계문화에서 그것이 끼친 영향력은 실로 엄청난 것이었다. 그러나 시대는 변천되었다. 세계가 지구촌으로 바뀌어 가고 있는 오늘, 그러한 서유럽 중심적 목적사관을 고집하기에는 너무 많은 무리가 따른다.

직선적 목적사관은 성격상 역사를 외줄기로 보는 생각이었다. 외줄기라 함은 서양사의 흐름일 수밖에 없다. 실제로 이 사관에 입각할 때, 그들은 그리스·로마사와 게르만 이동에 따른 중세사, 그리고 르네상스 이래의 서양근대와 현대사로 연결되는 역사의 직선적 흐름으로 세계사를 이해하여 왔다. 헤겔의 자유의 발달 과정으로서의 보편세계사도 그렇고, 마르크스의 경제사의 5단계 발전과정도 그렇다. 그밖의 세계는 거기에 부수적으로 따라 붙는 곁가지에 불과한 것으로 이해되었다. 그러나 이것은 유럽사일 수는 있으나 세계사라 하기에는 부족하다. 이는 서양 역사가들의 편견과 독선이요 오만이 크게 작용한 결과다.

지구촌 시대의 요구

이제는 지구촌이라는 세계의 개념에 일치하는 새로운 세계사의 이해가 요구되고 있다. 현재 세계라는 울타리 안에서 함께 하고 있는 모든 인종과 문명을 함께 볼 수 있는 새로운 세계관에 따른 세계사의 흐름이 파악되어야 한다. 각 인종과 민족과 그들의 문화와 문명을 총괄해서 구체적으로 논의하기에는 분량이 많아짐으로 어려운 일이나, 최소한 동양사 서양사는 포함하는, 조금 확장해서 생각해서 세계 4대문명의 발상에서 비롯되는, 문명·문화의 흐름을 포괄하는 역사의 흐름은 포착되어야 할 것이다.

나는 최근 이러한 의도를 실현해보려는 욕심으로 《지성사로 본 세계사》를 출간한 바 있다. 막상 위와 같은 세계사의 흐름을 포용하는 단행본의 세계사 책을 쓴다는 것을 여간 어려운 일이 아니다. 특히 역사 흐름의 전체적 틀을 짠다는 것, 그것을 요약해서 표현한다는 것은 구체적 사실들을 열거하면서 틀에 대한 설명을 한다는 것은 불가능한 일이었다. 그래서 역사를 물의 흐름으로 비유하여 상징적인 글로 표현해 보았다. 다음은 그중 일부이다.

태초의 세계, 태초의 우주는 온통 칠흑과 같은 어둠으로 가득했다. 어느 순간 어둠 위에 한 점 빛, 진리의 빛이 자신의 모습을 드러내기 시작하였다. 그 작은 빛살은 인류라는 동물의 머리를 통하여 이 땅에 비춤으로 인류의 역사를 전진시켜 나아갔다. 여기에서 인간은 태어나고 문명과 문화는 시작되어 인류 역사의 강줄기의 흐름은 비롯되었다.

거대한 빛의 덩어리, 진리의 빛줄기는 거대한 물방울로 지구에서 제일 높은 히말라야 곤륜 킬리만자로 럭키 안데스 알프스 등산 정상 위에 떨어져 그 산들의 계곡을 따라 흐르기 시작하였다. 히말라야에서는 인더스와 갠지스 강이, 곤륜에서는 황하와 양쯔 강이, 킬리만자로에서는 나일 강이, 그리고 럭키에서는 미시시피 강, 안데스에서는 아마존 강, 알프스에서는 라인 강과 센 강이 흘러 각각 색다른 인류의 문명과 문화를 만들어 내면서 하나로 이루어진 오대양 바다 속으로 흘러들었다.

거대한 빛의 덩어리, 진리의 빛줄기, 그것은 원래 하나였으나 산계곡을 타고 내리며, 각기 토양과 거름을 실어 색다른 문화의 퇴적층을 마련, 색다른 샘들의 원천을 이루고, 색다른 냇물의 맛과 색깔을 만들었다. 그 냇물들은 다시 흐르고 흘러, 시냇물이 냇물이 되고 냇물이 강물이 되고, 강물이 대하로 되어 하나의 오대양으로 흘러들었다.

세계사의 원천

문화와 문명이란 인간 정신이 자연을 경작해서 만들어낸 것이다. 그것은 빛을 향한 인간의 머리가 자연 속에서 진리를 발견해 냄으로 이루어지고 그를 통해 발전되었다. 그리고 그것은 작은 것에서 큰 것으로, 마치 냇물이 강이 되고, 그것이 바다로 흘러들어 하나가 되듯이 오늘의 지구촌 문화와 문명으로까지 발전되어 온 것이다.

문화와 문명은 종교라는 것을 통해 그 특색을 지니게 되고 발전되었다. 여기서 종교라 함은 사상이나 철학을 포함하는 말이다. 이 속에서 정치도, 경제도, 과학도 그 특성을 지니게 된다. 그런데 종교의 특색은 대체로 4가지 흐름으로 요약될 수 있다. 이것은 일반적인 문화사에서 말하는 고대 4대 문명의 발상과 깊은 관계를 지닌다.

4대 문명은 그 사상적 특징으로 보아 양분될 수 있다. 첫째는 초월적인 신을 전제로 한 종교에 뿌리를 지닌 것이고, 다른 하나는 현실주의적인 색채를 띠고 있는 것이다.

그중 전자에는 서편으로 이집트 문명, 동편으로 인도 문명이 있다. 이들은 다 같이 좋지 않은 자연환경을 극복해가며 이룩된 문명이다. 그러므로 인간을 초월하고 자연을 초월하는 신비적이고 내세적인 종교를 특징으로 지닌다.

그중 후자에는 서편의 메소포타미아 문명과 동편의 중국 문명이 있다. 이 둘은 다 같이 비옥한 농토를 둘러싼 제 민족들 간의 투쟁의 결과로 탄생한 문명이다. 그러므로 인간적이고 현실적인 철학을 근거로 하고 있다는 특징을 지닌다.

편의상 전자를 헤브라이즘이라 하고, 후자를 헬레니즘이라 하자. 헤브라이즘에는 유대교와 인도 문명이 그 대표적 위치를 차지한다. 이 두 개의 문명이 세계 종교의 양대 주류를 이루고 있기 때문이다. 유대교에서는 기독교(그리스 정교회 포함)와 이슬람교가 파생되어 나왔고, 인도에서는 브라만교를 원천으로 하여 불교와 힌두교가 파생되어 세계4대 종교를 만들었다.

헬레니즘에는 바빌로니아와 중국의 문명이 속한다. 바빌로니아에서는 그리스·로마의 휴머니즘이 파생되었고, 중국의 문명에서는 유학을 중심으로 하는 현실주의적 문화가 이루어졌다.

서방 문명들의 만남

이러한 문명들은 각자 다른 곳에서 발생하였다. 하지만 그것들은 각자 자기의 길을 가다가 어느 만남의 점에 도달하면 서로 만나게 된다. 이러한 만남에는 대체로 전쟁이나 정복, 혁명 등의 거대한 격랑이 일고 영웅들이 출현한다.

이러한 문명의 만남은 대체로 크게 4~5단계의 과정을 거친다. 먼저 서양사라는 흐름의 원류를 이루는 바빌로니아 문명과 이집트 문명을 보자. 아주 세밀하고 구체적인 것들은 차치하고, 크게 바빌로니아는 함무라비의 등장으로 그 통일을 이룩하여 그 이전 시대의 가느다란 문화의 흐름들을 합류시켰다. 이와 비슷하게 이집트는 여러 파라오들, 그중에서도 람세스(2세와 3세) 시대에 대 통일을 이루어 룩소르의 카르나크 신전으로 대표되는 문화의 융성함을 보여주었다.

그러나 이 두 개의 고대 문화는 다리우스 대제에 의해서 잡다한 다른 오리엔트 문화·문명들을 포함하는 페르시아로 통일된다. 다리우스는 에게 해를 사이에 두고 새롭게 흥성하고 있는 그리스 문화까지도 포함하려 하였다. 그러나 이 일은 그리스세계를 통합한 알렉산더 대왕의 동방원정으로 이루어진다. 이것은 오리엔트세계와 그리스 문명의 통합을 의미하는 것으로 이 속에는 티그리스·유프라테스 강과 나일 강의 문화, 그리고 에게 해의 문화를 포괄하는 것으로 헬레니즘이라는 이름으로 지중해 문화권으로 확장되었다.

애초에 지중해문화권의 패자로 등장한 것은 카르타고였다. 허나 한니발이 스키피오에게 패전함으로써 로마에게로 지배권을 넘겨주어야 했다.

카이사르는 게르만 원정으로 원시적인 게르만문명을 지중해문명에 접합시키는 역할을 하였다. 그 후 옥타비아누스 이래의 팍스 로마나 기간은 작고 가는 것이던, 굵고 긴 것이던, 그 이전의 모든 문명들이 하나의 거대한 호수로 몰려들어 하나로 혼합되는 시기였다. 그 결과로 기독교라고 하는 하나의 종교가 이루어졌다. 여기에서 지구 서편의 고대 문화는 완결을 본 것이다.

그 후 이른바 서양의 중세사는 기독교의 분산시대요, 종교 중심의 정치세력의 성립과 그에 따른 종교 간의 쟁투의 시대라 할 수 있다. 콘스탄티누스 대체가 기독교를 공인한 이래 기독교는 세 갈래로 분열되기 시작하였다. 삼위일체설을 반대하여 분파된 아리우스파(네스토리우스교)는 시리아를 거쳐 오리엔트세계로 이전되어 마호메트의 이슬람교로 다시 태어나 사라센 제국을 형성하였다.

한편 삼위일체설을 주장한 아타나시우스파의 기독교는 우상철폐 문제를 계기로 양분되어 그중 그리스 정교회는 동로마제국을 중심으로 정치세력을 펼쳤고, 로마 가톨릭은 게르만족과 야합하여 그들의 문화를 수용하면서 샤를마뉴의 서유럽 통일을 계기로 중세 서유럽문화발전의 길을 터 나갔다.

동방문명들의 만남

이렇게 하여 만들어진 동서유럽세계와 이슬람세계가 서방에서 대결을 이루고 있을 즈음, 동방에서는 인더스·갠지스 강의 인도 문명과 황하강의 중국문명의 만남이 이루어진다.

우선 중국에서는 하·은(商)·주 3대를 거치고 그 사이 중국대륙 각지에서 나름대로 발전하여 오던 세력들이 춘추전국시대를 맞이하여 각종의 사상과 문화를 들고 중원으로 몰려들어 각축전을 벌인다. 그 결과 제자백가의 사상적 성숙을 이룩하여 중국 문화·문명사의 원류를 마련한다. 이들은 진시황제에 의해서 진(秦, China)이라는 이름으로 통일되고, 제자백가의 사상은 유방(劉邦)에 의해 재통일된 한(漢)나라에 이르러 유교와 도교로 정리되어 문화·문명의 흐름을 뚜렷이 한다. 그리고 한나라의 무제(武帝)는 서방개척 사업으로 실크로드를 열고, 서양세계와의 통로를 연결시키는 한편, 인도문화의 접근을 가능케 한다.

기원전 15세기에 이미 베다 문학을 통하여, 부라만 교를 중심한 고도의 문화를 이룩한 인도는 정치적으로는 지속적인 통일을 이루지 못하였으나 석가모니의 불교의 출현 등으로 종교적 특징을 지닌 문화를 발전시켜 왔다. 불교는 마우리아 왕조의 아소카 왕과 쿠산 왕조의 카니시카 왕 등의 업적들을 통하여 전 세계적인 종교로 발전하였다.

한편, 중국에서는 한나라가 붕괴되어 삼국시대를 거치고, 5호 16국시대가 전개되었다. 춘추전국시대의 정치적 혼란 속에서 제자백가의 사상들이 발전하였듯이 이 시대의 혼란은 인도 불교문화를 받아들여 유교 및 도교와의 만남이 가능케 되었다. 그리하여 수당(隨唐) 시대에는 서양의 로마가 그랬듯이, 이상 세 가지의 사상을 비롯하여 동방세계의 모든 사상과 문화의 흐름들이 모인 거대한 문화의 호수가 이루어진다. 여기서 동방세계의 고대문화사는 완성을 보게 된다.

종교가 지배하는 시대

동로마제국의 그리스정교회, 서유럽의 로마가톨릭, 사라센의 이슬람이 성립되었듯이, 인도에서는 부라만 교를 개혁한 힌두교가, 중국 송나라에서는 유학을 형이상학으로 심화시켜 종교의 수준으로 끌어올린 주자학이 성립된다. 인도나 중국에서도 서양세계에서와 마찬가지로 중세적 특징이 성립되었다 할 것이다.

제1차 동서양의 접근과 격돌

그러나 종교를 중심으로 한 각 정치집단들은 종교적 제국주의의 양상을 띠고 패권 다툼에 나선다. 이슬람의 사라센제국은 고대 오리엔트 세계를 재통일하고 고대 로마영토를 장악하기 위하여 아프리카를 거쳐 이베리아반도로 진군하여 가톨릭세계를 위협하였다. 이에 대항하여 프랑크 왕국의 샤를마뉴는 이를 견제하는 일을 빌미로 고대 로마제국의 부활을 꿈꾼다. 그래서 그 뒤 오토 대제의 신성로마제국의 출현을 가능케 하였다.

서쪽 방면으로의 진출이 여의치 않자 이슬람제국은 상대적으로 국력의 소진을 보이고 있던 비잔틴제국을 위협하게 되고, 여기서 동서 기독교세계(가톨릭과 그리스 정교회)와 이슬람세계의 대격돌인 십자군전쟁이 돌발한다. 200여년에 걸친 이 전쟁은 약 5세기에 걸쳐 따로따로 다른 문화·문명적 요소들을 함유하며 발전되어 온 세 개의 세계 문화·문명적 교류와 정치·경제적 접근을 가능케 만든다. 한마디로 서방세계의 문화·문명적 재 합류의 물꼬가 트인 것이다.

한편 동방에서는 문치주의를 고집한 결과로 국력이 허약해진 중원의 송(宋)나라가 제공한 힘의 공백으로 그를 둘러싸고 있던 주변 민족들의 대이동이 전개된다. 먼저 서남 만주지역에 웅거하고 있던 거란이 중원으로 밀려들어 송을 남으로 밀어내고 요(遼)나라를 세우더니, 그로 해서 만주에 생긴 힘의 공백을 활용하여 세력을 얻은 여진족이 거란의 뒤를 좇아 중원으로 밀려들었다. 이틈에 여진의 세력 아래 있던 몽골의 칭기즈칸은 자기 민족을 통일하는 순간, 폭풍처럼 전 세계를 휘몰아 서방세계와 동방세계를 연결시켜 주었다.

십자군전쟁이 고대 로마세계가 통일했던 세계의 문화·문명권의 재접근의 길을 연 사건이었다면, 칭기즈칸의 세계정복은 동방세계와 서방세계의 접근을 가능케 만든 일대 사건이었다. 칭기즈칸의 후예가 세운 중국의 원(元)나라는 육지와 바다로 수많은 실크로드를 개통시켜 동과 서를 연결하였다.[2] 같은 후예인 킵차크한국은 동서의 접경 문화·문명을 이루어 러시아에 전승시켰다. 그리고 옛 페르시아 제국의

---

2 마르코 폴로의 《동방여행기》를 비롯하여 수많은 동서 교류가 이 시대에 열려진 실크로드를 통했음은 널리 알려진 일이다. 특히 원나라의 북경과 인도지역을 거쳐 서방으로 뻗친 해상실크로드는 서구의 지리상의 발견과 깊은 연관을 갖고 있다.

땅을 차지한 일한국은 이슬람문화를 바탕으로 하는 서양문화와 중국문화의 접근을 가능케 하였다. 그리고 칭기즈칸의 테무친이라는 아명을 사용한 티무르제국과 그 뒤를 이은 무굴(몽골의 인도식 발음)제국은 힌두교와 이슬람교를 만나게 하여 갈등과 결합 등을 유발케 하였다.[3]

여하튼 칭기즈칸의 정복은 십자군전쟁과 더불어 동서세계의 중세문화를 만나게 하고 그로부터 근대문화의 흐름을 시작하게 한 중대한 사건이었다. 그 결과로 세계의 문명권은 유럽 열강들을 중심으로 하는 서방문화권과 오늘의 중동지역을 둘러싼 이슬람문화권, 그리고 중국문화권으로 3분되게 되었으며, 이들은 여러 가지 통로와 여러 가지의 방법으로 밀접한 교류를 할 수 있게 되었다.

선진 서구 문명

이른바 근·현대 세계사는 이 3개의 문화권이 경쟁적으로 발전해가며 다시 하나의 문화권으로 통합되어 가는 과정이었다. 그중에서 선도적 역할을 담당한 것이 서구문화권이었다.

유럽에서는 르네상스 종교개혁 절대왕권 지리상의 발견, 그리고 시민혁명과 산업혁명 등을 수행하면서 근·현대화의 과정을 촉진시켜왔다. 여기서는 중세적 분권체제를 극복하여야 하는 현실적인 문제로 치열한 자체 내의 경쟁체제로 돌입하였다. 종교·경제·사회·정치적으로 살아남기 위한 수 없는 싸움들을 해야 했다.

---

3 무굴제국의 황제 샤 자한(Sahh Jahan)이 그의 사랑하는 왕비의 죽음을 슬퍼하여 세웠다는
   타지 마할(Taj Mahal) 묘는 이슬람문화와 힌두문화의 결합이라 할 것이다.

그 결과, 그들은 마치 중국의 춘추전국시대에 제자백가가 나왔고, 오호십육국시대(五胡十六國時代)에 중국문화와 인도의 불교가 야합을 이루었듯이 사라센과 비잔틴으로부터 몰려 온 철학 과학 예술을 받아들여 인문 사회과학, 자연과학의 발전을 이룩하였다. 그 결실로 시민혁명과 산업혁명을 성공적으로 수행 할 수 있었다.

이 두 가지 혁명은 유럽세계의 확대를 이끌어내었다. 시민혁명으로 이룩된 민주주의와 민족주의는 국민 개개인의 자유와 민족의 영광을 위하여 보다 많은 물량적 발전과 확장을 요구했고, 과학의 발달을 배경으로 한 산업혁명은 이를 가능하게 만들어 주었다. 그 결과로 나타나게 된 것이 제국주의다.

이에 비하여 고대 이래로 통일적 지배를 지향했고, 그것을 유지해 온 중국문화권과 중세적 종교에 모든 운명을 걸어온 이슬람문화권은 상대적 안정 속에서 자기 발전에 소홀하였다. 그 결과 서구문화권에서 피를 흘리며 이룩한 근·현대화에 밀리지 않을 수 없게 되었다. 19세기 이래 지금까지 수행되고 있는 서구세력의 제국주의적 침탈은 그 결과다. 이로 인해 인류는 지역 대 지역 인종 대 인종, 민족 대 민족의 수 없는 갈등과 알력, 그리고 전쟁과 살육이 자행되었다.

그러나 이것들은 근·현대화 과정을 밟으면서 유럽인들이 자기들끼리 체험했던 갈등과 알력의 지역적 확대 이상은 아니다. 실례를 들면, 제국주의로 해서 중국인이 유럽인들에게 당한 핍박과 굴욕은 독일인들이 삼색기를 앞세우고 달려온 백마 위의 나폴레옹에게 당한 것과 그 의미에서 다르지 않다.

중요한 것은 이로 인하여 세계는 하나로 접근하게 되었다는 것이다. 제국주의 운동은 다리우스 대제가 오리엔트세계를 하나로 만들고, 알렉산더가 오리엔트와 그리스를 합쳐서 헬레니즘 세계를 만들고, 카이사르가 로마문명을 게르만세계에 이전시키고, 우르바누스가 십자군운동을 일으키고, 칭기즈칸이 폭풍을 일으켜 유라시아대륙을 하나로 엮은 일 등등과 그 의미에 있어서 그렇게 다르지 않다. 결국 이를 통해서 세계사는 제 갈 길을 가고 있는 것이기 때문이다, 지구촌 세계를 향해서.

지구촌의 세계로

돌이켜보면, 세계사는 아우구스티누스가 생각했듯이 시작과 끝이 있어서 직선적으로 신의 섭리를 실현해 가는 과정도 아니고, 비코에게서 보았듯이 에게 해에서 시작해서 오늘의 지구촌에 이르기까지 나선형적으로 확장되어 온 것도 아니다. 그렇다고 슈펭글러나 토인비가 생각한 대로 몇 개의 문명이나 문화가 생성되었다가 소멸되어버린 것도 아니다.

역사는 인류가 생존하기 시작한 곳에서 더불어 시작되어 그 지역적 특성을 흡수해 가며 흘러온 물길이다. 아주 작은 문화와 문명의 단위에서, 보다 큰 문화와 문명의 단위로 합류되어 융합되어 온 흐름이다. 여기서는 어떠한 문화와 문명도 변치 않은 것들이 없고, 죽어버린 것들도 또한 없다. 그것들은 흐르면서 서로 이웃해 있는 것들과 지속적으로 합류하고 융합하여 오늘의 지구촌이라 불리는 세계 문화와 문명으로 흘러들어 온 것이다.

이러한 역사가 지금부터 어디로 어떤 형태로 흘러갈 것인가? 그것의 최종적인 목적지는 어디인가? 이를 답한다는 것은 또 하나의 환상이나 공상을 만드는 것에 불과할 것이다. 그러나 그렇게 멀지 않은 시기에 세계가 하나의 문화와 문명으로 통합되어 갈 것이라는 것은 이미 명백해져 있다.

마치 고대 서방세계가 로마제국으로 하나가 되었듯이, 그래서 오늘의 세계에 대해서 팍스 로마나를 모방한 팍스 아메리카나라는 말로 표현되고 있는 것이 아닌가? 그런데 이것이 몇몇 앵글로색슨족이 중심으로 된 미국이 세계를 통일하였다는 의미는 아닐 것이다. 이제 미국은 어떤 특정 인종이나 민족의 국가가 아니기 때문이다.

나는 여기서 팍스 로마나 뒤에 게르만의 이전이 있었음을 상기하고 싶다. 로마는 에트루리아인이나 라틴족에 의하여 시작되었는지 모르나, 팍스 로마나 이후의 로마는 달랐다. 지중해를 둘러싸고 있던 모든 나라들의 민족들과 게르만으로 불리는 전 유럽인들의 제국이었다. 이제 팍스 아메리카나는 국경선을 철폐해야 하고 또 그렇게 되어가고 있다.

어느 포스트모더니스트의 말처럼 새로운 중세가 도래할지 아닐지는 모르겠다. 그러나 분명한 것은 이미 문화적으로, 경제적으로는 중세적 통일이 이루어져 있다는 사실이다. 그리고 정치적으로도 정부는 작아지고 국경선은 희미해져가고 있다는 것이다.

이미 근대국가의 개념이나 민족의 특수성이나 동질성과 같은 것들은 사라져 가고 있다. 국적 없는 기업체들이 세계의 구석구석을 장악해가고 있으며, 국적 불명·민족 불명의 문화들이 세계를 휘돌아가고 있는 것은 이를 입증하는 일들이다.

비코의 말대로 인류는 언제나 그의 삶을 영위해가면서 느끼는 필요(Need)와 유용성(Utility)에 맞추어 무엇인가를 발명·발견함으로써 역사의 흐름을 이끌어 왔고, 크로체의 말과 같이 우리의 '현재 생에 대한 관심'이 지구촌에 있기 때문이다.

이상과 같은 세계사의 흐름을 도표로 표시하면 대개 다음과 같은 그림이 될 수 있지 않을까 한다.

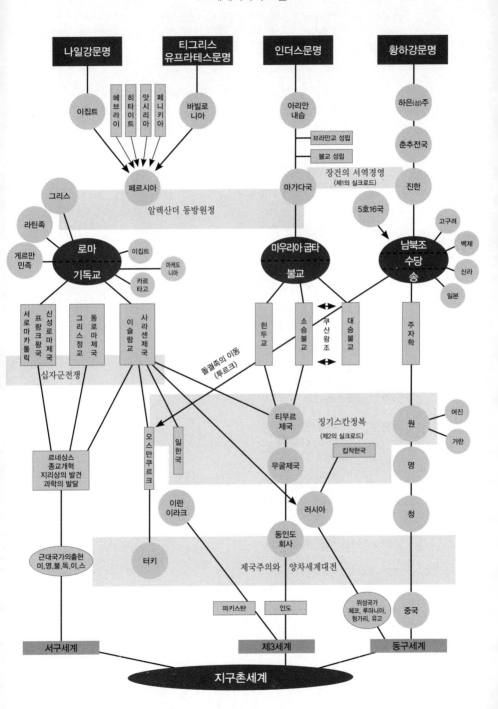

▶ 세계역사의 흐름

이 도서의 국립중앙도서관 출판시도서목록(CIP)은 서지정보유통지원시스템 홈페이지
(http://seoji.nl.go.kr)와 국가자료공동목록시스템(http://www.nl.go.kr/kolisnet)
에서 이용하실 수 있습니다.(CIP제어번호: CIP2017020122)

다시 쓰는 역사, 그 지식의 즐거움

2017년 9월 1일 초판 1쇄 찍음
2017년 9월 9일 초판 1쇄 펴냄

지은이   이상현
펴낸이   정철재
만든이   권희선 문미라
디자인   정은정

펴낸곳   도서출판 삼화
등 록   제320-2006-50호
주 소   서울 관악구 남현1길 10, 2층
전 화   02)874-8830
팩 스   02)888-8899
홈페이지 www.samhwabook.com

도서출판 삼화, 2017, Printed in Seoul Korea
ISBN 979-11-5826-308-9 (03900)